# UN RAYON DE LUMIÈRE

## L'HISTOIRE DE NICK TRAINA, MON FILS

# Danielle Steel

# UN RAYON DE LUMIÈRE

## L'HISTOIRE DE NICK TRAINA, MON FILS

Titre original : *His Bright Light*
Traduit par Vassoula Galangau

Tous les événements évoqués dans ce témoignage
sont réels. Les noms de certaines personnes et institutions n'ont toutefois pas été divulgués, et certaines
de leurs caractéristiques ont été modifiées.

Conception de la maquette de couverture : Dell Publishing, un
département du groupe Bantam Doubleday Dell.

A Nick, avant tout, qui m'a demandé de lui dédier encore un livre. Ce n'était pas celui-ci que j'avais en tête. Mais il est pour toi, Nick. Pour les leçons que tu m'as enseignées, les présents que tu m'as offerts, et tout l'amour que nous avons partagé. Plus grand que l'océan, plus vaste que le ciel. Envole-toi, mon enfant chéri, jusqu'à ce que nous nous retrouvions.

Avec toute ma tendresse,
Maman.

A Julie, qui lui a donné une vie qu'il n'aurait jamais eue autrement. Grâce à elle, il a connu la joie, la liberté, le respect, la sécurité, la sagesse et, par-dessus tout, l'affection. Elle lui a permis d'atteindre l'âge adulte dont il rêvait et qu'il a mérité. A son mari, Bill, pour avoir été l'ami de Nick. Et à Serena et Chris, qui lui ont ouvert leurs cœurs et leurs vies.

A Paul et Cody, qui se sont dévoués, infatigables, du fond du cœur, et qui ont dû assister à tous ses concerts ! ! !

Au Dr Seifried, qui l'a aidé à continuer à vivre, et qui lui témoignait tant d'intérêt.

A Max Leavitt, Sammy (le Mick) Ewing, et Thea Anderson, qui lui ont donné leur cœur pour toujours.

A Chuck (Erin Mason), pour avoir été là quand il le fallait.

A Jo Schuman Silver, l'amie « spéciale » qui l'adorait et qu'il adorait.

7

A Camilla et Lucy, pour des années et des années d'affection.

A Mort Janklow, qui a cru en ce livre, en moi, et en Nicky.

A Carole Baron, qui m'a demandé de l'écrire.

A toi, John, pour tous nos rêves perdus et tout ce que tu as fait pour Nick. Les médecins, les solutions, les médicaments, et le père aimant que tu as été pour lui.

A Tom. Parce que tu as été là au bon moment, et que Nick t'aimait. Merci de m'avoir encouragée à écrire ce livre.

A Bill, qui m'a donné Nicky, qui fut là quand nous l'avons perdu, et qui est devenu mon ami.

A toutes les personnes qui se sont fait du souci pour lui, qui se sont félicitées de ses succès, qui ont ri avec lui et pleuré pour lui. A tous ceux qui ont travaillé dur pour lui rendre la vie facile, secrétaires, infirmières, docteurs, gens du monde de la musique, et tous nos amis, tous ceux qui furent là pour lui, et qui ont changé quelque chose.

Et à mes enfants bien-aimés, Beatrix, Trevor, Todd, Samantha, Victoria, Vanessa, Maxx et Zara, pour avoir été les meilleurs frères et sœurs du monde et les présents les plus précieux de ma vie, comme Nick l'a été, l'est et le sera toujours. Pour l'amour, la force, le rire que nous partageons, que vous avez donné à Nick, et qui vous l'a rendu en retour. Soyez bénis à jamais, et puissiez-vous ne plus jamais connaître de tel chagrin.

Avec tout mon amour.
D.S.

Ce n'est pas pousser comme un arbre
luxuriant, qui rend les hommes heureux.
Ni durer, tel un chêne, trois cents ans,
Pour finir comme une grosse bûche
de bois sec, nue et pourrie.
Le lis d'un jour
Est de beaucoup le plus joli
au mois de mai
Et bien qu'il meure dans la nuit,
Il est la fleur de la lumière.

Ben Jonson

« Peu importe combien d'argent je mets à la banque chaque jour, je me réveille brisé tous les matins. »

Nick Traina
Août 1997

Maman...
J'ai connu un million de personnes
Mais jamais aucune comme toi.
Beaucoup de mes amis sont exceptionnels
Mais je n'ai toujours pas le moindre indice
Pour savoir comment tu peux être aussi merveilleuse,
La plus parfaite maman du monde,
Tu m'as toujours aimé, toujours aidé,
Même quand j'avais tort.
Je suis désolé de t'avoir blessée,
Désolé de t'avoir fait pleurer.
Je ferai de mon mieux pour que tu sois fière de moi
J'essaierai, je te le promets.
Tous ont souffert
Tous ont eu mal
Mais peu savent, comme toi et moi,
Que le soleil brille à travers la pluie.
Tu m'as tant donné
Que les mots ne suffisent pas
Pour te dire combien je t'aime
J'essaie et je n'arrive pas
Sans toi je ne serais nulle part.
Tu as cru en moi
Mes bras seront toujours ouverts
Jamais ils ne se refermeront
Je te respecte plus
Que toutes les autres femmes
Mon épaule t'est offerte
Si tu as envie de t'épancher
Tout va s'arranger
Car je t'aimerai
Jusqu'au jour de ma mort.

Nick Traina
Août 1996

# Prologue

Ce livre ne sera pas facile à écrire mais j'ai beaucoup à dire, avec mes propres mots et les mots de mon fils. L'entreprise, si laborieuse soit-elle, vaut la peine si elle peut aider quelqu'un.

Il est dur d'enfermer un être — un être exceptionnel —, une âme, un sourire, un talent fabuleux, un cœur immense, un enfant, un homme, dans les pages d'un livre. Pourtant, il faut que je le fasse, pour lui, pour moi, pour vous. Et j'espère que je réussirai à vous faire comprendre qui il était et ce qu'il a apporté à tous ceux qui l'ont connu.

Voici l'histoire d'un garçon extraordinaire, doté d'une intelligence brillante, d'un cœur d'or et d'un esprit tourmenté. L'histoire d'une maladie, d'un combat pour la vie, d'une course contre la mort. Je me suis mise à ce récit trop tôt peut-être, il n'y a pas longtemps qu'il nous a quittés. Mon cœur se déchire, les journées me semblent interminables, je pleure dès qu'on prononce son nom. J'erre dans sa chambre encore tout imprégnée de son odeur. Ses paroles résonnent toujours à mes oreilles. Il était encore parmi nous il y a quelques jours, quelques semaines, et tout à coup, il n'est plus là. Impossible de le concevoir, de le comprendre, de l'accepter. Quand je regarde ses photos, j'ai du mal à imaginer que cette fureur de vivre, cet amour, cette énergie se sont évanouis. Que ce beau visage, ce sourire éblouissant, le cœur que je connaissais mieux que le mien, l'ami cher qu'il était devenu ont disparu à jamais. N'existent-ils que dans ma mémoire ? Même aujourd'hui, cela dépasse ma compréhension et souvent ma capacité à le supporter. Comment est-ce arrivé ? Pourquoi l'avons-nous perdu ? Oui, perdu, alors que nous avons tout tenté pour le sauver, en nous occupant sans cesse de lui et en le chérissant plus que tout ? Si l'amour avait pu le conserver à la vie, il aurait vécu centenaire. Mais parfois, même lorsque l'on aime de tout son cœur, de toute son âme et de tout son esprit, on est impuissant devant la fatalité.

S'il m'était permis de formuler trois vœux, le premier serait qu'il n'ait pas eu de maladie mentale, le deuxième qu'il soit encore en vie et le troisième que quelqu'un m'ait prévenue, à un moment donné, que les troubles dont il souffrait — la psychose maniaco-dépressive — pouvaient le tuer. Peut-être les médecins l'ont-ils fait. Peut-être me l'ont-ils signifié d'une manière subtile et que je n'ai pas voulu entendre. Je les ai écoutés, pourtant, au fil des ans, étudiant la moindre nuance de leurs discours, prêtant attention, dans la mesure de mes connaissances et de mes possibilités, à leurs avertissements. Cependant, je ne me rappelle pas qu'ils l'aient formulé. En tout cas, pas clairement. Et j'avais désespérément besoin de cette information. Je ne suis pas sûre que nous aurions agi autrement mais, du moins, j'aurais été au courant, j'aurais su que le pire était à craindre.

Sa maladie l'a tué aussi sûrement qu'un cancer. J'aurais voulu en connaître les risques. Peut-être aurais-je alors été mieux armée pour affronter la catastrophe. Je doute que le public sache que la maladie appelée psychose maniaco-dépressive est potentiellement fatale. Pas toujours, bien sûr. Mais souvent. Le suicide, les accidents constituent la première cause de mortalité des malades.

Si on m'avait annoncé qu'il avait un cancer, qu'un de ses organes vitaux était atteint, j'aurais été plus apte à mesurer les dangers à venir : une condamnation à brève échéance, des conséquences tragiques. Je me serais certainement battue de la même manière, aussi âprement, avec le même acharnement, la même ingéniosité, mais j'aurais été mieux préparée à faire face à la suite. La défaite aurait été moins foudroyante, moins accablante, bien que tout aussi dévastatrice.

Le but de ce livre est de rendre hommage à Nick et à ce qu'il a accompli durant sa trop brève existence. Nick était quelqu'un d'extraordinaire, plein de joie et de sagesse, d'une remarquable profondeur d'esprit qui lui permettait d'avoir une image particulièrement juste de lui-même et des autres. Il affrontait vaillamment l'adversité, avec panache, avec humour et passion. Il faisait tout « mieux » que les autres, jusqu'au bout, durement. Il voulait toujours « plus », riait beaucoup et nous faisait rire. Il nous faisait pleurer aussi, et nous avons essayé par tous les moyens de le guérir de son mal de vivre. On ne pouvait le rencontrer sans être impressionné, touché même. Non, on ne pouvait pas le connaître et rester indifférent. Les gens tombaient facilement sous son charme. Ils désiraient lui ressembler, arriver à sa hauteur. Car il était le plus grand...

En écrivant ce livre sur lui, je me suis donné également un autre but : partager l'histoire, le chagrin, le courage, la tendresse, tout ce que les épreuves m'ont appris. La vie de Nick sera pour nous un doux souvenir ; je voudrais que, pour d'autres, elle serve de cadeau et de leçon. Car il ne s'agit pas seulement d'une biographie, mais aussi de la chronique d'une pathologie qui affecte entre deux et trois millions d'Américains dont le tiers — si ce n'est les deux tiers — en meurent... Effrayantes statistiques, « faussées », il est vrai, quant à l'issue de la maladie, puisque l'on attribue la plupart des décès à des motifs autres que le suicide. Ainsi on parlera d'« overdoses accidentelles », diagnostic défini plutôt par la quantité des substances toxiques absorbées que par le passage à l'acte.

Nul ne sait si ceux qui sont morts ou ceux qui mourront demain pourraient être sauvés. Mais qu'en est-il des autres ? Comment les aider ? Que faire ? Malheureusement personne — moi encore moins — n'a la réponse. Mais il existe différentes possibilités, différentes solutions, plusieurs façons de s'occuper d'eux. Tout d'abord, il faut voir le problème, le cerner. Comprendre — et accepter — qu'on est en train de combattre l'équivalent,

17

non pas d'un simple mal au ventre, mais d'un cancer du foie. Savoir que l'on fait face à quelque chose de grave, d'important, de dangereux, voire de mortel.

Quelque part dans la ville, dans des appartements, des maisons de repos, des bureaux, et pas seulement derrière les grilles des hôpitaux psychiatriques, au cours de vies ordinaires, des êtres humains sont la proie de terrifiants combats intérieurs. A leurs côtés se tiennent ceux qui les aiment. C'est à ces derniers que je voudrais tendre la main, donner de l'espoir, expliquer la réalité. Changer quelque chose. Je souhaite que quelqu'un utilise mon expérience pour sauver une vie humaine. Peut-être réussirez-vous là où j'ai échoué. S'il est vrai qu'un tiers des maniaco-dépressifs se suicideront, cela veut dire que deux tiers vivront. Deux tiers peuvent être aidés et mener une existence utile. J'aimerais que l'histoire de Nick, la vie de Nick, leur apporte le soutien nécessaire. On tire toujours des leçons de nos erreurs et de nos victoires.

Car les meilleures leçons que j'ai retenues s'appellent courage, amour, énergie, stratégie, persévérance. Nous n'avons jamais baissé les bras, nous ne nous sommes jamais détournés de lui, nous ne l'avons jamais abandonné jusqu'à ce que ce soit lui qui nous abandonne, parce que la bataille était trop longue, trop douloureuse. Nous ne nous sommes pas contentés de le secourir, lors de ses tentatives de suicide. Nous avons essayé de lui insuffler l'élan vital, de toutes les manières, afin qu'il continue à se battre avec nous. Mais la véritable victoire pour lui et pour nous, c'est que nous sommes parvenus à lui donner une qualité de vie qu'il n'aurait pas eue autrement. Il a pu entreprendre la carrière qu'il avait choisie dans la musique. Il a remporté des succès éclatants que peu de gens connaissent, même quand ils ont le double de son âge ou plus. Il a connu la joie, l'excitation de la réussite ; il savait mieux que personne le tribut qu'il faut payer à la gloire. Il avait des amis, une famille, une carrière, des divertissements, du bonheur, et du malheur aussi. Il a vécu ses dernières années avec une grâce

18

surprenante, malgré les handicaps dont il était affligé depuis sa naissance. Nous sommes très fiers de lui, en tant qu'homme, en tant que musicien, en tant qu'être humain. C'était un jeune homme brillant, mais malade. Pourtant, la maladie ne l'a pas empêché d'être lui-même, ni nous de le chérir profondément tel qu'il était. Rétrospectivement, je crois que nous avons offert à Nick le plus beau des cadeaux : nous l'avons accepté tel qu'il était, en l'aimant tendrement, inconditionnellement. A nos yeux, sa maladie n'était qu'une facette de sa personnalité, pas toute sa personnalité.

Accompagner quelqu'un atteint de psychose maniaco-dépressive vous engage dans un long chemin semé d'épines. On ne peut le nier. Par moments, on a envie de hurler ; il y a des jours où on n'en peut plus, des jours où l'on souhaite que ça s'arrête. Après tout, c'est son problème, pas le nôtre. Sauf que cela devient très vite notre problème... On n'a pas le choix. On doit se tenir constamment près de lui. On est pris au piège aussi sûrement que le malade lui-même. Un piège qu'on en vient à détester de toutes ses forces, qui empoisonne votre vie, qui ronge votre propre santé mentale. Mais quoi qu'il arrive, on est là, et il faut l'accepter.

Je peux seulement vous raconter comment nous nous y sommes pris, ce que nous avons essayé, ce qui a eu du succès, ce qui a échoué. A vous de découvrir, forts de notre expérience, d'autres solutions. En vérité, nous avons employé différents moyens et nous avons souvent essuyé de cuisantes défaites. Il n'y a pas de règles, pas de manuels, pas de notices d'instructions, pas de normes. On avance à tâtons dans le noir. On invente des tactiques. Si on a de la chance, ça marche. Sinon, on doit trouver autre chose. On tente l'impossible jusqu'au bout et si on perd la partie, on sait au moins qu'on a essayé. Nick le savait. Il savait que nous essayions ; lui aussi il faisait de son mieux. Dans le respect et dans l'amour. Oui, nous nous aimions avec une intensité incroyable en raison des épreuves que nous avions surmontées ensemble. Nous nous faisions du souci l'un pour l'autre. Lui et moi, nous nous ressemblions plus que nous n'avons bien voulu le croire pendant des années. A la fin, il l'a admis. Il me faisait rire. Il me faisait sourire. Il n'était pas seulement mon fils, mais mon meilleur ami. J'écris ce livre en son honneur ; il est pour lui. Et pour tous ceux qui auraient besoin de profiter de notre expérience, de savoir ce que nous avons fait, ce que nous aurions dû faire et ce que nous n'aurions pas dû faire. Si cela peut alléger le fardeau de quelqu'un, alors je veux bien revivre cette longue agonie, ses exaltations et ses angoisses. Mon intention n'est pas de l'exposer à la curiosité du public, pas plus que moi-même, mais de vous aider.

Et si c'était à refaire ? Oui. Sans une ombre d'hésitation. Pour rien au monde je n'aurais renoncé à ces dix-neuf ans. Ni à la peine et au tourment, ni à la frustration et au malheur, car ils allaient de pair avec une incommensurable joie, un bonheur absolu. Savoir qu'il allait bien ou qu'il était content m'emplissait d'une allégresse indescriptible. Je n'aurais pas voulu manquer un seul instant en sa compagnie. Il m'a enseigné plus sur l'amour, la joie de vivre, la témérité, la merveilleuse insolence que quiconque. Il m'a offert des trésors d'affection et de compassion, de compréhension et de patience, de tolérance et d'acceptation, dans un grand éclat de rire qui partait droit du cœur. Et maintenant, ces trésors sont à vous.

L'amour doit être partagé, la douleur adoucie. Si je peux rendre votre chagrin plus léger, plus doux par l'attachement que Nick nous portait, alors sa vie n'aura été qu'un présent de plus, un cadeau merveilleux, et pas seulement pour moi et sa famille. Pour vous aussi.

C'est grâce à Nick que notre combat méritait d'être livré. Il s'est battu pour nous, comme nous nous sommes battus pour lui. Ce fut une folle histoire d'amour du début à la fin. Malgré les obstacles et les défis, sa vie valait la peine d'être vécue. La fin a été dictée par le destin. Comme dans sa chanson : « Destinée... danse avec moi ma destinée. » Oh, comme la musique est belle ! Ce son vibrant vivra toujours, exactement comme Nick vivra dans notre cœur.

Il était un cadeau précieux. Il m'a montré tout ce qu'on doit savoir sur la vie et l'amour. Que Dieu le garde, souriant avec lui, jusqu'à ce que nous nous retrouvions au ciel.

Et que Dieu vous protège, pendant votre voyage.

D.S.

# 1

## Le début du voyage

J'ai connu le père de Nick le jour de son trente et unième anniversaire, par une belle journée ensoleillée de juin. Bill travaillait, il était intelligent, avait un faux air de Belmondo. Très séduisant, cultivé, bien élevé, extrêmement brillant, issu d'une très bonne famille, il avait des parents adorables. Mais un passé quelque peu mouvementé contrebalançait ses qualités. Bill en parlait très peu, sans jamais entrer dans les détails.

C'était le parfait produit de l'éducation jésuite ; il avait suivi des études universitaires, jouait au football. Peu après notre rencontre, il a commencé à suivre des cours de psychologie. Il avait tâté de la drogue dans sa jeunesse mais n'y touchait plus depuis longtemps. Quand je l'ai connu, il ne se droguait pas et ne buvait pas. Ceci m'a favorablement impressionnée. Moi-même je ne buvais pas d'alcool, et je n'en bois toujours pas ; quant à la drogue, toute ma vie je m'en suis méfiée comme de la peste.

Aujourd'hui un certain nombre de choses relatives à Bill me sont sorties de l'esprit, soit que je les aie oubliées, soit que je les aie reléguées délibérément dans un coin de mon subconscient. Pendant vingt ans, je me suis dit qu'il n'avait fait que passer. Mais à présent, tandis que je retrace jour après jour l'existence de Nick, jusqu'au dénouement, cherchant à travers des photos à remonter le temps, des souvenirs que je croyais effacés à jamais jaillissent dans ma mémoire. Le charme de Bill. L'attirance qu'il exerçait sur les femmes. Nous ne sommes pas restés longtemps ensemble, mais il m'a laissé une impression indélébile. Nos chemins se sont de nouveau croisés à cause de Nick, et j'ai réalisé une fois de plus qu'il avait toujours été bon, et qu'il avait conservé sa bonté. D'une certaine manière, la personne qu'il est devenu aujourd'hui rétablit ma foi en lui et en moi-même.

A trente et un ans, c'était un homme tranquille, plutôt timide, qui aimait la nature et la pêche. Il possédait des qualités que j'ai retrouvées plus tard chez Nick. A l'époque, je pensais que Bill avait une chance folle d'avoir des parents aussi dévoués, qui ne lui donnaient jamais tort. Comme moi, il était enfant unique. Je ne sais pas comment notre histoire aurait évolué dans des circonstances normales. C'est difficile à dire. Bill portait un fardeau dont je n'avais pas la moindre idée ; il était torturé par ses propres démons. J'ignore si le gène de la psychose maniaco-dépressive provient de sa famille ou de la mienne et il n'y a aucun moyen de le vérifier. Le seul point négatif du côté de Bill était sa dépendance à la drogue, chose que j'ai découverte longtemps après.

J'ai toujours pensé que dans la plupart des cas, sinon dans tous, la toxicomanie était le résultat de l'automédication, bien que je ne sois pas sûre que Bill ait suivi ce schéma. En fait, personne ne connaît clairement les différentes étapes de l'accoutumance.

Je ne savais presque rien de Bill quand j'ai fait sa connaissance, mais j'étais assez naïve pour croire à l'image que j'avais sous les yeux. Tous deux avions déjà été mariés. De mon premier mariage, j'avais une fille de neuf ans, mon premier enfant, Beatrix. Aujourd'hui, avec le recul, je crois que j'ai fondé sur Bill l'espoir d'un nouveau départ. Je voyais en lui un homme bon et sensible. La vie lui a apporté son lot de déceptions et d'angoisses, mais il a réussi tant bien que mal à survivre. Je le considère donc comme un homme plein de bonté ; depuis la mort de Nick, nous sommes devenus amis.

Notre liaison débuta cet été-là et, six semaines après notre première rencontre, je me retrouvai enceinte, ce qui, inutile de le préciser, fut une mauvaise surprise. Je ne débattrai pas ici de l'opportunité ou non de cette grossesse. J'étais encore très jeune puisque je m'étais mariée pour la première fois à dix-huit ans, et en même temps assez âgée pour être avertie. Des années plus tard, ayant acquis plus de sagesse, et donc plus de lucidité vis-à-vis de mes actes, je me suis demandé si, secrètement, je n'avais pas désiré un autre enfant. Ou si c'était juste le hasard. Quoi qu'il en soit, cela nous est tombé dessus comme une bombe. Ni Bill ni moi n'étions prêts à envisager le mariage et les deux mois qui suivirent ne furent qu'une interminable tergiversation.

Bill se montra très compréhensif, quoique passablement dérouté. Au bout de six semaines d'idylle, une grossesse ne résume pas précisément les rêves de deux amoureux. En raison de mes convictions religieuses, j'excluais l'avortement, quoique, je l'avoue, pendant un instant, j'aie été tentée d'y recourir. Les circonstances plaidaient en faveur de cette solution. Je n'étais pas mariée, je ne projetais pas d'épouser Bill, j'avais déjà un enfant, je gagnais juste de quoi vivre. Elever un bébé allait représenter un défi majeur et, du côté de Bill, je n'espérais aucun appui financier, car il n'avait absolument pas les moyens.

Par ailleurs, ma situation me mettait devant un cruel dilemme moral et social. Je vivais dans une société qui n'acceptait pas les enfants nés hors des liens du mariage. Pour couronner le tout, bien que vivant depuis de nombreuses années séparée du père de Beatrix, notre divorce n'avait pas encore été prononcé. Ainsi, même si Bill avait eu l'intention de demander ma main, il ne le pouvait pas. Enfin, je m'inquiétais du mauvais exemple que j'allais donner à ma fille, et même maintenant, je ne considère pas cette imprudence comme le modèle de sagesse que je voudrais inculquer à mes enfants.

Mais en dépit de ces problèmes, je décidai de garder le bébé. Nous étions convenus avec Bill de continuer à nous fréquenter, sans vivre, toutefois, sous le même toit. Nous espérions que les choses allaient s'arranger et que nous serions heureux. Rien de moins sûr. Même alors, j'entrevoyais les failles dans notre relation. Nous étions trop différents.

Je n'avais rien dit à mes parents, qui vivaient à trois mille kilomètres. Je les voyais rarement et j'étais convaincue qu'ils seraient horrifiés. Dans mon milieu social, les enfants illégitimes n'étaient pas spécialement les bienvenus. Mes parents, et plus particulièrement mon père, ne trouveraient pas cela drôle du tout ! Pas plus que moi, du reste. Il s'agissait d'un engagement sérieux et je savais qu'à partir du moment où je l'aurais pris, ma vie serait encore plus difficile qu'avant. J'allais devoir me serrer la ceinture. Mes relations, mes amis seraient affreusement choqués. Je m'imaginais au ban de la société, seule pour le restant de mes jours, avec deux enfants à charge. En fait, j'étais terrorisée. Je me le rappelle parfaitement, aussi clairement que si c'était hier : je mourais de peur. Mais en même temps, j'avais le devoir de faire face à mes obligations pour le bien de ma fille et du petit être qui n'avait pas encore vu le jour... Le chemin s'annonçait long et rude.

Miraculeusement, une fois ma décision prise, une maison d'édition me fit une proposition. Comme par hasard, le contrat couvrirait tous les frais, des visites médicales à l'accouchement, en passant par les couches-culottes et le trousseau du bébé. Exactement la somme dont j'avais besoin. Ce serait une course d'obstacles dont je viendrais à bout, mais il y en aurait d'autres, innombrables, qui suivraient. Jusqu'alors, j'avais écrit bon an mal an sept livres. Deux seulement avaient été publiés. J'arrondissais mes fins de mois en travaillant dans la publicité, en faisant des traductions, en donnant des cours d'anglais et d'orthographe et, à l'occasion, en acceptant des postes de vendeuse dans des magasins. Et voilà que ce nouveau projet allait me permettre d'écrire à plein temps. A l'époque, il n'y avait pas de petits miracles pour moi.

Ma fille incarnait l'obstacle suivant : comment lui annoncer que j'attendais un enfant ? Encore un fameux dilemme. Et un brillant exemple de « faites ce que je dis,

25

pas ce que je fais ». J'étais au supplice. Je ne voulais pas qu'elle commette plus tard les mêmes erreurs que moi (du reste, elle les a évitées). On est supposé tomber amoureux, se marier et avoir un bébé *après*. Et non le contraire : tomber enceinte, ne pas se marier, entretenir une liaison avec un homme qu'on voit tous les trente-six du mois. C'est à ce moment, d'ailleurs, que Bill et moi avons commencé à subodorer que nous ne formerions jamais le couple idéal. Il subissait des pressions dont j'ignorais la teneur, nous avions des intérêts différents, des vies différentes. Sans la contrainte du bébé, notre histoire se serait déjà terminée, et la situation aurait été moins compliquée.

Ma fille fut tout simplement sublime ! A la place de l'opprobre ou de la gêne qu'elle aurait pu éprouver à la suite de mon honnête mais pénible confession, elle accueillit la nouvelle avec joie, pleine d'enthousiasme, et m'ouvrit les bras. Elle avait toujours eu envie d'avoir un petit frère ou une petite sœur. Avec une sorte de jubilation embarrassante, elle déclara que celui-ci serait « notre bébé », puisque nous n'allions le partager avec personne d'autre. Sa façon optimiste de voir les choses me mit du baume au cœur.

Son attitude aimante a créé entre nous un lien supplémentaire qui jamais ne s'est altéré. Du haut de ses neuf ans, Beatrix m'apporta le soutien dont j'avais besoin sans émettre aucune critique.

Il est intéressant de noter que, pendant cette période, la pensée de l'hérédité ne m'a jamais effleuré l'esprit. Je ne sais pas si j'ai été naïve ou si, à cette époque, les gens se préoccupaient moins de leur patrimoine génétique. En tout cas, je ne me suis jamais posé sérieusement la question : « Qui est cet homme ? Qui est le père de mon enfant ? » A mes yeux, le bébé représentait une entité indépendante de nous deux. Mais même si j'avais entendu le tic-tac de la bombe à retardement de l'hérédité, je n'aurais pas agi autrement. Je n'avais pas d'autre choix que mettre l'enfant au monde et aviser ensuite.

Nous nous sommes vus régulièrement durant les mois suivants. J'étais enceinte de six mois quand Bill décida d'emménager chez moi. J'acceptai, non sans réticences, dans l'espoir de donner un foyer au bébé. Le mariage fut évoqué, ce qui ne se serait jamais produit en temps normal. (Je ne l'avais toujours pas dit à mes parents et je redoutais plus que jamais leur réaction.)

Mais, à peine quelques jours après son emménagement, Bill commença à sortir seul. Il restait absent des heures, des jours entiers, et lorsqu'il rentrait, il paraissait différent... Pas violent ou agressif, non. Distrait. Insaisissable... Bientôt, ses disparitions devinrent de plus en plus fréquentes, de plus en plus longues. Je ne savais rien : ni avec qui il était, ni où, ni ce qu'il faisait. Parfois, il rentrait à la maison à une ou à deux heures du matin et repartait de bon matin, avant que je me lève. Sa vie tenait du mystère. Comme ses disparitions. Tout ce que je savais de lui, c'était que j'allais avoir son bébé... Et ce que je ne savais pas, que je n'imaginais pas, c'était qu'il avait rechuté et qu'il se droguait de nouveau.

J'étais enceinte de sept mois lorsqu'il eut une hépatite, ce qui compliqua singulièrement les choses, pour Beatrix et pour moi. Naturellement, je le soignai. Un mois plus tard, remis sur pied, Bill recommença à s'évanouir dans la nature jusqu'au jour où il provoqua un accident, alors qu'il conduisait ma voiture. Je compris enfin ce qui se passait, le chaos dans lequel la drogue l'avait plongé, un gouffre où il ne tarderait pas à nous entraîner si je ne m'y opposais pas. J'étais une fois de plus confrontée à un dilemme effrayant. Bill vivait dans un monde dont je ne voulais pas, ni pour moi ni pour mes enfants.

J'étais enceinte de huit mois lorsque, finalement, j'annonçai ma grossesse à mes parents. Un interminable silence à l'autre bout de la ligne, un silence qui dure une éternité, puis la voix glaciale de mon père... Il exigeait réparation : « Marie-toi avec Bill. » Bill, que je n'avais pas vu depuis des jours et des jours. Bill, qui passait à la maison à la vitesse d'un train express. J'avais à peine le temps de lui dire bonjour qu'il n'était déjà plus là. Comment aurais-je pu discuter avec lui des modalités du mariage ? D'ailleurs, comment épouser un homme dans l'état de Bill ? D'un côté, je désirais régulariser la situation, pour que mon enfant soit légitime. De l'autre, j'avais peur d'affronter les conséquences désastreuses qui, je le savais, ne tarderaient pas à nous submerger. Hélas, en dépit de mes craintes, le mariage s'imposait. Je ne garde aucun souvenir tendre de cette époque chargée d'incertitudes et d'angoisse.

Bill ne se montrait plus que très rarement ; il semblait incapable de s'occuper de la bague et des papiers. En fin de compte, nous nous sommes mariés sans papiers, par « autorisation spéciale ». Stressée par une telle situation, je fis une crise de nerfs lorsqu'il réapparut la veille du mariage, tard dans la nuit. Notre union fut célébrée le lendemain, lors d'une brève cérémonie, et suivie d'un déjeuner au restaurant avec des amis. Le soir même, Bill disparut comme à l'accoutumée. C'était une semaine avant la date prévue pour l'accouchement. Ma seule consolation consistait à me répéter que mon père était satisfait... Sinon, je vivais un cauchemar. Les deux dernières semaines avant la naissance du bébé, j'envoyai ma fille chez son père. J'étais seule presque tout le temps. Pour une raison inconnue, Bill se montra la veille de l'accouchement. Il passa la nuit à la maison, réussit à m'accompagner à l'hôpital, après quoi il se volatilisa une fois de plus. En manque, il était parti à la recherche d'une dose, me laissant avec une amie, tandis que les contractions se succédaient.

Pendant le travail qui dura douze heures, Bill réapparut pour disparaître peu après. Malheureusement, mon obstétricien s'absenta lui aussi. Appelé pour une urgence, il me laissa entre les mains de ses associés... et du destin. Les douleurs s'intensifiaient mais la délivrance tardait à venir. Le bébé était très gros (il pesait cinq kilos) et je suis petite, avec de petits os. Autrement dit, il ne pouvait pas sortir. Je souffrais le martyre et risquais des complications telles que crise cardiaque, asthme, insuffisance respiratoire. Je m'épuisai dans la salle de travail douze heures durant, tandis que des internes, des infirmières et des médecins qui ne me connaissaient pas se relayaient à mon chevet.

C'est un miracle que je ne sois pas morte et que je n'aie pas perdu le bébé. Finalement, mon médecin, de retour de son urgence, décida de pratiquer une césarienne. A ma grande surprise, je survécus à l'intervention.

Fait remarquable — je l'ai su par la suite —, le bébé poussa un cri perçant dès le début de l'opération, lors de la première incision, ce qui est très rare. Cela me parut de bon augure. Un signe de bonheur, un grand désir de vivre.

C'était le premier mai, un jour de fête.

Les médecins mirent le bébé, un garçon d'un peu plus de cinq kilos, en couveuse. Les gros nouveau-nés sont parfois fragiles. Je le trouvais énorme, superbe, avec ses grands yeux et ses cheveux foncés. Il avait l'air d'avoir six mois ; il était si beau, si parfait que j'ai immédiatement oublié mes souffrances. Je débordais de gratitude, car il était venu au monde intact, malgré l'horrible épreuve que j'avais endurée. Du moins je le croyais car, longtemps après, les spécialistes ont suggéré que les dommages neurologiques et les troubles d'apprentissage que Nicholas a développés en grandissant avaient pu être aggravés, sinon causés à la naissance. Je n'ai jamais songé à poursuivre en justice ou à blâmer quiconque. Je m'inquiétais suffisamment de sa maladie pour ne pas me disperser. Mais qui aurait pu alors soupçonner ce qui arriverait ? J'étais heureuse. Mon bébé reposait comme un chérubin dans mes bras. J'avais survécu et j'allais le ramener à la maison. Sa venue au monde avait peut-être été traumatisante, mais elle en valait la peine.

Bill arriva avec plusieurs heures de retard pour nous raccompagner en voiture à la maison, pour disparaître aussitôt, tandis que je fondais en larmes. De retour chez nous, Beatrix tomba instantanément en extase devant le bébé. Mon père mourut dix jours plus tard, sans avoir eu le temps de voir son petit-fils, mais soulagé de me savoir mariée.

Le lendemain de mon accouchement, j'avais appelé mon avocat afin d'essayer d'annuler le mariage ou, à défaut, de m'orienter vers le divorce. A la mort de mon père, j'abandonnai ces démarches, pour finalement demander le divorce plus tard.

Après la naissance de Nicky, Bill fit de brèves apparitions pendant un certain temps. Quand le bébé eut quatre semaines, il tenta, sans succès, de « décrocher ». Il vainquit sa toxicomanie de longues années plus tard, alors que Nick et moi ne faisions plus partie de sa vie.

Mais ce n'était pas encore le cas. Pour Bill, la naissance de son fils inaugura dix-neuf ans de descente aux enfers. D'où il ne remonta que lorsque Nick ne fut plus. En attendant, il sortit de nos vies aussi subitement qu'il y était entré. Malgré ses bonnes intentions — et je crois que sur ce plan il était sincère —, l'attrait des stupéfiants était le plus fort. Telle une lame de fond, il l'a presque noyé. Heureusement, il a pu refaire surface.

La fin fut plus triste pour lui que pour nous. Nous, nous avions nos souvenirs communs. Alors que lui, il avait tout raté. Une vie entière. Il n'a jamais connu son fils, bien qu'après la mort de Nick il soit revenu, guéri, en convalescence, et m'ait tendu une main amicale, s'efforçant de me consoler, ainsi que ma famille, ce dont je lui suis très reconnaissante.

Mais n'anticipons pas. Nous sommes restées seules, Beatrix et moi, avec Nicholas, un cadeau miraculeux. Il était potelé, en bonne santé, dorloté. Bill était reparti de son côté, mais Beatie comme moi ne lui en tenions pas rigueur. Nous avions « notre » bébé, notre Nicky adoré. Le plus heureux, le plus gros, le plus beau bébé du monde.

# 2

## « Je suis Incroyable ! »

Peu après la césarienne, alors que je me réveillais de l'anesthésie, une infirmière me demanda si j'avais vu le bébé. Je secouai la tête.

— Non ? fit-elle, stupéfaite, comme si je venais de manquer la surprise du siècle. Attendez de l'avoir vu !

Elle s'exprimait comme on parle d'une star de cinéma attendue quelque part, que tout le monde a hâte d'admirer. M'ayant adressé un sourire de connivence, elle sortit rapidement, revint presque aussitôt, tenant un paquet de langes dans les bras, qu'elle me tendit doucement. Je posai sur mon fils un regard émerveillé.

Je n'oublierai jamais cet instant, l'émotion qui m'étreignit à la vue de sa petite frimousse, d'une exquise rondeur, et de ses grands yeux qui semblaient sonder pensivement les miens. Il incarnait pour moi la perfection. Et dès que je l'ai vu, je n'ai plus eu mal nulle part. Je l'ai bercé tendrement, jusqu'à ce qu'il ferme les paupières et s'endorme dans mes bras, submergée de gratitude qu'il soit à moi. De ma vie, je ne me suis jamais sentie aussi heureuse, aussi favorisée par la chance.

Nicky appartenait à cette catégorie d'enfants qui suscitent d'emblée l'admiration. Il était si beau, il avait l'air en si bonne santé, que les gens se retournaient sur notre passage, quand ils ne nous abordaient pas carrément pour nous poser des questions sur lui. Nous débordions de fierté, Beatie et moi, lorsque nous le promenions dans son landau. Nous l'emmenions avec nous partout, dans les magasins, à l'épicerie, à l'église. Une fois, Beatrix l'emmena même à l'école où il remporta un franc succès parmi ses camarades de classe.

31

Je souhaitais le nourrir au sein. Il avait un appétit féroce. Mon pédiatre, en plaisantant, l'avait surnommé « le requin ». Il absorbait d'énormes quantités de lait et en réclamait toujours plus. Au bout de deux semaines, j'ai renoncé à l'allaiter. Le lait maternisé ne l'a pas satisfait davantage. Il avait à peine quelques semaines quand j'ai dû ajouter des céréales dans son biberon muni d'une tétine dont j'avais découpé le bout. Tout le monde avait beau s'opposer à ce régime, c'était la seule façon de le rassasier, afin qu'il puisse s'endormir. Il avait un appétit d'ogre. Toute sa vie la boulimie fut l'une de ses caractéristiques. On eût dit que le « régulateur » de la satiété n'enregistrait pas correctement l'absorption des aliments, et qu'il ne savait pas si son estomac était plein ou vide. Plus grand, il avalait parfois des tonnes de nourriture, jusqu'à se rendre malade — ce qui correspondait à la phase maniaque de sa maladie. Pourtant, il brûlait les calories. Bébé, il était très gros, comme je l'ai déjà dit. Mais dès qu'il a commencé à marcher, il s'est mis à fondre. Petit garçon, puis adolescent, il était mince comme un fil.

Pour le moment, il riait beaucoup, dormait peu, trop peu à mon sens, et il se réveillait une ou deux fois chaque nuit pour le biberon. Lorsqu'il fut capable de s'asseoir, il ressemblait à un petit Bouddha. Et il gazouillait inlassablement, tout en essayant d'explorer le monde environnant.

Il n'était pas seulement mon bébé, mais aussi celui de Beatie. Sa grande sœur adorait l'habiller, l'installant parmi ses poupées. Elle et ses amies jouaient pendant des heures avec lui. La nuit, dès qu'il se réveillait, il avait à peine le temps de pleurer que Beatie et moi accourions. Parfois, nous nous heurtions l'une contre l'autre devant sa chambre, après quoi chacune décrétait que c'était son tour de « s'occuper du bébé ». Il était la lumière de notre vie. J'adorais me balancer dans le rocking-chair, Nicky dans mes bras, tandis qu'il tétait son biberon. Je lui fredonnais des berceuses, tout en contemplant par la fenêtre la lune dans le ciel étoilé. Nuits merveilleuses, heures précieuses, étranges moments de solitude et d'harmonie... l'étoffe dont sont faits mes plus tendres souvenirs ! Je me balançais longtemps, très longtemps, me laissant imprégner par la chaleur de mon enfant, sentant sa tête s'alourdir sur mon épaule, ses petits bras potelés autour de mon cou, alors que le sommeil l'emportait au pays des songes.

Je ne voyais pas le temps passer. Tout à coup, il eut six mois, et il s'assit tout seul en riant et en poussant des cris de joie. Il avait l'air d'avoir un an. Comme s'il suivait son propre rythme, qui était rapide, il se déplaçait déjà à quatre pattes et semblait pressé de marcher.

Nous lui achetâmes un trotteur, ce qui lui permit de toucher le sol de ses pieds. Sitôt installé, il démarra à fond de train, parcourut en trombe la maison d'un bout à l'autre, flirtant dangereusement avec l'escalier — que j'équipai rapidement d'une barrière de sécurité —, passant comme une fusée d'une pièce à l'autre. Son jeu préféré consistait à s'approcher de la table joliment dressée dans la cuisine, de s'emparer d'un bout de la nappe, qu'il tirait de toutes ses forces avant de s'échapper à toute allure dans son trotteur en emportant son trophée — le tissu et tout ce qui était encore dessus. Le fracas des objets qui tombaient par terre l'enchantait... beaucoup plus que moi, il va de soi.

Nicky était un enfant qu'on ne pouvait regarder sans sourire aussitôt. Il m'observait intensément, l'air de vouloir me dire quelque chose et, finalement, à huit mois, il le fit. Beatrix lui parlait en anglais, tandis que Romelia, notre gouvernante guatémaltèque, et moi lui parlions la plupart du temps en espagnol... contre l'avis de tout le monde. D'après mes relations, les enfants bilingues, et plus particulièrement les garçons, avaient des difficultés à s'exprimer. On m'avait même prévenue que Nicky ne pourrait probablement rien articuler d'intelligible pendant des années. Un autre enfant, peut-être, mais rien ne pouvait arrêter Nicky.

Il est entré dans la vie d'une façon explosive, très typique de sa personnalité. Il commença à parler et à marcher en même temps. Il ébaucha ses premiers pas à huit mois, lors d'un périlleux périple à travers la maison. Et ses premiers mots jaillirent au même moment. Tout naturellement, il s'adressait à sa sœur en anglais et à Romelia et moi en espagnol. Connaissant l'évolution de Nick plus tard, il n'y a là rien d'étonnant. Ce n'étaient pas deux langues qui allaient le ralentir. Du reste, il n'a plus ralenti une minute. Il courait à travers la maison, explorant le moindre recoin de son univers, babillant inlassablement suivant son gré, en anglais ou en espagnol.

A un an, il formait des phrases, ce que tout le monde jugeait remarquable. Je sais maintenant qu'il s'agissait là d'un signe avant-coureur de danger, bien que ce ne soit pas toujours exact. Les spécialistes m'ont expliqué depuis que tous les enfants qui parlent tôt ne deviennent pas obligatoirement maniaco-dépressifs mais que ceux-ci sont souvent précoces en matière de langage. Comme Nick. Mais j'ignorais alors ces symptômes. J'étais fière de lui. Les personnes qui le rencontraient, qui lui parlaient, se tournaient ensuite vers moi et s'exclamaient invariablement :

— Oh ! Mais il est incroyable !

A force de s'entendre traiter d'incroyable, Nick, dérouté, a fini par croire que c'était son nom. Dès lors, chaque fois que nous le promenions dans sa poussette et que les gens s'arrêtaient pour l'admirer, il se mettait à leur parler. Et lorsqu'ils lui demandaient comment il s'appelait, il leur répondait, avec un large sourire :

— Je suis Incroyable !

C'était indéniable.

Nous avions de longues conversations, tandis que je le poussais dans sa petite voiture d'enfant. Je pense que les passants, qui me voyaient de loin en train de tenir des discours à n'en plus finir à un bébé, me prenaient pour une folle ! Mais il adorait « bavarder » avec moi.

Il y avait un tas de choses que Nick adorait : sa sœur, ses jouets, les promenades en voiture, la musique... déjà. Il avait de drôles de goûts pour son âge. Par exemple, il vouait une véritable passion au disco, qui était encore à la mode, et que j'aimais bien moi aussi. Gloria Gaynor chantant *I will Survive* le mettait en transe ; nous écoutions des disques des heures durant dans ma chambre, et Nick dansait, dansait, sans jamais se fatiguer. Il reconnaissait les disques qu'il aimait, me les tendait l'un après l'autre, avec un impérieux :

— Celui-là, maman !

Notre première dispute sérieuse éclata au sujet de son premier anniversaire. Nick décréta qu'il voulait un clown et de la musique disco, singulière requête pour un bambin d'un an, même si, en raison de sa grande taille, de ses cheveux blonds coupés au bol, de ses gestes sûrs, il paraissait avoir le double de son âge. Il s'amusait aussi à taper sur ma machine à écrire.

Oui, ses goûts étaient totalement inhabituels pour un enfant aussi jeune, mais le plus extraordinaire est qu'il arrivait non seulement à les exprimer mais à défendre mordicus son point de vue. Ce jour-là, j'essayai de lui expliquer que le clown n'était pas une bonne idée parce qu'il ferait peur à ses petits invités, et que ces derniers n'apprécieraient sûrement pas le disco. J'avais imaginé une petite fête avec trois ou quatre enfants d'amis de l'âge de Nick, sa sœur bien sûr, peut-être Bill. Hélas, Nick ne voulait rien entendre. Il exigeait à cor et à cri Gloria Gaynor. A la fin, nous avons coupé la poire en deux. J'ai accepté ses revendications musicales et nous avons remis le clown à l'année suivante.

Enfant extraordinairement précoce, il était également un petit garçon enjoué, ce qui ne nous empêchait pas de nous chamailler à propos de la musique. Nick tentait par tous les moyens de m'imposer ses choix. Un soir, je mis sur la platine un disque qui ne lui plaisait pas. Il voulait que je l'enlève et que je le remplace par un autre. Je fis la sourde oreille. Mais alors qu'il allait prendre son bain, il entra tout nu dans ma chambre, s'arrêta devant la chaîne stéréo et urina dessus, d'un air réjoui. Il avait marqué un point, car je ne pus m'empêcher d'éclater de rire devant une telle insolence. C'était cela, Nick.

Peu après, il me lança un autre ultimatum. Il venait d'avoir un an et refusait de dormir dans son petit lit à barreaux. Il voulait dormir dans le vieux lit que j'avais mis dans sa chambre au cas où il serait malade et que je devrais veiller sur lui. Je me sentais plus sécurisée par le lit à barreaux. Comme Nick avait marché très tôt et montrait des signes évidents d'indépendance, j'avais toujours peur qu'il déambule en pleine nuit dans la maison, qu'il se lève avant moi ou qu'il fasse une bêtise. Déjà, Nick dormait peu. Il s'endormait tard dans la nuit et se réveillait avant l'aube. Je tenais au petit lit à barreaux pour mon propre confort, mais il ne l'entendait pas de cette oreille. Toute sa vie, Nick fut extrêmement difficile à convaincre lorsqu'il avait une idée en tête. Un combat nocturne commença alors. Il résolut le problème très simplement. Tous les soirs il se redressait, prenait son élan comme un champion olympique de saut en longueur ou comme un voltigeur, se hissait par-dessus les barreaux, puis se retrouvait assis par terre, content de lui, et reprenait son souffle avant de se précipiter hors de sa chambre. J'avais peur qu'il finisse par se rompre le cou, mais il était si grand pour son âge, si fort, qu'il ne s'est jamais fait mal. Et, bien sûr, il a gagné.

A un an, le voilà donc dans un lit d'adulte. Optimiste, j'équipai la porte de sa chambre d'une barrière à claire-voie, qui s'avéra un piètre obstacle au regard des aptitudes de mon petit bandit. En effet, avec autant d'application que je les avais fixés il apprit très vite à démonter les gonds de la barrière, après quoi il errait dans la maison toute la nuit avant de se retrouver dans mon lit au petit matin.

Après la bataille du lit à barreaux, nous avons entamé le deuxième round. En fait, il considérait sa chambre comme un lieu de repos, un lieu de passage, d'où il partait pour prendre possession de *mon* lit. Car son but consistait bel et bien à dormir avec moi, dans ma chambre.

Cette fois-ci, je tins bon. Il devait dormir dans son propre lit, point final. Il s'ensuivit des semaines et des mois de heurts et de nuits blanches.

— Retourne dans ta chambre, Nicky, disais-je avec fermeté.

Il s'exécutait, l'air désespéré, restait absent pendant deux à cinq minutes, puis revenait à la charge. J'avais un grand lit de belles proportions. Il devait trouver mon attitude ridicule, voire égoïste. Mais sachant que peut-être un jour je le partagerais avec quelqu'un de plus adulte, je m'efforçais de décourager Nick avant qu'il ne prenne cette mauvaise habitude.

C'était ne pas compter sur sa persévérance. Finalement, nous en sommes arrivés à un compromis. Disons que Nick a gagné une fois de plus, tout en me permettant de « sauver la face ». Il me laissait aller me coucher *seule*, sans plus rien me demander, sans me réveiller pour me supplier de lui faire une petite place. Mais il se glissait tout doucement près de moi pendant que je dormais et lorsque je me réveillais, le matin, il était là, un sourire rayonnant aux lèvres. Nous étions heureux tous les deux. En vérité, j'adorais l'avoir près de moi. J'aimais le bercer, lui faire des bisous dans le cou, sur le ventre, sentir la soie de ses fins cheveux blonds contre ma joue. C'était un enfant délicieux, drôle, affectueux, jamais à court d'idées. A un an et demi, son intelligence dépassait largement celle des enfants de son âge. Visiblement, il avait un quotient intellectuel très élevé. Il faisait des choses qu'il n'était pas supposé savoir. Il débitait des phrases entières, qui avaient un sens, des expressions amusantes, qui le rendaient attachant aux yeux de tous. Déjà tout le monde était amoureux de Nick. Surtout Beatie et moi.

Une seule chose m'inquiétait, alors. Il ne dormait jamais... pas assez en tout cas. Il n'avait pas encore deux ans quand j'ai abandonné l'idée de lui faire faire la sieste.

S'il se reposait un tant soit peu l'après-midi, il restait debout pratiquement toute la nuit — il se couchait bien après moi, et à cette époque je travaillais tard. Encore un signe avant-coureur. Les maniaco-dépressifs ne dorment pour ainsi dire pas. Et l'insomnie allait l'accompagner tout au long de son existence. Toutefois, à cet âge, personne ne prit ce petit travers au sérieux. Pas même moi. J'y voyais une bizarrerie, un caprice. Certes, il était différent de sa sœur. Au même âge et jusqu'à six ans, Beatie dormait comme une souche deux ou trois heures l'après-midi. Mais pas Nick. Nick n'avait pas besoin de sommeil. Il s'endormait après moi et se réveillait aux aurores. Il m'ouvrait les paupières, s'efforçant de capter mon regard, tandis que je poussais un gémissement.

— Tu n'es pas encore réveillée, maman ?

Je grognais :

— Je le suis maintenant.

Heureusement qu'il y avait *Rue Sésame* pour soulager mes nerfs défaillants. Je bavardais avec Nick pendant une heure ou deux, puis dès que le feuilleton commençait, je le plantais devant la télévision avant de replonger avec délices dans les bras de Morphée. Avec lui, prendre un peu de repos représentait un véritable défi.

A la même époque, un autre indice, bien qu'il ne soit pas toujours synonyme de menace, aurait dû éveiller mes soupçons. Sa réaction aux médicaments. Il était malade en voiture. Nous louions un cottage sur une plage près de la ville. Cependant, pour y accéder, il fallait emprunter une route tortueuse. Invariablement, Nick éprouvait de violentes nausées. J'ai essayé par la suite toutes les routes possibles et imaginables, des droites, des montagneuses, des venteuses qui longeaient le front de mer. Rien n'y faisait. En désespoir de cause, j'ai opté pour la dramamine. Je n'aurais plus qu'à foncer en direction du cottage aussi vite que je le pouvais, cela semblait la seule solution.

Mon pédiatre m'avait prévenue que la dramamine provoquait parfois des somnolences sans aucune autre conséquence. Le cas échéant, il n'y avait qu'à mettre le sujet au lit jusqu'à ce que l'effet du remède soit dissipé. Le week-end suivant, je donnai un cachet à mon fils et nous montâmes tous en voiture. Mais au lieu de l'assoupir, le médicament le transforma en derviche tourneur. Durant le trajet, il ne fit que parler, parler à toute vitesse. Une fois arrivés, il se mit à courir partout à cent à l'heure. Bref, au lieu de se calmer, il grimpait aux rideaux. Exactement le contraire des effets secondaires décrits par le médecin. Inquiète, je l'appelai. Il me rassura ; cela arrivait quelquefois... Et la même chose se produisit plus tard, avec un sirop pour enfants contre la toux. Sur la notice, il était question là aussi de somnolence. De nouveau, Nick fut incroyablement agité. Cette réaction paradoxale est souvent observée chez les personnes atteintes de psychose bipolaire. Et de fait, Nick réagissait ainsi, même plus grand, à de nombreux médicaments. Certains traitements contre le rhume qui auraient dû le plonger dans un état quasi comateux le rendaient complètement « speed ». Alors que, pendant quelques années, le café le fit plus ou moins dormir. A la suite de ces incidents, je devins extrêmement prudente à l'égard des médicaments que je lui donnais et — faut-il le préciser ? — je renonçai à la dramamine et finalement au cottage.

Nick avait une forte personnalité, des idées bien arrêtées. Comme beaucoup d'enfants de son âge, il détestait porter des vêtements, préférant se promener tout nu. J'ai des centaines de photos de lui, ses petites fesses dodues à l'air, tandis qu'il joue sur mon lit tout en fixant l'objectif ; et des clichés où on le voit traverser une pièce en courant, saisi en plein mouvement par l'appareil photo. Aussi détestait-il qu'on le force à s'habiller ou à changer de vêtements. En nous voyant venir, il se mettait à hurler. On l'entendait à des kilomètres à la ronde. Ce n'était pas tout. A un an et demi - deux ans, il semblait absolument sûr de ce qu'il voulait porter ou pas.

— Non, je ne *mettrai pas* ça ! déclarait-il, outragé.

Si cela peut paraître normal à douze, quatorze ou quinze ans, peut-être même à sept, il était parfaitement ridicule de se disputer avec un mouflet de dix-huit mois à propos d'une barboteuse en velours bleu pâle. Car lorsqu'il lançait son fameux avertissement, « je ne mettrai pas ça », il ne revenait jamais sur sa décision.

J'habillais souvent Beatie et Nick de vêtements aux couleurs assorties. Ma fille se montrait docile, acceptant de porter toutes les robes que je choisissais pour elle. Avec Nick, la moindre tenue déclenchait des négociations interminables. A cette époque, je me trouvais encore dans une situation financière précaire, bien que mes écrits aient commencé à avoir un certain succès. Mais j'adorais acheter des habits à mes enfants, de mignons petits ensembles imprimés de girafes, de fleurs ou de lapins. Nick les contemplait toujours avec horreur.

— Tu veux vraiment que je porte *ce truc* avec *la girafe* dessus ? glapissait-il ensuite, d'un air mortifié.

Je le suppliais de l'essayer au moins, et il finissait par consentir, mais non sans avoir débattu passionnément la question. Très tôt, il eut des opinions sur tout, y compris sur sa garde-robe, et il ne se gênait pas pour exprimer le fond de sa pensée.

A un an et demi, Nick était un être à part entière, avec ses points de vue, ses goûts, ses désirs, ses bizarreries. Il n'était pas seulement hors du commun, il était également différent. Différent des autres enfants, différent même de sa propre sœur. Plus intelligent que les autres, plus vif, plus rapide, plein d'une énergie inépuisable que je n'ai encore jamais remarquée chez aucun autre enfant. Il avait une façon de vous fixer qui faisait penser à un homme adulte dans un corps de petit garçon. Il semblait m'examiner tout le temps, comme s'il était à la recherche d'un indice susceptible de résoudre un mystère, et quand nos yeux se rencontraient, je croyais apercevoir une étincelle de sagesse au fond de ses prunelles. Naturellement, il m'enchantait, et je débordais de fierté. Mais parfois, cette débauche de talents me mettait mal à l'aise.

Je me rappelle précisément cette sensation de malaise, un jour où je l'observais. Dans sa grenouillère jaune, il était à croquer, mais quelque chose dans son regard m'inquiéta terriblement et pour la première fois depuis dix-huit mois je me demandai s'il n'y avait pas une faille quelque part, s'il n'était pas *trop* différent. Bien sûr, cette pensée me plongea dans un abîme de culpabilité et de frayeur. Lorsque j'essayai d'en parler à mon pédiatre, il s'empressa de calmer mon angoisse. Selon lui, Nick était un petit garçon surdoué, le centre de l'attention générale, bref un enfant terriblement gâté, ce qui pouvait effectivement expliquer son attitude. D'ailleurs, comment pouvait-on être trop futé, trop beau, trop intelligent ?

Rétrospectivement, il est facile de dire qu'il présentait déjà les premiers troubles de l'attention. Toutefois, à l'époque, personne, pas même les médecins, ne pouvait les déceler. J'ai su par la suite que chez 90 % des enfants qui ont ce genre de trouble, cela passe avec l'âge. C'est la raison pour laquelle les pédiatres et les psychiatres hésitent à poser le véritable diagnostic. La plupart des enfants guérissent avec l'âge. Pas Nick... Même moi, je trouvais ridicule de m'inquiéter.

Nicky était visiblement un petit garçon extraordinairement brillant, très en avance. Quoi de plus normal que certaines extravagances accompagnent une telle intelligence ? Il fallait s'attendre au contraire à ce qu'il soit différent. Je m'estimais bête, ingrate envers le destin dont je n'appréciais pas suffisamment les bienfaits. Et, rassurée par les affirmations du pédiatre, j'ai chassé ces vilaines interrogations de mon esprit. Qu'est-ce qui pouvait, en effet, « ne pas tourner rond » chez un enfant aussi doué que Nicky ?

# 3

## Casanova

Inviter un homme à la maison, avec Nicky dans les parages, était un vrai cauchemar. Pendant longtemps, je me suis exclusivement consacrée à lui et à Beatie. Mes deux enfants constituaient le centre de mon univers. Entre eux et mon travail, je n'avais ni la force ni le temps, et encore moins l'envie, d'accorder des rendez-vous galants. Or, peu à peu, sans m'en rendre compte, j'ai fait de la place dans ma vie pour d'autres personnes. Bill était parti depuis plus d'un an, j'avais du mal à m'occuper toute seule de ma fille et de mon fils. Un compagnon, même occasionnel, serait le bienvenu.

Or Nick, qui m'avait à lui tout seul, et qui était choyé par moi et par Beatrix, ne voulait pas d'un intrus sur ses plates-bandes. Il me le fit comprendre sans ambiguïté.

A deux ans, il s'exprimait très correctement en anglais et en espagnol. Il est d'ailleurs resté bilingue toute sa vie. Souvent, nous parlions entre nous en espagnol. Le français étant ma langue maternelle, j'ai essayé à plusieurs reprises de l'enseigner à Nicky. Beatrix, qui passait toutes ses vacances d'été en France, chez des parents, le parlait couramment, et nous nous exprimions plus souvent dans cette langue qu'en anglais. Or, tout petit, Nicky rejeta le français. Il le détestait, disait-il, il ne voulait ni l'apprendre ni le parler. Plus grand, il se moquait de moi dès que je prononçais un mot de français, en se lançant dans un galimatias comique dont il exagérait les sons. Et à mon tour, je le taquinais, parce qu'il avait l'accent espagnol quand il m'imitait. Bref, très tôt, il décida que, quelles que fussent mes origines, cette langue était fran-

42

chement ridicule et il refusa catégoriquement non seulement de l'apprendre, mais de me laisser la parler en paix.

En revanche, quel que fût le langage que me tenaient mes soupirants, il parvenait à les surpasser aisément en se donnant sans relâche en spectacle. Quand je sortais le soir, je faisais venir une baby-sitter pour lui et Beatrix. De plus, j'avais embauché une excellente gouvernante salvadorienne, Lucy, peu après le premier anniversaire de Nick. Elle est toujours avec moi et elle adorait Nicky. Je comptais sur la baby-sitter pour coucher les enfants à une heure raisonnable. Je caressais l'espoir de trouver, en rentrant, Nicky dormant dans ses draps comme un ange. Je me voyais lui jeter un tendre coup d'œil depuis le seuil de sa chambre. Il s'agissait, hélas, d'un rêve qui ne correspondait en rien à la réalité. Lorsque je rentrais, voici la scène que je découvrais : Beatie dormant à poings fermés, la baby-sitter ronflant devant la télévision, et Nicky attendant mon retour. Il bondissait sur ses pieds dès qu'il entendait ma clé tourner dans la serrure. Je vous avoue que mon cœur se serrait quand j'ouvrais la porte avec précaution et le découvrais debout, levant vers moi sa frimousse espiègle, une méchante lueur dans l'œil, avant d'évaluer du regard mon chevalier servant.

J'intimais à Nick d'aller immédiatement au lit et je l'y emmenais moi-même. Je le couchais, le bordais, l'exhortais à rester sage. Ensuite, j'allais réveiller la baby-sitter, je la payais et l'accompagnais à la porte, tandis que mon invité, qui ne se doutait encore de rien, se servait un verre. D'habitude, à peine avais-je le dos tourné que le petit diable réapparaissait en haut de l'escalier, en chaussons et pyjama, offrant au visiteur de lui montrer ses jouets. Il faisait en sorte que l'offre paraisse à la fois gentille et attrayante. A l'un de mes amis, grand amateur d'armes anciennes, il a proposé une fois de lui montrer sa collection d'armes. Mon ami l'a trouvé si irrésistible, si adorable, qu'il a disparu à l'étage, pendant que je l'attendais sur le canapé, en priant que Nicky le libère assez vite, ce que, bien sûr, il n'a pas fait. Et lorsqu'il est enfin redescendu à une ou deux heures du matin, c'est moi qui somnolais devant la télévision comme la baby-sitter un peu plus tôt. Mes « fiancés » ne tarissaient pas d'éloges sur Nick. Mais moi, je commençais à en avoir par-dessus la tête. Le petit chenapan le faisait exprès, j'en aurais mis ma main au feu.

Ma vie sentimentale, avec Nicky à la maison, était, vous l'avez compris, inexistante. Il ne voulait pas dormir, c'était impossible de le mettre au lit, et il se comportait comme si mes invités lui rendaient visite à lui, et pas à moi, ce qui parfois n'était pas complètement faux. Tous ceux avec qui je suis restée en bons termes ont conservé l'affectueux souvenir de leurs conversations nocturnes avec Nick.

Mais s'il était copain avec les hommes, dans le but de les éloigner de moi, les femmes le subjuguaient. Il ressemblait parfois, comme je l'ai déjà dit, à un homme adulte dans un corps de petit garçon. Sa passion pour les jolies femmes n'avait pas de limites. Il les serrait, les tâtait, les caressait, et qui aurait pu soupçonner qu'un charmant bambin de deux ans voulait autre chose qu'un petit câlin ?

Personne... à part moi. Je le connaissais bien, mon Nicky. A deux ans, c'était un Don Juan en herbe.

Il suivait subrepticement notre gouvernante, se glissait sous ses jupes, lui tapotait le derrière, puis éclatait d'un rire insolent. C'était ce rire qui le trahissait. Il me rappelait mon père, autre Casanova impénitent, dont ma grand-mère disait que, même enfant, il avait toujours poursuivi les jolies femmes. Nick était comme lui.

Lorsque je l'emmenais chez le marchand de glaces de notre quartier, il faisait la queue d'un air innocent. Compte tenu de sa taille, il n'avait qu'à lever la main pour effleurer les fesses des clientes. Une fois, je l'envoyai acheter des glaces avec un de mes amis. A leur retour, l'ami arborait une expression chagrine et pas seulement parce que Nick avait taché sa salopette de glace au chocolat. Peu après, j'eus le fin mot de l'histoire. Nick s'était adonné à son péché mignon, et l'une des femmes s'était retournée, folle de rage, accusant le malheureux qui accompagnait mon fils d'outrage aux bonnes mœurs. L'ami avait battu en retraite, trop embarrassé pour la détromper en dénonçant le vrai « coupable », monsieur Nicky. Et qui eût cru qu'un gamin de deux ans aurait commis un crime pareil ?

Chaque fois que nous nous rendions au cottage, du temps où je le louais encore, sitôt arrivés, Nick suggérait avec enthousiasme de descendre à la plage pour « faire des câlins aux dames ». Ah, il adorait les dames ! Toujours. Et avec le temps, ce fut pire. Son charme opérait sur le sexe faible. Il était irrésistible. Il possédait une sorte de séduction innocente, un charisme et un magnétisme qui attiraient les femmes comme le miel attire les abeilles. Et, je dois l'avouer, cela m'amusait. (C'est très différent d'être mère d'un garçon que d'une fille.)

Lorsqu'il était petit, il me racontait d'étranges histoires. Parfois, nous nous lancions dans de longues discussions, en déambulant dans les rues, en nous promenant dans le parc, ou assis sur la terrasse de notre maison ou dans le jardin. C'est lors d'une de ces conversations qu'il me fixa pensivement, un jour, avant de commencer une de ses histoires par :

— Quand j'étais grand...

Et il poursuivit son récit.

Je ne pus m'empêcher de lui demander :

— Comment ça, quand tu étais grand ? Qu'est-ce que tu entends par là ?

C'était une expression singulière dans la bouche d'un enfant, une phrase mystérieuse à vous donner le frisson, mais il m'expliqua, l'air songeur, comme s'il s'efforçait de rassembler ses souvenirs :

— J'étais grand, il y a très longtemps, et maintenant je suis de nouveau petit.

Ce disant, il me lança un curieux regard.

— J'étais déjà ici avant, dit-il tranquillement. Et j'étais grand, alors.

Quelle idée bizarre ! Je n'ai plus posé aucune question. Cela me mettait trop mal à l'aise de creuser le problème. Il est des choses qu'on ne veut pas savoir. Mais je ne l'ai jamais oublié. J'ignore s'il divaguait, s'il s'agissait d'un caprice de son imagination trop débordante ou de quelque chose de plus profond. Je n'étais pas prête alors à le savoir et je ne le suis toujours pas.

Son intelligence hors du commun, son étonnante précocité d'esprit étaient tempérées, bien sûr, par certains aspects très enfantins de son caractère. Nick était un petit garçon adorable, attendrissant, très affectueux. Un enfant délicieux que Beatie et moi chérissions plus que tout. Il semblait assoiffé de compagnie masculine, parfois, et s'accrochait désespérément aux hommes avec lesquels je sortais. Mais il ne s'est jamais attaché sérieusement à quiconque — et moi non plus d'ailleurs. Nicky, je crois, ne demandait que de nous avoir, Beatrix et moi, à lui tout seul. Un petit univers parfait qui tournait presque exclusivement autour de lui. Il demeurait, plus de deux ans après sa naissance, le cadeau merveilleux venu du ciel. Avec Beatie, nous le considérions comme une bénédiction. Quand je n'étais pas en train de le cajoler, c'est sa sœur qui prenait le relais, sans oublier Lucy, notre gouvernante. Nicky le bienheureux vivait entouré de son petit harem.

Lui apprendre la propreté s'est avéré une tâche extrêmement laborieuse. Lui si rapide pour tout le reste considérait le moindre effort pour rester propre d'un ennui mortel. Non, cela ne méritait pas qu'il s'y attarde. A deux ans et demi, il mouillait toujours son lit et il aurait aussi mouillé le mien si je n'avais pas été assez prévoyante pour lui mettre des couches-culottes la nuit. Le jour, il allait sur le pot, mais il l'utilisait comme sa sœur et moi. Il n'y avait pas d'homme à la maison pour lui servir d'exemple. Ne disposant pas des moyens de lui enseigner ce geste au demeurant si naturel, je me suis procuré des cibles flottantes, petits poissons ou navires de guerre en papier, naviguant sur l'eau des toilettes. Nick était censé les viser, puis les couler. Ce jeu, à la fois drôle et éducatif, a fonctionné à merveille. Nicky a retenu sa leçon. Il me reste encore quelques-uns de ces objets en papier, au fond d'un placard. Je souris sans le vouloir chaque fois que je les aperçois. Et je le revois, en train de couler ses cibles tout en éclatant de rire et en poussant des cris de joie.

Il témoignait pour certaines choses d'une passion qui frisait l'obsession : un jouet, un personnage, un film. Pendant un certain temps, il ne jura que par *Rue Sésame*. Très vite, il devint un ardent admirateur de Spiderman. Il ne vivait plus que pour son héros favori, ne portait que des vêtements imprimés à son effigie. Des pyjamas Spiderman, des espadrilles Spiderman, des tee-shirts Spiderman. La silhouette de Spiderman décorait ses tasses et ses assiettes. Il avait, bien sûr, un jouet Spiderman et il exigea un gâteau d'anniversaire en forme de Spiderman. Il passait le plus clair de son temps à imiter Spiderman... Cette histoire d'amour dura longtemps, jusqu'à ce qu'une nouvelle passion vienne remplacer l'homme-araignée : La Guerre des Etoiles. La maison se remplit de centaines de figurines qu'il collectionna pendant des années.

Nick aimait les jeux qui stimulaient son imagination, tout en lui permettant d'endosser à la fois le rôle principal et celui du metteur en scène. Il les préférait de loin aux jeux plus modernes où il était tenu de suivre des règles établies par quelqu'un d'autre. Dans ce cas, il s'en désintéressait aussitôt. Plus tard, lorsque nous avons pris conscience de ses troubles d'apprentissage, ce qui semblait alors inimaginable, je me suis demandé s'il n'avait pas choisi d'ignorer les règles et les instructions tout simplement parce qu'il n'arrivait pas à s'y plier. Mais il avait une riche vie intérieure.

Comme je l'ai déjà signalé, Nick avait des idées bien arrêtées sur tout. A deux ans et demi, lorsqu'il avait décidé de ne pas faire quelque chose, j'avais énormément de mal à le faire changer d'avis. Il devenait agressif, furieux, têtu. S'il n'approuvait pas mon programme pour la journée, il était inutile d'insister. L'emmener quelque part où il n'avait pas envie d'aller relevait de l'exploit. Si de surcroît l'endroit lui déplaisait, il nous rendait la vie impossible. Parfois, cela m'inquiétait. C'était facile de prétendre qu'il était trop gâté : son pédiatre avait beau me le répéter, l'entêtement de Nick prenait souvent des proportions alarmantes. Notre pédiatre était pourtant un excellent médecin doublé d'un homme d'expérience, et je sais combien ces particularités peuvent paraître anodines, banales, relativement normales. Avec le recul, on découvre vers quoi elles allaient nous mener, alors qu'au début, on veut balayer les doutes, s'assurer qu'il y a une part d'exagération, chercher des explications. Mais déjà, l'affreux soupçon que mon enfant n'était pas comme les autres me rongeait. De temps à autre, je trouvais le courage d'en parler à un ami. C'était réconfortant de m'entendre expliquer d'une manière rationnelle les signes que j'avais remarqués. Pourtant, malgré les arguments raisonnables de mon entourage, le doute persistait. J'espérais me tromper. Et je m'accrochais à la certitude qu'il était normal.

Nick vivait dans un monde où il était le centre de l'attention. Il avait à sa dévotion deux femmes et une jeune fille. Aucun homme en vue pour le sermonner d'une voix tant soit peu sévère, ne serait-ce que pour l'impressionner. Ses désirs étaient des ordres. Je l'aimais tellement, je le trouvais si unique que j'en étais gâteuse, comme tous ceux qui le connaissaient. Il était toujours « Incroyable » et les gens qui l'approchaient continuaient à l'appeler ainsi. Il était donc facile de conclure qu'il s'agissait d'un gosse mal élevé, et d'attribuer ses « caprices » au fait qu'il n'était entouré que de femmes, sans la moindre figure paternelle.

C'est à cette époque que mon idylle avec John Traina a débuté ; bel homme, séduisant, élégant et raffiné, il m'a éblouie par son charme. Il venait de divorcer après seize ans de mariage. Il avait deux petits garçons et, d'après ce que j'ai pu observer des années durant, alors que nous n'étions que de simples amis, c'était un excellent père. Quant à moi, j'étais seule depuis très longtemps. Ma vie ressemblait à un combat permanent. Mes mariages avaient été plus que décevants. Mes rares « flirts » étaient restés sans lendemain. Après l'expérience traumatisante que j'avais eue avec Bill, après avoir frôlé par personne interposée un monde qui m'effrayait, le milieu sain dans lequel évoluait John représentait à mes yeux le refuge idéal. Il était le prince charmant de mes rêves.

John m'a fait tourner la tête. Après six semaines de passion, le jour de la Saint-Valentin, il me demanda en mariage. Il était trop tôt, nous ne nous connaissions pas encore assez bien, et d'ailleurs, plus tard, nous en avons payé le prix. Toutefois, pendant de longues années, nous avons partagé un bonheur sans mélange.

Le plus important était qu'il aimait bien mes enfants. De mon côté, j'éprouvais une grande affection pour ses deux garçons, Trevor et Todd, que je connaissais déjà grâce à ma fille, et qui étaient venus maintes fois à la maison jouer avec Beatie et Nicky. Ils formaient un quatuor parfait. Une famille toute prête, encore que John souhaitât d'autres enfants, ce qui ne me déplaisait pas.

John témoignait une véritable affection à Nick, bien qu'il ait déclaré une fois ou deux, très prudemment, que c'était un enfant « pas très facile ». Doux euphémisme ! Je me souviens notamment d'un jour où John nous fit faire un tour en calèche sur la grève. Nick s'y opposa avec son habituelle véhémence. John s'efforçait de lui faire plaisir, mais mon fils exprimait si bruyamment son mécontentement que j'aurais voulu mettre ma main sur sa bouche afin d'étouffer les insanités qu'il débitait. Je crus que je ne reverrais plus jamais John. Heureusement, cela ne l'offusqua pas. Mais Nick ne nous facilitait pas la tâche. Ayant subodoré une relation sérieuse, il manifestait une méfiance extrême envers John.

Notre histoire d'amour fut un tourbillon. Six semaines après notre premier rendez-vous, nous étions fiancés. Notre mariage fut célébré quatre mois plus tard. Une nouvelle vie commençait, sous le signe de l'amour et de l'espoir. John remplissait à merveille le rôle du protecteur que j'avais si longtemps désiré. Je souhaitais vivre avec lui une longue et heureuse existence, entourés de nos enfants. Ce mariage, pensais-je, représentait la solution idéale pour moi, pour mes enfants, pour les enfants de John. Je les adorais et ils me le rendaient bien. La perspective d'avoir deux frères intriguait Nick. On allait l'arracher à l'univers féminin où il vivait pour le catapulter dans une vraie famille avec deux frères et un père. Il me semblait que mes vœux les plus chers venaient d'être exaucés d'un seul coup. J'étais immensément heureuse. Le vent avait enfin tourné. La vie nous souriait. Et Nicky avait un nouveau papa.

Juste après notre mariage, John et moi allâmes à New York où nous avions des rendez-vous d'affaires. En plaisantant, je surnommai ces quelques jours « lune de business ». En même temps, j'appréhendais de m'absenter. Jusqu'alors, je n'avais jamais quitté Nick et à cette pensée mon cœur se serrait. J'avais peur, je me sentais déchirée entre John et mes enfants. Ceux-ci avaient été à la fois mon premier amour et mon premier souci. Ils ne m'avaient jamais partagée avec personne, autrement dit ils n'avaient jamais eu de rival. Je redoutais leur réaction, surtout celle de Nick. Je leur étais si dévouée qu'il nous faudrait à tous les trois un peu de temps pour nous habituer à la présence d'un homme. C'est la raison pour laquelle je reportai notre lune de miel de cinq semaines. Nous avions décidé d'emmener les trois aînés avec nous en Europe. Nicky resterait à la maison sous la garde de la gouvernante, ce qui m'inquiétait au plus haut point.

En fait, je ne suis pas partie ! Peu avant le départ, je tombai malade. Une crise d'appendicite, d'après le médecin. Rien de grave. Rassuré, John s'envola pour notre voyage de noces avec les trois enfants en suggérant que j'aille les rejoindre lorsque je me sentirais mieux... Mais je ne les rejoignis pas.

Au lieu de cela, je restai à la maison avec Nicky. J'en

ressentais un immense soulagement parce que, au fond, je ne voulais pas le laisser, mais en même temps j'éprouvais une pointe de déception car tout le monde profitait de *mon* voyage de noces sauf moi.

Quelques jours avant leur départ, Nick — qui venait d'avoir trois ans — entra un matin, dans notre chambre, vêtu en tout et pour tout de sa couche-culotte. Pieds nus, mains sur les hanches, il dévisagea John d'un air mécontent et dit :

— Monsieur Twaina, vous n'avez rien compris. Je la veux pour moi.

Depuis sa plus tendre enfance, Nicky n'avait aucun scrupule à exprimer ses sentiments, avec une franchise qui ne laissait place à aucun malentendu. Il foudroya son nouveau père d'un regard furibond, puis il fit demi-tour. Avant de sortir il se retourna, tandis que nous nous retenions de sourire, jeta à John un coup d'œil d'un mépris souverain, après quoi il sortit en claquant la porte derrière lui.

# 4

## Frères, sœurs et autres changements

Si l'on examine de près les événements — et j'ai eu, depuis, l'occasion de les passer au crible —, Samantha a été conçue dès la première semaine de notre union. Le malaise qui m'avait privée de mon voyage de noces n'avait rien à voir avec une crise d'appendicite. C'était Samantha. Nous en étions ravis. Mais d'un commun accord, nous avons attendu quelque temps avant de l'annoncer aux enfants. Ce n'était pas un accident, nous voulions un bébé, et John espérait que ce serait une petite fille.

Entre-temps, ô surprise, le père de Nick réapparut de manière impromptue, sous prétexte de revoir son fils. Visiblement, son style de vie n'avait pas changé. J'appréhendais l'influence qu'il pourrait exercer sur Nicky. J'avais déjà remarqué que celui-ci était enclin aux infections. Si quelqu'un à la maison attrapait froid, Nick attrapait la même chose en pire, une pneumonie par exemple. S'il se blessait, la plaie s'infectait. S'agissait-il d'une défaillance de son système immunitaire ? Nous ne l'avons jamais su. Mais à la lumière de ces constatations, la pensée de le laisser se promener en ville avec quelqu'un qui, je le croyais, était un drogué me rendait carrément hystérique. Je ne l'aurais pas confié à Bill pour tout l'or du monde, même pour une simple sortie ; il n'était pas en mesure de surveiller un enfant aussi turbulent que Nicky.

Enceinte et horriblement inquiète, je me présentai au tribunal, accompagnée de John. La cour considéra mes craintes avec compréhension. Les juges rendirent un verdict en ma faveur. Bill obtint un droit de visite, mais à la maison, et sous ma surveillance. Il rendit plusieurs fois visite à Nick mais il n'était pas difficile de comprendre qu'il n'avait guère résolu son problème de dépendance. Le pauvre Nicky n'avait pas besoin de cela !

A cette époque, j'avais remarqué que mon fils devenait morose, exagérément triste, très malheureux en tout cas, à cause de ma grossesse. Lorsqu'on évoquait le bébé, un éclair de méchanceté traversait ses yeux. Il devenait de plus en plus possessif envers moi, comme s'il s'acharnait à prouver qu'il était à moi, que je lui appartenais, et qu'il n'y avait de place pour personne d'autre entre nous deux, bien qu'entre-temps il se soit beaucoup attaché à John. J'ai tenté à plusieurs reprises de le rassurer, sans parvenir à le convaincre.

Ce fut une période difficile pour Nick. Tant de changements survenus en si peu de temps dans son existence ne pouvaient que le déstabiliser. Il avait un beau-père, deux nouveaux frères, une nouvelle maison, un bébé qui allait naître bientôt, ce qu'il ressentait comme une menace — beaucoup d'enfants de trois ans en auraient d'ailleurs fait autant. De surcroît, son père biologique, une sorte d'étranger, était réapparu. A la place de Nick, j'aurais été perdue. Je me serais demandé : qui sont tous ces gens ? Qu'est-ce qu'ils me veulent ?

John se montrait prudent vis-à-vis de Nick. Il respectait mes liens avec lui. Plus tard, il m'a avoué qu'il n'avait jamais voulu s'interposer, sachant que l'enfant lui en aurait voulu. Aux yeux de Nicky, je lui appartenais exclusivement. Il ne voulait me partager avec personne, ni avec John, ni avec les garçons, encore moins avec le bébé que j'attendais. Combien de fois ne me suis-je pas sentie déchirée entre deux clans : Nick et les Autres. Je passais énormément de temps avec lui. Insatiable, il demandait toujours plus, comme pour avoir la preuve de mon amour. Je l'aimais plus que jamais, mais il y avait maintenant d'autres personnes dans ma vie.

John et moi avions décidé d'élever nos enfants comme une vraie famille ; de vrais frères et sœurs. C'était très simple. Pas de demi-frères, de demi-sœurs, ou toute autre distinction. Ils étaient tous nos enfants, point final. Nous n'allions pas tenir compte de qui était apparenté à qui et à quel degré. Les enfants étaient jeunes et ils s'aimaient suffisamment pour nous aider à mettre notre projet à exécution. Beatrix, Trevor et Todd étaient des amis de longue date, et les deux garçons considéraient Nick comme leur petit frère.

Quand nous nous mariâmes, Beatrix, Trevor et Todd avaient respectivement treize, douze et sept ans. Nous n'avons jamais songé à nier les rapports que Beatie entretenait avec son père naturel, de même que les deux garçons avec leur mère. Le père de Beatie, qui passait de temps à autre un week-end chez nous, connaissait John depuis leur adolescence ; ils allaient en vacances à la mer au même endroit, et John était sorti un été avec l'une des sœurs du père de Beatie. C'était commode ! En tout cas, les enfants avaient le sentiment d'appartenir à une seule et même famille. Une sensation réconfortante pour Beatie dont le père vivait à trois mille kilomètres, quand il ne sillonnait pas l'Europe. Trevor et Todd se partageaient entre leur mère et nous. A cette époque et pendant longtemps, très longtemps, tout le monde fut heureux. Même Nicky. Bien qu'il lui fallût plus de temps pour s'adapter à la nouvelle situation, oui, je suis persuadée qu'il fut heureux.

Les visites de Bill cessèrent brusquement. Il disparut de nouveau de la circulation. Il laissait des messages à son fils sur le répondeur, feignant d'être Dracula, ce qui à la fois effrayait et fascinait Nicky. Naturellement, il devint complètement obsédé par Dracula comme il l'avait été autrefois par Spiderman. Il parlait constamment de lui — de Dracula, pas de son père ! — et au même moment, il commença à crayonner d'horribles dessins noirs représentant des personnages s'entretuant à l'épée et dont les membres mutilés dégoulinaient de sang. Ces croquis ne ressemblaient guère à ceux des autres enfants de ma connaissance. J'ai compris depuis que ces scènes d'épouvante n'avaient pas de rapport avec son père ; elles m'étaient destinées. J'en ai longuement discuté avec un psychiatre pour m'entendre dire que mon fils avait une imagination débordante, et que les dessins ne révélaient aucun problème psychologique. Pourtant, chaque fois que Nicky en dessinait un, et il le faisait souvent, la peur m'étreignait. Je les classai dans un album pour les montrer à un autre spécialiste, qui me conseilla également de ne pas m'inquiéter.

Deux semaines après que Nick eut fêté ses quatre ans, Samantha vit le jour. Nick était livide. Furieux, enragé, se sentant trahi, haineux vis-à-vis de moi et du nourrisson, d'une manière dépassant largement la simple rivalité entre frère et sœur. J'étais très inquiète, car il faisait ouvertement preuve d'une jalousie féroce envers Samantha.

Les dessins devinrent pires, plus terrifiants, plus noirs. Et plus abondants. Jamais dans des couleurs claires ou gaies. Toujours sombres. Des centaines. Et il mouillait toujours son lit. Toutes les nuits. Enclin aux crises de colère, il était plus pénible que jamais. Et soudain, au milieu de l'orage, les nuages s'écartaient, le soleil brillait de nouveau et il redevenait le petit garçon tendre et affectueux, avant qu'un nouvel orage n'éclate. Mais si à la maison il se montrait invivable, à l'école maternelle il passait pour un petit garçon poli, intelligent, adorable, étonnamment « adulte » — ce qui ne me surprenait pas, car il l'avait toujours été. Séducteur, il captivait tous ceux qui l'approchaient. Nicky a toujours eu un charisme extraordinaire, un charme fou.

Il réservait ses sautes d'humeur, sa violence et ses colères aux personnes qui vivaient avec lui. Entre-temps, j'étais devenue un auteur à succès. J'écrivais la nuit et m'occupais de mes enfants le jour. Ma vie n'était plus qu'un tourbillon d'activités : déposer les enfants à l'école, aller les rechercher, les redéposer à leurs différentes activités, organiser des sorties avec leurs amis. J'en tirais une grande fierté. J'aimais mes enfants. J'avais plaisir à me trouver avec eux.

Quatre mois après la naissance de Samantha, je me retrouvai enceinte. Je perdis le bébé deux mois et demi plus tard... Et je fus de nouveau enceinte (de Victoria) moins de deux semaines après ma fausse couche. Mon univers, ma vie tournaient constamment autour de mes enfants. Pendant des années, je ne leur ai presque jamais parlé de mes livres, que j'écrivais la nuit, pendant qu'ils dormaient. Eux et John passaient avant tout.

Durant cette période, Bill reparut, réclamant son droit de visite. Nous retournâmes au tribunal pour expliquer aux juges que la précédente expérience avait abouti à un échec total, et qu'elle avait durement éprouvé Nick. Cette fois-ci, la cour accorda le droit de visite à Bill, à la condition expresse que les rencontres avec son fils aient lieu dans le cabinet d'un psychiatre.

Combien de fois mon petit garçon n'a-t-il pas pleuré, nous suppliant de ne pas l'emmener voir son père ? La cour avait exprimé le souhait qu'il soit lui-même soumis à un examen psychiatrique, ainsi que nous tous, afin de déterminer en quoi les visites de Bill perturbaient Nick. Hélas, à l'époque, selon la croyance la plus répandue, les enfants avaient grand besoin de leur père biologique, quitte à en être traumatisés à jamais.

J'en profitai pour ressortir les albums des dessins noirs, que je montrai aux psychiatres. Une fois de plus, ils ne semblèrent impressionner personne. Moi, ils me donnaient des sueurs froides. J'étais convaincue qu'ils portaient les germes de troubles dont je ne mesurais pas encore l'ampleur. A quatre ans, Nicky mouillait toujours son lit. Il avait des crises de colère. Il témoignait une jalousie exacerbée à Samantha. De temps à autre, il défé-quait dans la baignoire. Une fois, sur son oreiller. Une autre fois, il étala ses excréments sur le mur. Autant de signes, à mes yeux, d'un problème grave, profondément enfoui. Mais les spécialistes se contentaient des sempiter-nelles réponses. La précocité de Nick. Son intelligence hors du commun. Le fait que je le gâtais trop. Le choc psychologique provoqué par le passage d'une famille monoparentale à une famille nombreuse. Etc. Je n'avais plus qu'à remballer mes albums et à les ranger de nouveau au fond du placard. Ils n'intéressaient pas les médecins. Pourtant, je continuais à m'inquiéter. Je sentais, dans chaque fibre de mon corps, grandir le doute insidieux : quelque chose n'allait pas. Quelque chose ne tournait pas rond et personne ne voulait m'écouter.

Les visites de Bill s'arrêtèrent une nouvelle fois.

C'était une situation inextricable pour Nick, qui ne voulait pas voir son père. Lorsque, pour une raison inconnue, Bill ne se montrait pas, Nicky rentrait à la maison persuadé qu'il avait fait quelque chose de mal. Il se sentait à la fois rejeté et coupable.

Mais cette fois-ci, Bill disparut pour de bon. Il ne revint plus jamais. Il partit vers la vie misérable qu'il menait, sans plus chercher à revoir Nick. Et quelle que fût la sensation de perte qu'ils durent ressentir tous les deux, je sais que la nouvelle disparition de Bill ne fit que soulager Nick. Il avait trop souffert de ces rencontres imposées.

Nicky avait cinq ans et demi à la naissance de Victoria. Ce fut un accouchement facile (le seul, d'ailleurs). Ayant passé une seule nuit à l'hôpital, je regagnai la maison le lendemain avec le bébé. La nuit suivante, Nick eut une sévère crise d'asthme, et il dut être hospitalisé. Ce n'était pas une première (il y a beaucoup d'asthmatiques dans la famille, dont moi et cinq de mes enfants sur les sept), mais jamais il n'avait souffert à ce point.

L'arrivée de Victoria ne le réjouissait pas, mais il l'ignora. Toute sa rancune, tout son ressentiment était tourné contre Samantha. Il était coléreux, vindicatif, hargneux. Rien de plus normal qu'il soit jaloux de Samantha et de Victoria, qu'il soit perturbé par la disparition de Bill, mais, malgré toutes ces explications à son agressivité, ses réactions frôlaient la démesure. J'étais constamment en train de le calmer, de l'excuser, d'essayer d'arranger les choses. Je détestais le voir aussi malheureux. Nick résistait à tous les efforts que les autres déployaient pour aller vers lui. J'étais la seule qui parvenait à l'atteindre au-delà des barrières qu'il érigeait, bien qu'il fût aussi furieux contre moi. Après tout, j'étais la traîtresse qui avait ramené les deux bébés à la maison, mais la traîtresse qu'il aimait...

J'étais une mère farouchement protectrice pour Nicky. Je lui trouvais toujours des excuses. Je le défendais envers et contre tout et il le savait. Au plus fort de ses colères, il me vouait une confiance absolue. Aujourd'hui, en me remémorant le passé, je comprends combien il souffrait. D'une souffrance impétueuse, ardente, qu'il ne savait comment apaiser, comment adoucir. Il n'était pas un enfant facile. On ne l'aimait pas impunément. Au moment où l'on pensait l'avoir apprivoisé, avoir gagné sa confiance, il repartait en guerre contre vous. Il s'est souvent comporté ainsi mais, d'une certaine manière, je ne lui en ai jamais voulu. J'ai toujours entrevu ce que dissimulait cette attitude. Déjà, je soupçonnais que quelque chose le rongeait, d'où ses provocations et ses sautes d'humeur. Je savais, lorsqu'il avait quatre ans, et plus encore à cinq ans, que quelque chose n'allait pas, sans réussir cependant à mettre de mots dessus. Chaque fois que j'ai essayé de décrire ce sentiment, personne n'a voulu m'écouter.

L'un des psychiatres qui l'avaient examiné lors des fameuses visites de Bill et à qui j'avais confié mes craintes m'avait répondu que mon petit garçon allait bien. Qu'il avait juste besoin d'un peu de discipline. Pourtant, j'étais convaincue qu'il n'y avait pas que cela. Mais, comme Nicky, je me trouvais prisonnière d'un mur de silence, puisque les autres avaient choisi d'ignorer le problème. Pas moi. Je sentais sa souffrance et cela nous rapprochait davantage. Nous étions les deux seuls à savoir que la flamme qui le brûlait avait commencé ses ravages.

Une autre petite sœur, Vanessa, vint au monde quand Nicky eut six ans et demi. Il resta de glace. Il ne songeait encore qu'à tourmenter Samantha. Sa haine brûla des années durant comme un brasier, jusqu'à ce que, tout à coup, elle se transforme en une source d'affection, un sentiment complètement opposé, quand il eut entre douze et treize ans. Samantha devint alors sa sœur préférée. Avec le temps, la réconciliation avait eu lieu. Il était l'idole de Sam qui l'adorait. Si j'avais su qu'ils éprouveraient tant d'affection l'un pour l'autre, je me serais fait moins de souci lors de ces premières années si difficiles. Jusqu'au bout, il y eut entre eux un lien fait de confiance, de loyauté, une sorte de passion qui transcendait toutes les autres.

Six mois plus tard, quand Nick eut sept ans, nous retournâmes au tribunal. Il s'agissait, cette fois-ci, de retirer à Bill ses droits parentaux, afin que John puisse adopter Nick. Celui-ci le souhaitait du fond du cœur, comme nous tous. Bill n'avait plus donné signe de vie depuis des lustres. Par chance, Nicky ne fut pas cité à comparaître. Compte tenu que Bill avait abandonné son fils depuis des années, nous eûmes gain de cause. Il fut déchu de ses droits parentaux et John adopta mon petit garçon. Ce fut, je crois, une triste période pour Bill. Nous ne nous adressions plus la parole. Je détestais sa déchéance, je lui en voulais de se laisser aller. Il s'était exilé à des années-lumière de nous, de notre vie.

Nous fêtâmes l'adoption de Nick par John, à la maison, avec de nombreux amis. Nicky semblait heureux. Les autres enfants avaient conscience qu'il se passait un événement extraordinaire, mais Nick avait déclaré que jamais il ne voudrait que les plus jeunes sachent que John n'était pas son vrai père. Et il l'était, en effet, puisque c'était pratiquement lui qui l'avait élevé ; Nicky ne voulait pas être différent des autres. Nous avons caché l'adoption aux plus petits pendant des années. Cela semblait si important à ses yeux que nous avons accepté de respecter son souhait.

Pourtant, en dépit du bonheur d'avoir enfin un père, Nicky se comportait bizarrement. Il était à manier avec des pincettes. Il avait enfin cessé de mouiller son lit à six ans, il travaillait bien à l'école mais il était ce qu'on appelle un « enfant difficile ». D'un tempérament emporté, il cassait régulièrement ses jouets. On aurait dit qu'il nageait toujours à contre-courant. Nick ne se sentait jamais en harmonie avec son entourage. Il ne s'entendait pas avec les autres. Si nous voulions sortir, il voulait rester à la maison. Si nous décidions de rester, il préférait sortir. Les jeux ordinaires ne l'intéressaient pas. Il jouait volontiers à la guerre. Il choisissait les jouets qui convenaient le mieux à son esprit imaginatif... et il continuait de faire ses dessins horribles, noirs et sanglants.

Je ne puis vous citer exactement le moment ou l'incident qui éveilla en moi la sombre certitude qui ne cessa dès lors de me hanter. Nous passions nos vacances à Hawaï, en famille. Nicky avait sept ans. Je me rappelle très clairement l'avoir observé et avoir pensé spontanément qu'il n'y avait plus d'espoir. J'ai su soudain, avec une clairvoyance absolue, que mon fils était très perturbé, même s'il paraissait normal aux yeux des autres et, parfois, aux miens. Oui, du tréfonds de mon âme, je voyais la fêlure. J'ai eu peur. Je n'avais pas la moindre idée de la façon de l'aider, d'améliorer son état. Mes efforts auprès de son pédiatre et de ses instituteurs avaient été vains. Ils ne voyaient pas où était le problème. Apparemment, j'étais la seule à m'en apercevoir. Des années plus tard, John m'a avoué avoir eu les mêmes craintes sans oser m'en parler.

Un petit frère, Maxx, naquit quand Nick eut huit ans et demi. Il fit montre de sentiments mitigés à l'égard du nouveau-né ; un mélange de joie et de jalousie. Il avait un rival, à présent, un frère cadet, dont il fut plus tard très fier.

A l'époque, Nick se passionnait pour le base-ball. Il regardait religieusement tous les matchs. Il ne vivait plus, ne bougeait plus, ne respirait plus que pour le base-ball. A sa manière obsessionnelle, il se mit à inventer des matchs imaginaires dont il rédigeait des comptes rendus très élaborés sans omettre aucun détail, y compris la liste des joueurs et leurs mensurations. Il alla même jusqu'à imaginer des championnats du monde. J'ai conservé ces comptes rendus — des paquets entiers —, remarquablement bien écrits.

Son autre passion, la musique, qu'il avait depuis l'âge de cinq ans, ne l'avait pas quitté. Il écoutait et aimait les mêmes disques que ses grands frères et leurs amis. Souvent, il débarquait au milieu des adolescents et posait des questions pertinentes sur leurs groupes préférés. Au début, les jeunes crurent qu'il faisait le pitre, puis ils comprirent qu'il ne plaisantait pas. Il connaissait par cœur toutes les chansons à la mode. La musique représenta sa seule passion durable ; une passion qui ne s'est jamais estompée, qui ne diminua jamais. Excellent musicien, il fut également un écrivain de talent, plus doué que moi. Il possédait, en effet, un sens extraordinaire de la construction du récit, du rebondissement de l'intrigue et du dénouement.

A l'époque où la break-dance faisait fureur, il a damé plus d'une fois le pion à ses aînés en dansant savamment devant leurs invités. A six ans, il a volé la vedette à Trevor, qui fêtait son seizième anniversaire. De plus, il aimait flirter avec leurs petites amies qui, naturellement, le trouvaient amusant, adorable, ce qui irritait passablement ses frères.

Quand notre dernier enfant, Zara, vint au monde, Nick avait onze ans. Cette fois-ci, il en fut ravi. Il était assez grand pour se réjouir sans se sentir menacé. (Soit dit en passant, il n'avait pas encore cessé de tourmenter Samantha.)

Mais le mal dont il souffrait augmentait. La douleur qui le rongeait de l'intérieur depuis sa plus tendre enfance montait peu à peu à la surface. Nicky devenait de plus en plus irascible, de plus en plus violent. Il saccageait sa chambre. Mais jamais il ne s'en est pris à personne intentionnellement, surtout pas aux enfants. Il jouait avec eux d'une façon un peu brusque parfois mais sans jamais les agresser physiquement. Je me rongeais. Se consacrer à Nick équivalait à essayer de dompter une tornade. Un instant, il était insupportable. L'instant suivant, il se transformait en un enfant gentil et affectueux. Il me fallait plus d'énergie pour lui tout seul que pour mes huit autres enfants réunis. Cependant, un lien indestructible m'attachait à lui, un besoin constant de le protéger. Instinctivement, je savais que personne d'autre que moi ne pouvait le comprendre, ne pouvait sentir sa souffrance. On aurait dit une graine qui aurait pris racine et continuerait à pousser dans des proportions alarmantes, invisible, incontrôlée, inaccessible. Ou un dragon furieux grandissant en lui, prêt à le dévorer.

Les autres n'y voyaient toujours que du feu. A l'école, son nom figurait en tête des meilleurs élèves, en dépit de certains troubles de l'apprentissage qui passaient encore inaperçus. Grâce à son QI extrêmement élevé, il réussissait. Il compensait ses lacunes avec une grande facilité.

Cette année-là, John eut un accident dans la maison. Une chute qui faillit lui être fatale. Les enfants en furent bouleversés, tout comme moi. Nicky, plus secoué que nous tous, eut peur que John ne meure. Il recommença pendant une brève période à mouiller son lit, à déféquer dans la baignoire. Toutefois ces symptômes passèrent inaperçus, toute la famille étant sens dessus dessous. Les autres n'en menaient pas large non plus, même ses grands frères, beaucoup plus âgés que lui. Mais Nick paraissait en proie à une peur panique. Il se calma peu à peu, à mesure que la santé de John s'améliora. A onze ans, il allait plus que jamais à contre-courant, à son propre rythme.

Pour la fête de Noël, la direction de son école exigeait des élèves qu'ils portent une chemise blanche et un pantalon bleu marine. Nick arriva en pantalon kaki et col-roulé noir. Je lui intimai de sortir de la salle et l'obligeai à se changer. D'aucuns trouvaient son indépendance amusante. Pas moi. J'y voyais les prémices d'un désordre psychique aussi grave que dérangeant. Je ne comprends pas pourquoi mon entourage n'a jamais rien remarqué. Il est difficile de connaître les véritables raisons de ce manque d'observation. Peut-être les gens ne voulaient-ils rien savoir parce que c'était plus commode. Mais moi, oh, mon Dieu ! je savais ! Je savais et j'avais si peur pour lui ! Dans mon cœur, malgré mes autres enfants, Nicky était mon bébé. Je le devinais blessé, écorché, ayant besoin de moi plus que ses frères et sœurs. Ou du moins d'une autre manière. J'aurais tout tenté pour le protéger, pour changer le cours des choses et chasser loin de lui la peine et la souffrance, par la seule force de mon amour. Mais j'étais impuissante. Et le dragon qui le dévorait lentement ne cessait de grandir.

## 5

## Classe de sixième :
## les démons montrent le bout de leur nez

Nick avait onze ans et une nouvelle passion : le skate-board, bien que la musique fût toujours son grand amour. Il connaissait par cœur tous les groupes, toutes les chansons possibles et imaginables et jusqu'au moindre chanteur de la planète. Ses connaissances en la matière suscitaient l'admiration de tout le monde et surtout des copains de ses frères aînés. Pour un enfant si jeune, il avait des goûts très sûrs concernant le rock, par exemple. Les nouvelles formations « qui montaient » lui étaient tout aussi familières que les stars. Lorsqu'il en parlait avec d'autres fans de rock, ces derniers pensaient de prime abord qu'il était juste en train de « frimer », de feindre... Mais il était loin d'imiter les adultes, ou de faire semblant. Il connaissait son affaire. Et souvent, mieux que ses interlocuteurs.

Nick avait un faible pour une de mes meilleures amies, Jo Schuman, qui lui vouait également une grande affection. C'était l'une des rares personnes et certainement la seule de mon entourage à en savoir autant que Nick sur le monde de la musique. Grâce à son cousin, fondateur et directeur d'une grosse maison de disques, Jo emmenait Nicky aux concerts les plus fabuleux et, bien sûr, lui faisait toujours visiter les coulisses. Elle représentait l'une des étoiles les plus brillantes dans le firmament de mon fils. Ils avaient ressenti un vrai coup de foudre l'un pour l'autre, dès qu'ils s'étaient rencontrés.

Mais en même temps que la musique, Nick s'adonnait toujours à une autre passion : ses matchs de base-ball, réels et imaginaires. Naturellement, il jouait lui-même au base-ball, où il excellait, et avait commencé à cette époque une collection qui, comme tout ce qui l'intéressait, ne tarda pas à devenir compulsive. Là aussi, ses recherches dépassaient les simples possibilités d'un garçon de onze ans. Nick a toujours possédé un tempérament d'adulte. Les objets s'accumulaient : cartes des différentes équipes, battes et ballons signés... Tout un savant bric-à-brac comme du temps de Spiderman et de La Guerre des Etoiles. Et maintenant, il fallait ajouter le skate-board à son palmarès. Il se lançait sur sa planche à roulettes, et recommençait des heures et des heures durant les mêmes figures acrobatiques, quand il n'était pas en train de perfectionner son skate en se procurant de nouveaux éléments ou en les changeant. Devant notre résidence secondaire de Napa Valley, il construisit de ses mains une large rampe destinée à son sport favori et la plaça inconsidérément au milieu de l'allée. L'univers de Nicky tournait exclusivement autour de lui-même. A onze ans, il manifestait une attitude égocentrique, une indifférence singulière aux problèmes et aux besoins des autres. Ce trait de caractère lui causa du tort. Plus tard, cela ne lui valut pas que des amis. Au sein de la famille, il semblait prêt à piétiner tout le monde pour atteindre son but. C'était un grand obsessionnel.

Il avait entamé sa classe de sixième et me donnait plus de fil à retordre que les années précédentes. L'inquiétude était en moi, insidieuse et constante. Eh bien, non, il n'était pas comme les autres enfants de son âge, et peu importaient les excuses que je m'inventais. Il était plus intelligent, plus rapide, plus dur, plus bruyant, plus mesquin quand il s'y mettait, et plus doux quand il s'en donnait la peine. Tout ce qui se rapportait à Nick portait l'empreinte de la démesure, comme si le tableau de sa vie était peint dans des couleurs plus vives, plus criardes que celles des autres. Infatigable lorsqu'il voulait faire quelque chose, impitoyable dans ses efforts pour l'obtenir.

Je ne prétends pas aujourd'hui que je possédais une sorte d'intuition exceptionnelle ou d'omniscience. Tout ce que je savais, c'était que Nicky avait des problèmes. Et que je n'étais pas tranquille. Sans relâche, mon « sonar » personnel m'avertissait que mon fils était en porte-à-faux. Je ne trouve pas les mots pour exprimer ce malaise. A intervalles réguliers, je continuais à me renseigner discrètement à son école. Ses professeurs le trouvaient-ils normal ? Chaque fois que je suggérais que, peut-être, quelque chose n'allait pas, on me regardait comme si j'étais folle. Qui ça, Nicky ? Bien sûr que non ! Sauf qu'ils ne vivaient pas avec lui. Ils ne voyaient pas les objets qu'il cassait. Ils n'assistaient pas à ses crises de rage, qui avaient empiré. Ils n'étaient pas confrontés à ses attitudes obsessionnelles.

Je n'affirmerai pas maintenant, après coup, que j'ai toujours su ce qui se passait. Je ne le savais pas. Je ne me suis pas réveillée un beau matin en me tapant le front et en m'écriant :

— Mon Dieu, mais bien sûr, mon bébé est maniaco-dépressif !

A ce moment-là, j'ignorais tout. Je sentais simplement qu'il y avait une sorte de sourde douleur en Nick. Mais laquelle ? Je n'aurais pas su l'exprimer, même si ma vie en avait dépendu, et j'espérais de tout mon cœur qu'il arriverait à la dépasser. Et j'espérais aussi que cela ne se remarquait pas trop. Pas du tout, en fait. Et puis, comme tout le monde répétait que Nick était un garçon brillant mais difficile, je priais que les gens continuent à le voir ainsi. Je ne voulais pas qu'on le trouve « bizarre », même si, au fond, je le pensais. Je ne me suis pas confiée à mon mari. Je ne me suis confiée à personne. Je conservais mon sombre secret, me contentant, chaque fois que c'était nécessaire, de présenter d'interminables excuses à sa place :

— Il est fatigué ; il a pris froid ; c'est dur pour lui, vous savez ; ses sœurs l'embêtent, les plus grands sont jaloux de lui, ils ne le comprennent pas ; ses professeurs ne connaissent pas leur métier.

Il existait mille et une manières d'expliquer son attitude mais une seule exacte, masquée par notre ignorance, par mon insistance à enfouir ma tête dans le sable et, à présent, je le crois profondément, par l'incapacité des spécialistes à interpréter les faits... Ni le pédiatre ni les professeurs de Nick n'ont remarqué quoi que ce soit d'inhabituel. Pendant longtemps, je leur en ai tenu rigueur. Je leur pardonne aujourd'hui, car même si nous avions su la vérité, nous n'aurions pas pu changer grand-chose. S'il avait suivi un traitement plus tôt, il aurait certainement moins souffert, nous aurions peut-être arrondi les angles, mais il n'aurait pas guéri.

Chaque année en février, l'école de Nick organisait un concours de play-back. Il s'agissait d'un événement de la plus haute importance pour les élèves. Mais la plupart des concurrents choisissaient quelques camarades au hasard avant de décider en une demi-heure quelle chanson ils allaient « interpréter ». Et quand le jour du concours arrivait, ils montaient sur scène et se dandinaient maladroitement sur leurs jambes. Ils étaient mignons à croquer et tout le monde trouvait la manifestation bien sympathique. Mais pas Nick...

Nick, lui, croyait venue son heure de gloire. Il avait enfin l'occasion de briller. Il se voyait tel le champion olympique brandissant sa médaille d'or. Cette année-là, il commença à se préparer des mois à l'avance, sélectionnant avec le plus grand sérieux les musiciens de son « orchestre » puis, ayant choisi leur répertoire, il leur imposa des répétitions épuisantes. Ce fut pareil pour les costumes. Il fit une razzia dans ma penderie d'où il extirpa perruques et vêtements. Mes bottes de cow-boy préférées se volatilisèrent, comme mes tee-shirts à paillettes, que je ne portais jamais, il est vrai. Pendant les répétitions, il enfilait une vieille veste disco qu'il avait revêtue une fois à Halloween, lorsqu'il s'était déguisé en Prince (Prince avait été une de ses obsessions, comme Michael Jackson, Police, Sting, Nirvana, Guns and Roses, et tant d'autres). Il distribua mes perruques, que je ne portais pas non plus, et inutile de le préciser, quand je les récupérai, elles étaient méconnaissables.

Je maugréais :

— Pourquoi dois-je procurer la garde-robe de la moitié des élèves de sixième ?

Nick ne vivait plus que pour le concours. Il tenait enfin le moyen d'endosser le rôle d'une superstar de la chanson pendant une heure ou deux. Et lorsqu'il fut sur scène, il subjugua tous les spectateurs... Il avait utilisé des projecteurs, de vrais instruments. On avait l'impression d'assister à un vrai concert, joué par un vrai groupe de rock. Nicky était époustouflant. Superbe. Magnifique. Naturellement, après tant de mois de répétitions, il gagna aisément le concours. Et ce n'était qu'une fugitive vision de ce qu'il deviendrait plus tard, une vedette, un créateur, un bourreau de travail aussi exigeant pour lui-même que pour ses musiciens dont il tirait le meilleur, malgré leur extrême jeunesse et leur manque d'expérience. Il avait un talent fou. Et ces concours auxquels il participa chaque année permettaient en effet d'entrevoir l'avenir, tandis qu'il se tortillait et se balançait devant le public fasciné, plongeant de la scène dans la foule, sautant en l'air, imitant à la perfection les gestes de ses idoles. Mon cœur s'envolait vers lui. Peu m'importait le sort de mes perruques et de mes bottes de cow-boy, le résultat méritait amplement le sacrifice. Il était si amusant, coiffé d'une de mes perruques... Je me suis rendu compte qu'il me ressemblait, alors que j'ai longtemps cru qu'il avait hérité les traits de son père. En vérité, il ne ressemblait ni à l'un ni à l'autre... Il ne ressemblait qu'à lui-même : un garçon incroyablement beau, même quand il était enfant. Au fil du temps, l'attirance qu'il exerçait sur les femmes ne fit que s'accroître. Elles l'adulaient.

A cette époque, il pratiquait encore différents sports, même si la classe de sixième marqua sans doute le déclin de sa passion pour le sport, le début de la fin. Il se distinguait encore au base-ball et au tennis ; il était un nageur souple et puissant, mais il commença à trouver que tous ces jeux au grand air manquaient d'intérêt.

— Ce n'est pas « cool », disait-il.

Il préférait rester dans sa chambre à écouter de la musique. Plus tard, j'ai réalisé que « cool » ou pas, il était alors en train de s'isoler.

Il écrivait énormément à ce moment-là, de courts récits effrayants et raffinés qui montraient toujours une perception aiguë du monde adulte. Il traitait de sujets subtils. Il avait un style élégant, une grande précision de langage, un sens extraordinaire du rythme... Je lisais ses textes à haute voix pour mieux m'imprégner de leur mouvement et de leur force qui, parfois, me donnaient le vertige. Il avait un don inné, si puissant et si naturel, je crois, qu'il ne l'a jamais remarqué. Plus enclin à la musique, il ne tirait aucune fierté de ses écrits.

Plus tard, quand ses démons ont commencé à le dominer, il m'a un jour expliqué que, tout simplement, il avait perdu la capacité de se concentrer sur des textes longs, car peu à peu ses courtes nouvelles s'étaient mises à se rallonger, et qu'il se sentait plus à l'aise en composant des paroles de chansons.

Il y a quelque temps, j'ai relu plusieurs de ses nouvelles. Une fois de plus, leur qualité m'a frappée. Je me souviens qu'à la même époque il noircissait des pages et des pages de journaux intimes. Je ne me suis jamais permis de les feuilleter, encore moins de les parcourir, jusqu'à maintenant. Sauf une fois : il avait quatorze ans et je lui avais « emprunté » un de ses carnets. Il me causait alors énormément de souci, et je cherchais un indice susceptible de me mettre sur la voie de la vérité. Je voulais connaître la gravité de son problème. Les réponses que j'y ai trouvées m'ont bouleversée.

A onze ans, il se sentait encore en bonne forme, bien qu'il fût presque toujours en colère. On peut toujours incriminer beaucoup de choses : la télévision, la mésentente entre frères et sœurs, les maladresses des parents.

Si l'on veut trouver des excuses à un comportement inhabituel, en cherchant bien, on en trouve toujours.

A propos de comportement inhabituel, durant cette période je remarquai que nos provisions de Tylenol diminuaient rapidement. Je trouvais des flacons vides un peu partout et le plus souvent dans la chambre de Nick. Il feignait toujours la surprise et une innocence angélique chaque fois que je faisais une telle découverte. Même plus tard, quand il fut grand et que nous évoquâmes ouvertement ce sujet, il a toujours démenti avec la dernière énergie le penchant que je lui prêtais pour le Tylenol. Nicky a presque toujours été franc. Même tout petit, il admettait des faits que d'autres auraient nié. Plus tard, il ne m'a jamais caché la vérité et m'a même avoué avec une candeur absolue des choses qui m'ont fait frissonner. Mais il n'a jamais admis son besoin de Tylenol alors que, de toute évidence, il en prenait. Je pense qu'il avait commencé à se sentir mal dans sa peau et qu'il recherchait le soulagement par tous les moyens. Il ne s'agissait pas d'une substance toxique, et bien que j'aie continué à le questionner, je m'inquiétais sans toutefois paniquer.

L'étape suivante de l'automédication s'appela Sudafed. Le médecin avait prescrit ce produit à mon mari qui souffrait de sinusite. Nous enfermions les médicaments à clé dans la pharmacie, hors de portée des enfants, mais John avait toujours quelques cachets de Sudafed dans ses poches. Je retrouvais leurs minces papiers d'emballage éparpillés dans la chambre de Nick. Et quand je lui posais des questions, il répondait qu'il avait simplement voulu soigner un rhume ou un mal de tête. Je suis allergique à ce médicament — il me rend horriblement nerveuse — et je sais par d'autres usagers qu'en plus de ses vertus thérapeutiques c'est un excellent stimulant. Naturellement, comme presque tous les médicaments provoquaient chez Nick l'effet inverse, le Sudafed le calmait très certainement au lieu de l'exciter. Ce fut là, je crois, une première tentative maladroite d'apaiser, sinon d'endormir les démons. Mais hélas, même alors, il ne parvenait pas à les faire taire si j'en juge par certains passages de son journal.

Mon anxiété se transforma en angoisse quand je m'aperçus qu'il consommait de grosses quantités de Tylenol et de Sudafed. A l'époque, j'étais en analyse. Je priai mon analyste de recevoir mon fils. Nicky commença par grommeler que mon idée était « nulle », après quoi il accepta à son corps défendant d'y aller une ou deux fois par semaine. Médecin et patient s'entendirent à merveille. Nick disait qu'il était « cool », parce qu'il aimait le base-ball. Je suis sûre qu'ils passaient plus de temps à discuter de leur sport préféré qu'à parler des problèmes de Nick. A la fin, mon thérapeute, sans toutefois apaiser toutes mes craintes, décréta que le cas de Nick ne lui inspirait aucune inquiétude majeure. C'était évidemment un garçon hors du commun, avec une vision du monde d'une étonnante acuité ; un garçon brillant et perspicace, quoique pas toujours très charitable envers son entourage. Bien sûr, il continuait à ressentir une jalousie féroce envers Samantha mais nous expliquions son comportement par la rivalité entre frères et sœurs, et par le fait qu'il était presque — ou peut-être tout à fait — une sorte de génie. Conclusion : Nicky était Nicky. On ne pouvait le décrire autrement. Il n'y avait personne comme lui. Pas à ma connaissance en tout cas.

Comme je l'ai déjà dit, Nicky me faisait rire... après coup surtout, car au moment où il commettait une bêtise, c'était nettement moins drôle.

Un jour, je lui intimai l'ordre de changer de chaussures pour une fête de famille. Il refusa. Il prenait un malin plaisir à s'affirmer par la contradiction. L'habillement constituait, bien sûr, l'une des meilleures façons de nous résister. Il ne voulait jamais porter les vêtements appropriés, quelles que fussent les circonstances. Pourtant, quand, finalement, j'arrivais à lui faire entendre raison, il était superbe. Mais l'amener à s'habiller correctement ne serait-ce que pour aller à l'école tenait de l'épreuve olympique. Chaque matin, une dispute homérique éclatait entre lui et moi à propos de tout : une chemise, un pantalon, sa coiffure, ses chaussures. Il me tenait tête. Il insistait pour mettre quelque chose de totalement absurde, dans le seul but d'obtenir une réaction, je pense. Ce comportement n'a rien d'inhabituel chez les adolescents, mais Nick le portait à des sommets. Il finissait par apparaître impeccablement vêtu, arborant son air angélique, et personne n'imaginait quels efforts il avait fallu déployer pour en arriver là.

Nous sommes une famille plutôt conservatrice. Quand nos enfants étaient jeunes, nous achetions aux petits de jolis vêtements, exigions plus de sobriété des grands et quant à mon mari, il considérait que seul le classicisme ne déparait pas l'élégance. Nick, lui, faisait tout pour nous choquer. Je m'efforçais de conserver mon sang-froid et mon sens de l'humour, dans les limites du raisonnable, autant que cela se pouvait, mais parfois, il me mettait si cruellement à l'épreuve que je sortais de mes gonds. Alors, je hurlais et lui ordonnais de s'habiller normalement sans provoquer pour une fois de cataclysme. Evidemment, tout cela n'était qu'enfantillages, me disais-je ensuite, il n'y avait pas de quoi attraper un ulcère. Mais, d'une manière générale, j'essayais de rester ferme. Je pensais, comme tous les gens de notre petit milieu protégé, que chacun devait se conformer à certaines règles. Nick était d'un avis différent.

Mais revenons au jour en question — au fameux jour de sa fugue. Il était censé assister à une réunion de famille en blazer, cravate, pantalon de flanelle grise et chaussures strictes. Du coup, il choisit un costume insensé et des tennis éculées. Ma mère et ma belle-mère nous accompagnaient. Je ne me souviens plus de quelle occasion il s'agissait exactement, mais c'était un de ces déjeuners de famille guindés, qui ennuyaient mortellement Nick.

La discussion s'annonçait serrée. Petit à petit, pied à pied, il accepta de troquer ses hardes contre des vêtements corrects en rechignant comme s'il relâchait des otages, mais enfin, il le fit. Sauf pour les chaussures...

J'avoue que je me suis énervée. Il me mettait parfois hors de moi bien que je n'aie jamais levé la main sur lui... Ni lui sur moi ou sur qui que ce soit. La violence de Nick s'exprimait en paroles. Et quelle violence ! Il réussissait à vous exaspérer en un rien de temps. A vous faire fondre en larmes avec sa langue acérée et ses invectives blessantes.

Pour en revenir aux chaussures, il refusa catégoriquement de les changer. J'insistai. Il avait mis tout le monde en retard, comme d'habitude. Je sentais peser sur moi les regards de John et des enfants, pleins d'accusations muettes : « Tu ne peux vraiment rien en tirer ? » Eh bien si, quelquefois, à condition que Nick finisse par céder, ce qui n'était guère évident. Si par malchance il s'entêtait, j'avais le choix entre baisser les bras ou continuer à argumenter pendant deux jours. Nick n'acceptait jamais de céder de bonne grâce, et lorsque cela lui arrivait, parce qu'il l'avait bien voulu, il vous le faisait amèrement regretter.

Je montai dans sa chambre pour vérifier qu'il avait enfin changé de chaussures. Il n'était plus là. Aussitôt je sentis que quelque chose n'allait pas. Je ne sais pas pourquoi mais je le sentis. Nick était parti et le plus drôle, c'est qu'il avait en effet mis d'autres chaussures. Les vieilles tennis trônaient au milieu de la pièce comme un message. Il s'était peut-être plié à notre volonté mais il allait nous montrer de quoi il était capable.

Vengeance...

Nous le cherchâmes partout. La panique me gagnait. Il n'avait que onze ans après tout. En raison de ma célébrité, les enfants n'avaient pas la permission de sortir seuls. J'ignorais où il était allé, mais toute la famille se lança à sa recherche. J'appelai la police pour signaler sa disparition. Un policier jovial arriva dans le quart d'heure qui suivit, tandis qu'en me tordant les mains je pleurais à chaudes larmes et ployais sous le poids de la culpabilité. Oh, comme je regrettais d'avoir fait toute une histoire pour une misérable paire de tennis ! Et tout en m'essuyant les yeux, Dieu seul sait pourquoi, j'ai regardé par la fenêtre.

Nous vivons près d'un petit square et là, juste en face de notre maison, de l'autre côté de la rue, Nick se prélassait sur un banc, un petit sac brun sur les genoux, dégustant des beignets. L'air absolument pas concerné. L'œil légèrement amusé. Et habillé comme un prince : chemise blanche, cravate, blazer, pantalon de flanelle, chaussures noires, plus un trench-coat très « mode » pour se protéger du froid. On aurait dit un tout petit banquier ou un avocat miniature qui aurait profité de sa pause de midi pour déjeuner dans le parc. Plus tard, j'ai ri au souvenir de cette folle journée mais sur le moment, j'étais furieuse. Nous étions tous bouleversés. Nous avions passé les environs au crible. Ma mère, choquée par mon manque d'autorité sur mes propres enfants, n'hésita pas à m'en faire la remarque.

— Est-ce que cela arrive souvent ? Tu devrais l'envoyer dans une maison de redressement !

Merci, maman ! Ma mère appartient à la vieille école. Elle pensait, alors, que les enfants pouvaient à la rigueur être vus mais, en aucun cas, entendus. En tout cas, ils n'avaient pas le droit de se comporter de la sorte ; en conséquence, c'était ma faute. Avec le temps, Nick se chargea de lui apprendre, comme à nous, qu'avec lui les choses étaient différentes, et elle tomba amoureuse de ses flamboyantes couleurs de cheveux, de ses tenues excentriques, et même de son anneau dans le nez, car elle comprit que c'était sa façon de se cacher, de se protéger.

Je m'avançai en direction de mon petit renégat escortée du policier, qui lui administra une sévère leçon de morale, le menaçant de l'emmener au poste en tant que fugueur. Nick le regarda innocemment, se leva avec respect, s'excusa, lui serra la main et lui offrit un beignet. Qui pouvait résister à un tel déploiement de charme ? Il remercia le policier, tête basse, dans une attitude humble de repentir, puis nous suivit à la maison où il subit nos semonces. Nous avions eu une peur bleue. Et finalement, terriblement en retard, pâles et défaits, sauf Nick qui semblait parfaitement calme, détendu et tiré à quatre épingles, nous nous rendîmes à notre déjeuner de famille.

Ce fut l'une des deux fois où il fit une fugue. La seconde fut à peine plus grave. Prendre la fuite ne tentait pas Nick. Il demeurait dans son territoire, près de la maison, étroitement attaché aux chaînes de notre amour.

# 6

## Classe de cinquième : sur la mauvaise pente

Jusqu'alors, comme vous avez pu le constater vous-même, Nick se comportait souvent de façon inhabituelle mais pas suffisamment pour qu'on le montre du doigt en s'écriant : « Ah ! Quelque chose ne tourne pas rond chez ce gosse ! », et qu'on puisse établir un diagnostic.

Certaines de ses bouffonneries étaient réellement irrésistibles, d'autres nettement moins drôles. Parfois, il faisait preuve d'une mesquinerie et d'une bassesse qui me tracassaient, mais d'un autre côté, ces attitudes pouvaient parfaitement s'expliquer par son jeune âge. Bien sûr, beaucoup de mes amis s'empressaient d'interpréter ainsi les agissements de Nick : voilà un garçon qui a subi le choc de se retrouver avec cinq frères et sœurs en cinq ans et dont la mère est en train de gravir les marches de la renommée. Comment voulez-vous qu'il reste calme ? D'après eux, il vivait ma célébrité comme une épreuve. Peut-être la première partie du raisonnement était-elle juste, mais certainement pas la seconde.

Je faisais attention à bien séparer ma carrière de mes devoirs de mère de famille. J'écrivais tard la nuit et n'évoquais que très rarement mon travail romanesque. Je ne donnais pas d'interviews, n'acceptais pas de tournées promotionnelles. Dans l'esprit de mes enfants, j'étais une maman ordinaire et j'entendais le rester. En revanche, il était difficile de nier qu'après avoir été le bébé, la star, notre petit dieu à Beatie et moi, se sentir relégué à la quatrième place dans une famille de neuf enfants devait sûrement être source d'angoisse pour Nicky. Il détestait toujours Samantha et la persécutait sans arrêt. Elle avait huit ans, il en avait douze et il s'acharnait à la dévaloriser par de constantes critiques acerbes jusqu'à la cruauté. La consoler des sarcasmes et des railleries de son frère prenait beaucoup de temps. A cette époque, je m'inquiétais plus pour Samantha que pour Nicky. Je crois qu'elle a bien surmonté ces années difficiles, parce que, peu après, il a opéré un revirement complet à son égard et qu'il s'est mis à l'adorer.

A partir de la classe de cinquième commença la longue et douloureuse descente de Nick dans une spirale irréversible. Pour la première fois, il se mit à se faire remarquer à l'école. Et, croyez-moi, cette fois-ci, on le remarqua. L'enfant sur lequel je n'avais cessé d'attirer leur attention sept ans durant, depuis l'école élémentaire et même depuis la maternelle, le petit surdoué dont j'avais, de temps à autre, osé dire qu'il n'était peut-être pas tout à fait « normal » mais qu'ils trouvaient merveilleux, devint soudain un véritable fléau.

Je recevais régulièrement des appels téléphoniques de la direction. Je développai à partir de ce moment un nouveau talent, que je n'ai cessé de perfectionner pendant les années suivantes de sa scolarité. L'aptitude à m'aplatir. Je l'ai ajoutée au palmarès des exploits et des vertus de la bonne mère. Il fallait tout tenter pour que Nick ne soit pas renvoyé. Nous espérions qu'il allait changer. Mais les coups de fil se multipliaient. Il insultait ses camarades, choquait ses professeurs par son insolence. Il négligeait ses devoirs et s'accordait des libertés que les enseignants jugeaient extrêmement déplaisantes. Soudain, Nicky n'était plus conforme, ne cadrait plus avec l'ensemble. Plus personne ne le trouvait mignon, intelligent ou même amusant. Evidemment, c'était à moi d'agir : l'attitude de mon fils leur semblait tout simplement inacceptable, « trop différente ». Et si leurs récentes découvertes n'avaient pour moi rien de nouveau, eux paraissaient à la fois surpris et outragés. Ils souhaitaient que cela change. Et c'était à moi de faire en sorte que Nicky redevienne un élève discipliné, en lui faisant part du mécontentement de ses professeurs et des conséquences fâcheuses qu'il encourait. Nick trouvait tout cela très amusant. Rien ne lui faisait peur.

Seule la menace d'être exclu du concours de play-back, cette année-là, eut un effet. Paniqué, Nick fit montre de bonne volonté... jusqu'au concours, pas un jour de plus.

J'avais conscience que ses couleurs à lui débordaient des lignes, qu'elles commençaient à dépasser les limites du tableau que les autres peignaient. Pour rendre les choses encore plus difficiles, le nouveau directeur de l'école, récemment nommé, ne voulait pas d'histoires, et Nick s'amusait à donner du fil à retordre à ses professeurs. Faire des concessions pour plaire au directeur n'entrait pas dans ses préoccupations.

J'essayai de lui expliquer qu'il existe des règles dans la vie, que dans le cas présent, le choix des règles appartenait au directeur. Qu'il s'agissait de son domaine, de sa maison, de ses billes, et que s'il n'avait pas envie de laisser Nick jouer avec, rien ne l'y obligeait. Mais comme pour tout, vu son âge et sa nature, Nicky se croyait invincible. Il exprime d'ailleurs clairement dans ses carnets : « *Je croyais que j'étais ensorcelé. Je m'imaginais que je pouvais tout entreprendre, faire n'importe quoi parce que j'étais exceptionnel.* »

Il a écrit ces phrases à douze ans, quand il était en cinquième.

Exceptionnel, il l'était. A mes yeux, du moins. Pas nécessairement pour tout le monde, mais cela, il ne semblait pas le comprendre. Le directeur de l'école m'appelait une fois par semaine ou tous les quinze jours. Je me suis souvent rendue sur place pour excuser Nick, ce qui, honnêtement, ne me réjouissait pas. Ils attendaient de moi que j'arrive à le faire changer de comportement, chose impossible, et ce n'était pas faute d'avoir essayé.

Je leur expliquai que Nick était différent, qu'il n'était pas un enfant ordinaire, avec des idées et des attitudes courantes. Même au sein de notre famille, il ne correspondait pas aux normes. Les règles que j'avais appliquées si aisément à mes autres enfants n'avaient aucun effet sur lui. Il ne voulait pas s'y plier et — je commençais à le penser sérieusement — ne le pouvait pas. Parce qu'il n'était pas comme les autres. C'était quelqu'un de différent, de spécial.

Le conseil de classe recommanda un nouveau psychothérapeute. Nous y allâmes aussitôt. Il avait hâte de connaître les raisons qui poussaient Nick à agir ainsi. Son attention se tourna vers nous et la famille, car les symptômes de la maladie de Nick n'étaient pas encore apparus clairement. Il était encore trop tôt, je crois, pour les détecter et faire le bon diagnostic.

Nick ressemblait à une cigarette allumée, se consumant lentement dans l'herbe sèche à l'orée d'une forêt en été. Il était comme un feu de forêt qui couvait sous la cendre et tandis que l'incendie dardait ses flammes pour le dévorer, aucun de nous ne s'était encore aperçu de rien.

Cette année-là, la situation se dégrada sérieusement. Il se mit à toucher à la drogue. D'autres sont passés par là au même âge et s'en sont bien sortis, mais comme tout ce qu'il faisait, Nick s'adonna à son nouveau penchant avec une sorte de passion maniaque. Il buvait, fumait de la marijuana et vers la fin de l'année scolaire il prit du LSD avec des copains. J'aurais été terrifiée si je l'avais su. Il me l'annonça lui-même quelques mois plus tard. Nick se caractérisait par une grande honnêteté. Quand il ne passait pas aux aveux spontanément, il suffisait que je lui pose la question pour qu'il me dise presque toujours la vérité. Lorsque cela s'est passé, je l'ignorais. Je ne l'ai su que plus tard, par lui-même.

Je pense qu'il a eu ses premières expériences sexuelles la même année. Il était attiré par des filles un peu plus âgées que lui, dans l'espoir d'avoir avec elles des rapports plus complets. Si j'en juge par l'interminable liste de noms dans ses carnets, le nombre d'étoiles, les notes qu'il leur accordait et les caresses dont il se targuait, il ne se trompait pas.

Pour une fois, je regardai les choses en face. Je procurai à Nicky des lectures censées lui apprendre à être responsable, à ne pas heurter les sentiments de ses partenaires, à n'avoir de relations qu'avec des jeunes filles dont il était amoureux, ce qui, disons-le, me rassurait, alors que Nick devait se moquer secrètement des idées romantiques et désuètes de sa vieille mère. C'était un garçon aux prises avec cette chose mystérieuse que sont les hormones de l'adolescence et prêt à en profiter par tous les moyens. Au moins, il m'a écoutée poliment, presque avec complaisance.

J'instituai, dans la foulée, une nouvelle loi. Il disposerait d'un crédit à la pharmacie pour ses préservatifs, mais rien d'autre. A cette condition, je promis de ne poser aucune question et je tins parole. Le préserver des maladies sexuellement transmissibles m'importait davantage que le « cuisiner » sur ses fréquentations.

Il comprit le message et se procura des préservatifs... Ainsi, l'année de la cinquième marqua l'avènement du sexe et de la drogue. La porte du danger s'entrouvrait. Joli garçon, Nick plaisait autant pour sa conduite fantasque et son goût du risque que pour son charme. Il était celui à qui tout le monde voulait ressembler, celui que l'on souhaitait compter parmi ses amis. A la même époque, on lui demanda de travailler comme mannequin.

Il le fit sans enthousiasme. Je crois qu'il s'ennuyait pendant les séances. Il s'était mis en tête de devenir comédien. Mon mari l'accompagna à Los Angeles où il passa plusieurs auditions. Les responsables des castings tombèrent en extase devant lui, mais j'avais fixé une limite. Il n'avait le droit de tourner que pendant les vacances d'été ou les week-ends, ce qui réduisait singulièrement ses possibilités, et le rendait fou furieux contre moi.

Vers la fin de l'année scolaire, il était allé à une de ces auditions pour un rôle dans une série télévisée qui serait tournée l'été. Il se trouvait avec John, dans l'avion qui les ramenait de Los Angeles, quand un drame épouvantable se produisit. Les copains de Nick étaient allés à une surprise-partie. Il y avait parmi eux ses meilleurs amis, filles et garçons. Les surprises-parties faisaient fureur cette année-là et ils avaient emmené Sarah avec eux... Nick et elle s'étaient connus à la maternelle et ne s'étaient plus quittés. Elle était sa meilleure amie. Lorsqu'ils étaient encore en première année de l'école élémentaire, il avait écrit dans une composition : « Quand je serai grand, j'épouserai mon amie. Nous travaillerons ensemble, elle comme actrice, moi comme chanteur. » J'ai fait encadrer ces phrases et elles ornent toujours mon bureau. Sarah était une véritable beauté. Nicky ne la considérait pas comme sa petite amie mais comme sa grande amie, sa compagne, sa confidente. Nuit et jour ils étaient pendus au téléphone et lors d'interminables conversations, ils passaient en revue leurs camarades, « les supportables », « les affreux » et « les vrais amis », quand ils ne se racontaient pas des histoires de leur âge — petites intrigues et autres romances qui se nouaient à l'école.

La bande arriva donc en avance à la soirée.

— Il n'y avait encore personne, expliqua Nick plus tard, ayant appris toute l'histoire par les témoins.

Ce qui voulait dire que les gens « cool » n'étaient pas encore là. Alors, ils décidèrent de repartir vers le port, où ils comptaient flâner une heure ou deux avant de retourner à la fête. S'ils avaient été sous ma responsabilité, j'aurais formellement interdit cette initiative. Lorsqu'on est quelque part, on y reste. On ne ressort pas. Je n'ai jamais autorisé les jeunes à s'éloigner, quand ils venaient chez moi. On ne sait jamais ce qui peut leur arriver quand ils sont hors de vue. Je ne songeais qu'à leur bien. Mais, ce soir-là, pour une raison ou une autre, les amis « cool » de Nick quittèrent la surprise-partie.

Ils partirent sur Marina Boulevard, une artère dangereuse, qui charrie un trafic dense et rapide vers le Golden Gate. C'était le crépuscule. Je sais, pour avoir conduit maintes fois à cet endroit, qu'à certaines heures du jour, et plus particulièrement en fin d'après-midi, les conducteurs sont aveuglés par le soleil couchant. C'est certainement ce qui est arrivé au chauffeur qui a renversé Sarah.

Je ne connais pas les détails de l'accident et je ne veux pas les connaître.

Apparemment, le groupe se sépara en deux. Une moitié emprunta le passage pour piétons, comme ils avaient appris à le faire depuis leur plus tendre enfance. L'autre moitié traversa la chaussée hors du passage. Sarah se trouvait parmi eux, avec ses longs cheveux blonds, ses grands yeux, son visage de madone, ses longues jambes, dans toute la splendeur de ses treize ans. La visibilité du conducteur était réduite par une camionnette qui l'avait doublé et les enfants s'éparpillèrent tout à coup, sans crier gare, comme une volée de moineaux. La voiture toucha superficiellement l'une des filles avant de heurter de plein fouet Sarah, qui fut projetée à travers le pare-brise.

Sarah resta une semaine à l'hôpital ; elle souffrait de sévères lésions cérébrales, sans parler de ses autres blessures. L'accident plongea tout le monde dans la consternation. La tragédie fut cruellement ressentie par nous tous et surtout par les jeunes. La plupart d'entre eux avaient reçu un choc dont ils ne se remettraient pas de sitôt. Et Nick plus que les autres. Sa sensibilité à fleur de peau lui faisait ressentir plus profondément le drame. Des années durant, il s'entoura de photos de Sarah, de souvenirs, de petits cadeaux qu'elle lui avait offerts. Il rêvait d'elle, pensait à elle, parlait d'elle. Il en était obsédé. Dans son journal intime il existe au moins une cinquantaine de chapitres poignants, déchirants, consacrés à Sarah. Il ne l'a jamais oubliée, ne s'est jamais consolé de l'avoir perdue. Elle était sa meilleure amie et il l'aimait avec toute la passion, toute la ferveur, toute la dévotion de l'enfance.

Il n'apprit la nouvelle que le lendemain, à l'entraînement de base-ball où je l'avais accompagné. Au début, je me montrai sceptique. Je pensais à une de ces rumeurs que les écoliers se plaisent à gonfler, chacun ajoutant un maillon de son cru à la chaîne du désastre. Je refusais de croire quelque chose d'aussi horrible. Pourtant, c'était vrai. C'était arrivé. Nous quittâmes le terrain. Nick insista pour aller à l'hôpital où je le conduisis malgré mes réticences. Elle était dans le coma, dont elle n'était pas sortie depuis son hospitalisation. On avait rasé sa magnifique chevelure blonde. Je ne voulais pas que Nick la voie dans cet état. Le sachant trop fragile, il était de mon devoir de le protéger. Mais pendant la semaine qui suivit, il ne bougea pas de son chevet. Il était impossible de l'arracher à cette chambre. Comme lui, les autres adolescents se rassemblaient tous les jours à l'hôpital. Ils attendaient un miracle qui n'eut jamais lieu. Une semaine après l'accident, Sarah mourut. Ce fut, sans doute, l'événement le plus dévastateur de toute la vie de Nick. Le temps parut s'arrêter. Pour lui comme pour les autres. Les amis de la jeune fille mirent très longtemps à s'en remettre. Et pour Nick, ce fut pire. La perte de Sarah le mena dans l'obscure caverne de la dépression. Dans ses carnets de cette époque, il appelle la mort, son seul espoir de retrouver Sarah.

Les jeunes, tout comme moi d'ailleurs, ont considéré l'accident comme une injustice. Un terrible coup du sort asséné aux parents de Sarah. Un de ces mystères que l'on ne peut résoudre, dont on n'a pas la réponse, et qu'il faut simplement accepter. Mais Nick ne pouvait pas accepter. Des photographies de Sarah ornent encore sa chambre. Je me console en me disant qu'il l'a peut-être retrouvée. Je les imagine ensemble au paradis, de nouveau libres, si beaux que les anges en sont éblouis. C'était une enfant merveilleuse et elle me manque encore, comme elle a manqué à Nick pour le restant de ses jours.

# Classe de quatrième :
# le début du désastre

Les étés représentaient toujours pour Nick un mauvais cap à passer. Nous passions les vacances avec les enfants dans notre maison de Napa Valley. Mais il en aurait fallu plus pour satisfaire Nick. Il s'y ennuyait à mourir. Et nous riions ensemble parce que je ne m'y plaisais pas non plus. Comme il l'a dit plus tard, nous avions beaucoup de points communs. Nous détestions tous les deux les punaises, la poussière et la nature. En effet, comme lui, je trouvais les journées fastidieuses à Napa. Mais si je ne pouvais y échapper parce que John adorait cet endroit, je cherchais d'autres solutions pour Nick.

Nous avons essayé trois colonies de vacances, en trois ans. Le directeur d'une de ces colonies a dit, très justement, que l'expérience avait été bien plus traumatisante pour moi que pour mon fils. Comme d'habitude, Nick avait trouvé le moyen d'accaparer mon attention, même en étant loin. Son imagination débordante et son aptitude à la fabulation lui furent d'un grand secours. Il m'envoyait des lettres horribles où les sévices se mêlaient aux viols, les persécutions aux tortures. Résultat, je l'appelais toutes les cinq minutes pour m'assurer qu'il allait bien. J'étais terrifiée. Nick, qui détestait les colonies de vacances, avait trouvé la meilleure manière de s'en évader. Et il eut finalement gain de cause.

En revanche, il adorait Hawaï. Il considérait les plages de sable fin comme le paradis terrestre. Nous séjournions dans une luxueuse station balnéaire, qui offrait toutes sortes de divertissements aux adultes et un havre de paix aux enfants. Beatie et nos fils aînés y venaient avec plaisir et s'y plaisent d'ailleurs toujours autant. Nous y allons encore et nous aimons ce décor exotique autant que Nick l'a aimé. Mais à l'époque, nos séjours là-bas représentaient pour lui des défis et des dangers, qui pour d'autres seraient passés inaperçus. L'un des signes avant-coureurs de la maladie de Nick — symptôme qui empira avec le temps et qui fut plus ou moins atténué par une médication appropriée — était son incapacité à résister à ses impulsions. Je sais maintenant que l'impulsivité est typique de la psychose maniaco-dépressive. Si une idée lui traversait l'esprit, il fallait qu'il la réalise sur-le-champ, à l'immense satisfaction de ses amis et à notre grande frayeur. Si le drapeau rouge flottait sur la plage, signalant des courants dangereux, et si Nick avait envie de nager, il plongeait sans tenir compte des conséquences. Et s'il lui prenait la lubie de jouer les funambules sur la balustrade de notre balcon, il n'hésitait pas une seconde. Par ailleurs, Hawaï offrait mille possibilités de nouer de nouvelles connaissances. Il passait donc le plus clair de son temps à fumer de la marijuana, à se saouler avec ses copains et à sillonner inlassablement la plage, à la recherche d'aventures faciles. Et malgré mes remontrances et ma surveillance continue, il s'obstinait à fréquenter des jeunes gens de dix-sept à dix-huit ans auxquels, il est vrai, il avait plus de choses à dire qu'aux gamins de son âge. Quand il avait onze ans, ses amis en avaient seize. Et à treize ans, il faisait ouvertement la cour à des jeunes filles de vingt ans, quand il ne s'attaquait pas à leurs mères. Evidemment, à mon grand désespoir, elles se laissaient toutes séduire ! Il était si charmant, si spirituel, si amusant, si plein de vie et en même temps tellement chaleureux et câlin... Quelle femme aurait pu lui résister ? Très peu, à mon avis. Sinon aucune...

Garder l'œil sur lui n'était pas une sinécure. Je demandais au reste de la famille de m'aider, de l'entourer, et à l'occasion de s'excuser à sa place.

Voici une anecdote typique du comportement de Nick à Hawaï.

Je vais à un cocktail où la mère d'une jeune fille de dix-neuf ans m'aborde avec un « quel dommage pour Nicky ! » soupiré avec une tendresse qui me met sur mes gardes. Il n'avait que douze ans alors, et s'efforçait de séduire cette jeune fille nettement plus âgée, fabuleuse dans son minuscule bikini.

— Dommage ? dis-je innocemment.

J'attends la suite. Connaissant Nicky, je ne vais certainement pas être déçue. En effet, la plaisanterie est excellente.

— Mais oui, vous savez bien, sa maladie...

J'opine, tout en picorant dans les hors-d'œuvre, en me demandant ce qu'il a bien pu leur raconter. Sans doute qu'il souffre d'une leucémie galopante et qu'il doit coûte que coûte faire l'amour avant de mourir, le lendemain matin. Et que c'est le seul remède qui peut le sauver. Oh, il se montrait très imaginatif quand il se mettait en chasse de faveurs sexuelles.

— Son problème hormonal, poursuit mon interlocutrice, tandis que j'opine toujours.

Je dois avouer que, souvent, ses bouffonneries me faisaient mourir de rire. Je répète donc, en attendant le fin mot de l'histoire :

— Ah... son problème hormonal... Oui, nous sommes, en effet, très inquiets à son sujet.

Ce n'est pas entièrement faux. A ceci près que son « problème hormonal » représente le cadet de mes soucis.

— Il nous a expliqué comment ce dérèglement hormonal a stoppé sa croissance quand il avait douze ans. Mais c'est un garçon formidable... Et si beau ! Il n'a pas l'air d'avoir vingt et un ans, bien sûr, mais il suffit de parler avec lui pour se rendre compte de son âge. Vous avez un fils remarquable, vous devez être fière de lui.

Aaaah, bon ! Vingt et un ans ! Bien joué, Nicky !

De retour à l'hôtel, je l'attrape par la peau du cou.

— Cette fois-ci, tu pousses trop loin le bouchon, mon petit. Vingt et un ans ! Non mais, tu n'exagères pas un peu ?

— Oh, maman, je t'en prie, supplie-t-il, l'air d'avoir cinq ans au lieu de douze et certainement pas vingt et un, malgré l'ardent désir que lui inspire la nymphe en bikini. Sois gentille, ne leur dis rien.

Je saute sur l'occasion pour passer un marché. Je ne dévoilerai pas la vérité, à condition qu'il ne fasse rien de choquant. J'ai tenu ma parole mais je doute qu'il ait respecté la sienne. Il a même indiqué à la mère et à la fille émerveillées l'université où il était inscrit. J'ai oublié laquelle. Harvard, sûrement... Oh, Nicky !

Cette année-là, il entra en quatrième. La rentrée se déroula sous le signe de la tristesse, à cause de Sarah. En septembre, les jeunes n'étaient pas encore remis du choc. Nick semblait le plus touché. Il passa une mauvaise année, évoquant constamment Sarah. Ses amis paraissaient, eux aussi, abattus. Ils ne savaient pas comment juguler leur peine, la douleur qu'ils éprouvaient d'avoir perdu Sarah à jamais. Nick poursuivait sa psychothérapie avec le même psychiatre, mais rien de spectaculaire n'apparaissait. Les signes manifestes de la psychose dormaient encore en lui. J'ai appris depuis que le début de la puberté révèle souvent les premiers symptômes des maladies mentales.

J'avais recommencé à m'inquiéter. Je voyais bien que personne ne pouvait l'aider, pas même moi. La situation à l'école se dégrada rapidement, les appels téléphoniques reprirent de plus belle. Les professeurs se plaignaient de son attitude, de son insolence, de son manque de sérieux dans son travail. Il était presque tout le temps soumis à l'examen probatoire et le directeur de l'école menaçait de le renvoyer s'il ne se corrigeait pas très vite. J'en étais malade. Et je me sentais impuissante. J'abordai cent, mille fois le sujet avec Nick, jusqu'à la nausée ; nous sortions de ces discussions épuisés tous les deux mais, hélas, je ne possédais pas les bons outils. Je n'avais pas les moyens de le tirer de là.

Pendant ce temps, les soirées se succédaient, plus délirantes que jamais. Les garçons faisaient n'importe quoi, les filles qui avaient connu Sarah portaient encore son deuil. Nick tomba amoureux de la meilleure amie de Sarah. Ils parlaient d'elle durant des heures. Comme Nick, Sarah appartenait à cette catégorie d'êtres qui vous touchent profondément et qu'on n'oublie pas facilement. Sa disparition était une blessure qui ne cicatrisait pas. Tous ses amis en souffraient.

D'après le journal intime de Nick, à treize ans, il continuait à fumer de la marijuana et à boire de l'alcool. Je l'ai découvert par hasard. Jusqu'alors, il avait été assez futé pour ne pas se laisser prendre, mais quand je l'ai appris, je l'ai sévèrement réprimandé. Il a tout admis, avec sa franchise habituelle, et ses aveux m'ont accablée et rassérénée à la fois.

Mais les carnets de Nick datant de cette époque sont extrêmement dérangeants. Si je les avais eus alors sous la main, je crois que j'aurais paniqué. Tout en sachant qu'il était triste pour Sarah, je ne réalisais pas vraiment l'ampleur de sa dépression.

Il s'isolait de plus en plus fréquemment, s'enfermait dans sa chambre pendant des heures et évitait le reste de la famille, ce qui n'est jamais bon signe. Il était de plus en plus difficile de l'approcher. Il semblait en pleine crise et j'étais devenue son ennemie numéro un. Enfin, pas tout le temps ! Il me témoignait de la gratitude quand je me rendais à l'école où je plaidais longuement sa cause. Il lui arrivait même de me remercier très gentiment. Mais les ennuis se multipliaient. Il était en plein échec scolaire. Ses notes continuaient de baisser, alors qu'il se préparait à entrer au lycée.

Il écrivait son journal intime avec application. Par respect pour son intimité, je n'ai pas lu ses carnets à l'époque... Mais en les parcourant aujourd'hui, encore et encore, je le découvre sous une tout autre lumière. Seul, triste, apeuré, honteux d'avoir si peur.

*« Toujours déprimé, dans une effrayante solitude. Je n'appartiens à nulle part. Maintenant je suis un solitaire, même*

*au milieu d'une foule, et je sais que je ne peux pas m'adapter. Je suis triste à en mourir.* »

Il dit qu'il est malheureux, isolé, et qu'il a une mauvaise image de lui. Il se reproche, à treize ans, d'être égocentrique et se juge avec une grande sévérité.

Plus loin, il écrit :

« *Je n'arrive pas à aimer les autres.* »

Et de nouveau, comme une litanie, il répète sans relâche :

« *Sarah me manque... Elle était ma meilleure amie. Je l'aimais tant ! Je ne peux pas vivre sans elle.* »

En janvier 1992 (il a toujours treize ans), il note :

« *Que me réserve l'avenir à part de la peine ? Sarah me manque tellement ! La vie n'a plus de sens pour moi. Je songe au suicide.* »

C'est la première fois que le mot suicide figure dans ses carnets. Quand je le lis, mon cœur tremble.

En février, de nouveau :

« *Je veux que ça s'arrête.* » Il raconte ensuite combien Sarah lui manque et affirme être « *malade de chagrin* ». Suivent, dans les mêmes carnets, des lettres à Sarah où il lui raconte sa tristesse, sa solitude, sa détresse.

Et à la fin d'une d'elles :

« *Garde-moi une place. Je te rejoindrai bientôt.* »

Il écrit qu'il a déjà essayé de se suicider avec des somnifères. Façon de parler car s'il avait vraiment fait une tentative, je m'en serais tout de même aperçue.

Mais deux semaines plus tard, même leitmotiv : il aurait tenté de se tuer à l'aide d'un sac en plastique dans lequel il aurait enfoui sa tête. Puis, il aurait changé d'avis. Les passages consacrés à Sarah continuent.

Fin février 1992, il écrit :

« *Je veux mourir. Je veux que tout soit terminé. Pourtant j'aime la vie, j'aime les gens, j'aime tout le monde, sauf moi.* »

En mars, il envisage une fois de plus le suicide et en avril, il recommence :

« *Je vais me suicider bientôt.* » Après quoi, se livrant à l'introspection : « *Je suis tellement déprimé. Peut-être suis-je maniaco-dépressif... Autrement dit, un tordu. Tout le monde me déteste et je déteste tout le monde. »*

Visiblement, il vivait un cauchemar. Je le sentais profondément malheureux. Je savais qu'il s'éloignait, qu'il nous glissait entre les doigts, mais je n'imaginais pas l'abîme de son désespoir. J'ignorais comment m'y prendre avec lui, comment l'aider. Je m'en ouvris à mon psychothérapeute, lui expliquant la détresse de mon fils, mais il ne parut pas y accorder d'importance. Il préférait que nous parlions de mon travail, de ma célébrité et de mes autres enfants. Et moi, j'étais persuadée que Nicky traversait une crise effroyable et que personne ne s'en apercevait.

Par parenthèse, cet automne-là, nous avions emménagé dans une maison plus spacieuse. La chambre de Nick se trouvant juste au-dessus de mon bureau, je l'entendais la nuit faire les cent pas pendant des heures. Je montais et le trouvais debout, l'air ravagé. Il ne dormait pas, bien sûr. Il ne dormait jamais. J'étais impuissante. En désespoir de cause, je suggérai à son psychiatre de lui donner des médicaments. Il refusa. Nick était encore trop jeune, répondit-il. Non, pas de médicaments ! Je songeai, un instant, à le faire changer de thérapeute mais je me ravisai, de crainte de le bouleverser une fois de plus. Et puis, celui qu'il voyait passait pour l'un des meilleurs spécialistes dans son domaine.

A ce moment-là, ma vie n'était pas un long fleuve tranquille. Ma renommée grandissante, le succès remporté par les téléfilms inspirés de mes romans faisaient de moi une personnalité en vue qui ne tarda pas, hélas, à attirer l'attention de la toute-puissante presse à sensation. Je constituais un sujet en or pour les journalistes. Ayant mené leur enquête, ils réussirent à déterrer un certain nombre d'épisodes vrais de mon passé et d'autres, complètement inventés.

Ils eurent du mal à fabriquer du sensationnel avec mon premier mariage, qui fut une union tranquille et durable. A dix-huit ans, j'avais épousé en premières noces un banquier français, issu d'une famille de banquiers, illustre et respectable. Nous restâmes mariés neuf ans, et notre divorce se passa le mieux du monde. Mais les deux « erreurs de jeunesse » que je commis après firent les titres de certains journaux à scandale. Des titres en lettres de feu. La première « erreur » fut un second mariage, aussi bref que discret, à un homme avec lequel je ne vécus pas plus de quatre mois. Accusé de viol, mon deuxième mari fut envoyé en prison, ce qui me brisa le cœur. J'étais jeune et innocente. Je ne l'avais pas caché à John, naturellement, mais je ne tenais pas particulièrement à y repenser. J'avais désespérément essayé d'oublier cette triste expérience. Revoir toute l'histoire étalée dans les journaux ne pouvait que me replonger dans les souvenirs et les angoisses d'une époque particulièrement pénible. Inutile de préciser que la plupart des passages « revus et corrigés » par les journalistes, c'est-à-dire déformés, rendaient la chose plus humiliante encore.

La deuxième histoire rendue publique relatait ma grossesse et mon mariage avec le père de Nick ; là aussi, l'article était écrit de manière à flatter les goûts des amateurs de sensationnel. Bien sûr, ces journaux à scandale ébranlèrent fortement Nick.

Ces articles, qui me dépeignaient comme un être abject, me firent un mal fou. Ils plongèrent mon mari, pour qui je n'avais pourtant aucun secret, dans l'embarras. Jusqu'alors, nous avions mené une vie de famille tout ce qu'il y avait de plus tranquille. Mais le moment était venu de payer la rançon de la gloire. Malgré les nombreuses inexactitudes qui émaillaient ces articles, j'ai préféré me taire. Je n'ai jamais répondu aux insinuations insultantes. Et le scandale se poursuivit.

Dire que j'en fus mortifiée serait un doux euphémisme. La façon dont on me décrivait faillit me détruire, tout comme l'humiliation publique des émissions télévisées (car la télévision s'en mêla).

Au milieu de ce cyclone, Bill (le père de Nick) donna des interviews aux journalistes. Il apparut même à la télévision, ainsi que mon second mari, toujours en prison. Nick témoignait une grande loyauté à ceux qu'il aimait. Il aurait voulu voler à mon secours. Il me demanda comment il pourrait prendre ma défense. Je n'en savais rien. Pourtant, il ne resta pas inactif. Connaissant le nom de famille de Bill, il appela ses parents. J'ignore le contenu de son message, probablement disait-il à son père ses quatre vérités. C'est son impulsivité qui l'avait poussé à agir, mais aussi son bon cœur et sa compassion. Il détestait me voir triste.

Dès que Bill reçut le message, il dut rappeler Nick — mais je n'en suis pas sûre. J'ai lu dans le journal de Nick qu'ils se sont rencontrés une fois. Une brève rencontre qu'il m'a cachée... Comment ne m'en suis-je pas aperçue ? Je me pose encore la question.

Ce fut une période pénible pour nous tous et plus particulièrement pour Nick. Il se faisait du souci car les articles parlaient du procès à l'issue duquel Bill avait été déchu de ses droits paternels, et à son adoption par John. Et à treize ans, Nick demeurait intransigeant sur ce point : il refusait de toutes ses forces que les plus jeunes membres de la famille apprennent que John n'était pas son père naturel.

En fait, lorsque nous en parlions, nous changions la date de notre mariage de manière que Nick paraisse « légitime ». Quand John l'avait adopté, l'Etat lui avait donné un nouveau certificat de naissance — pas à notre demande, mais conformément à la loi — sur lequel le nom de John apparaissait à la place du nom de son père. Or, étant donné que notre mariage avait eu lieu trois ans après sa naissance, il avait de nouveau l'impression d'être « illégitime ». Pourtant, l'acte de l'adoption avait été scellé, afin de protéger les droits de l'enfant, nous avait-on assuré, et cela, non à notre demande mais en raison des termes de la loi, appliquée sans aucune exception dans l'Etat de Californie.

Je n'avais aucun moyen de faire taire les journaux à sensation, sinon les attaquer en diffamation. Pourtant,

malgré les articles qui dénaturaient la vérité et qui se suc-
cédèrent pendant des semaines et des mois, je ne les traî-
nai pas en justice. Un procès n'aurait fait qu'envenimer
les choses. J'ai préféré souffrir en silence, dignement.
Hélas, la dignité ne paie pas, car personne ne connaîtra
jamais ma version de l'histoire. Mais j'étais certaine
d'avoir choisi la meilleure solution.

A leur tour, des publications nationales et d'autres
magazines se mirent de la partie en reprenant les articles
scandaleux, tandis que les paparazzi continuaient de nous
importuner. Nick, plus que nous tous, donnait libre cours
à sa colère. Le sentiment de son impuissance, et de la
nôtre, ne fit qu'aggraver sa dépression.

Les choses se gâtèrent sérieusement en mai. Invité à
une soirée, Nick fut témoin d'une affaire de drogue : un
garçon passa une dose à un autre... Dans le rapport pré-
senté au conseil de l'école, il fut cité comme témoin et
non comme participant. La soirée n'avait pas été organisée par l'école, mais les règles régissant la conduite des
élèves au sein du collège étaient très strictes et celle de
Nick fut jugée « indigne d'un gentleman ». Pour avoir vu
le « deal » sans essayer de l'empêcher et sans le dénoncer,
il fut renvoyé, après neuf ans dans la même école, à
quelques semaines de la remise des diplômes. Aujour-
d'hui, avec le recul, je pense que, comme Nick leur avait
mené la vie dure pendant deux ans, ses professeurs
avaient sauté sur l'occasion pour s'en libérer. Ils étaient
dans leur bon droit et on ne pouvait pas leur reprocher
leur décision.

Celle-ci ne nous plongea pas moins dans la consternation. Nick semblait en état de choc. John et moi tentâmes
l'impossible pour le faire réintégrer. Nous avons plaidé,
promis, imploré, rampé... Pour rien. Ils refusèrent d'autoriser Nick à finir l'année. Ils devaient, dirent-ils, respecter le règlement, maintenir l'ordre, ce que Nick
comprenait parfaitement. A force de discussions, nous
parvînmes tout de même à un compromis : nous allions
mettre Nick sous tutelle, moyennant quoi ils s'enga-

geaient à lui accorder son diplôme, sans qu'il puisse toutefois assister à la remise des prix. Bizarrement, je crois que je ressentis plus cruellement le coup que Nick luimême, qui accueillit la nouvelle avec une philosophie inattendue. Juste pour preuve, je demandai une lettre officielle précisant que mon fils avait été témoin de l'incident et en aucun cas participant. Plusieurs autres garçons furent renvoyés en même temps que lui. C'était un avertissement officiel, un implacable rappel des principes de l'école adressé aux futurs contrevenants.

Je me retrouvai avec Nick à la maison, tout en me démenant de mon mieux pour trouver les fameux tuteurs qui lui permettraient de terminer l'année scolaire. Nick se remit au travail, impressionna ses tuteurs et obtint son diplôme. Comme convenu, il n'assista pas à la remise des diplômes. Cet incident me brisa littéralement le cœur.

Mais je n'étais pas au bout de mes peines. D'autres problèmes se présentèrent, de nouveaux obstacles bouchèrent l'horizon. L'un après l'autre, les lycées où il voulait s'inscrire refusèrent sa candidature. A la rentrée suivante, Nick n'aurait pas de lycée. Le cycle infernal des entretiens, des supplications et des courbettes recommença. J'appelai toutes mes relations à la rescousse, tous les membres des conseils d'école de ma connaissance. Je trouvai finalement un pensionnat qui voulait bien le prendre. C'était un miracle et aujourd'hui encore j'en sais gré à tous ceux qui m'ont aidée.

Nick semblait plus calme, après la leçon qu'il avait reçue. Il était toujours déprimé, mais à juste titre. Il eut l'air d'apprécier l'idée du pensionnat, plus que moi en tout cas. Je n'aime pas les internats. Je considère qu'à l'âge fragile de l'adolescence, les enfants ont besoin de leur famille. Je veux savoir ce que mes enfants font entre quatorze et dix-huit ans et pouvoir donner mon avis sur leurs choix. Une fois qu'ils entrent à l'université, je juge qu'ils sont suffisamment grands pour voler de leurs propres ailes. Pour vivre leur vie sans moi. Mais jusque-là — et peu m'importe s'ils me trouvent envahissante — j'assume mon rôle de mère : je suis à leurs côtés.

Dans le cas de Nick, toutefois, je n'avais pas le choix. Il n'y avait pas une seule école dans la ville qui voulait l'accepter. Se faire renvoyer juste avant le lycée n'a jamais été un bon point. Le pensionnat représentait donc la seule solution.

Cet été-là, souhaitant l'éloigner de la routine de nos vacances habituelles, je l'envoyai pour quinze jours chez des amis en Allemagne où son humeur parut s'améliorer. En août, nous commençâmes ensemble les préparatifs pour la grande aventure. Comme dans tous les pensionnats huppés, les élèves pouvaient apporter tout ce qu'ils voulaient.

Nous avons acheté du linge de maison, des serviettes de bain, un poste de télévision, une chaîne stéréo, une bicyclette, un réfrigérateur, des posters. Nous avons empaqueté ses bibelots favoris, et bien sûr, il a calé une demi-douzaine de petits cadres contenant des photos de Sarah dans ses bagages. Je me disais que cela lui ferait du bien d'aller ailleurs. Qu'il avait besoin d'une nouvelle vie, d'un nouveau départ, d'un nouveau décor. Sa chambre s'était peu à peu transformée en autel à la mémoire de Sarah, et il devait faire face à la sanction que l'école lui avait infligée. J'étais heureuse, finalement, de le voir partir. Et lui-même était tout excité à l'idée du départ.

Notre avion atterrit à l'heure prévue.

Nous avions loué une camionnette pour transporter les bagages de Nick dans sa nouvelle école et nous passâmes toute la journée à nettoyer, décorer, installer l'ordinateur, brancher la télévision et le réfrigérateur... et je le laissai là, plein de grandes espérances nuancées néanmoins d'une pointe d'appréhension.

« Ça va aller, me disais-je pour apaiser mes craintes. Il se débrouillera. Il est comme n'importe quel autre garçon envoyé dans un pensionnat. Arrête donc de t'inquiéter. »

C'était facile à dire. Depuis sa naissance, je n'avais cessé de m'inquiéter pour Nick, de pleurer pour lui, de rire avec lui, de présenter des excuses à sa place. Et à mesure que je m'éloignais au volant de la camionnette louée, je me rendais compte combien il allait me manquer. Il ressemblait à un petit oiseau qu'on laisse s'envoler vers le ciel, après l'avoir chéri, nourri et cajolé. Et j'espérais qu'il arriverait à bon port, avant que les faucons qui le guettaient depuis toujours ne réussissent à l'attraper.

# 8

## La chute

Nick ne resta pas longtemps au pensionnat. Autant dire que son passage fut d'une brièveté alarmante. Je restai quelque temps sans nouvelles puis, dix jours après son arrivée là-bas avec la camionnette bourrée de toutes ses affaires, coup de fil de l'école. Mon correspondant fut brutal, mais clair et net.

Quelque chose ne tournait pas rond chez Nicky, dit-il. Le laisser là-bas équivalait à courir au désastre. La direction souhaitait lui épargner un renvoi supplémentaire sur son livret scolaire, mais une chose était certaine : s'il restait, il aurait des ennuis.

— On ne peut pas le garder. Il a besoin d'être soigné.

Je le savais. Mais pour la première fois, quelqu'un d'autre formulait ce que je pensais. Ses professeurs avaient remarqué que quelque chose n'allait pas ; ils ne savaient pas quoi au juste. Il ne voulait pas ou plutôt *ne pouvait pas* s'adapter au règlement. Apparemment, c'était au-dessus de ses forces. Là aussi, on ne m'apprenait rien. Il n'y avait aucune méchanceté chez Nick. Mais il était comme quelqu'un qui entre dans la danse sans arriver à accorder ses pas à ceux des autres danseurs et qui suit son propre rythme. Parfois, il faisait semblant de désobéir pour se donner une contenance. Mais ses professeurs avaient vu clair dans son jeu.

Je crois que Nick les mettait mal à l'aise ; ils avaient remarqué son impulsivité, l'étrangeté de son comportement. J'étais d'accord avec eux : il fallait faire quelque chose. Mais quoi ? Et vers qui me tourner ? Les deux psychiatres que Nick avait consultés, et dont je ne mets pas en cause les bonnes intentions ni les compétences, n'avaient pas su l'aider. La faille s'était peu à peu élargie et à présent, après les derniers événements, il risquait de sombrer. On ignorait quelle serait la prochaine étape, mais visiblement Nick n'était plus apte à vivre dans un environnement ordinaire. Il ne pouvait plus se plier aux règles. Tout doucement, lentement mais sûrement, inéluctablement, il perdait pied. Et cet implacable processus devait être arrêté avant d'être irréversible.

De nouveau pendue au téléphone, j'appelai toutes mes relations pour obtenir, finalement, le nom d'un conseiller en éducation qui s'occupait d'enfants en difficulté et proposait des solutions hors normes. J'envoyai quelqu'un chercher Nick et sa montagne de bagages à l'aéroport, tandis que je continuais à passer des coups de fil. Il était installé dans un fauteuil quand j'entrai dans le salon, aussi calmement que possible.

Je m'efforçais de conserver mon sang-froid. Lui infliger une scène ne rimerait à rien, d'autant qu'il devait se sentir cruellement rejeté après son échec au pensionnat. Je voulais simplement l'aider.

En pénétrant dans la pièce, j'eus un choc. Il était assis devant la terrasse ornée de fougères et la première chose qui me frappa fut qu'il s'était rasé la tête. Je ne voyais que son visage, fendu d'un large sourire espiègle, le sourire qu'il arborait chaque fois qu'il faisait une bêtise.

— Je me suis encore planté, maman, dit-il tristement, alors que j'avançais vers lui pour l'embrasser.

— Pas du tout. Tu n'as pas été renvoyé. Ils ont simplement estimé que tu n'étais pas au bon endroit. Tu n'aurais pas été heureux là-bas, Nick.

En m'approchant, deuxième choc. Il s'était levé pour me serrer dans ses bras. Non, il ne s'était pas rasé le crâne. Le rideau des fougères avait créé cette illusion. Il les avait teints. En vert. Vert fougère ! Le sourire malicieux réapparut, quand il vit que je l'avais remarqué.

— Tu aimes ? s'enquit-il d'une voix pleine d'espoir.

— Oui, bien sûr. J'adore.

Ce fut le début des couleurs exotiques des cheveux de

Nick. Il passait du bleu au vert et vice-versa, du saphir au turquoise, puis au blond, à une sorte de mélange flamboyant moitié rouge moitié jaune, ou encore au noir de jais, qui le flattait et que j'aimais bien. Seule sa passion de la musique supplantait l'obsession de ses cheveux. Je crois que je ne leur ai plus jamais vu leur couleur naturelle et que, de toute façon, après un certain temps, je ne l'aurais pas reconnue. Peu à peu, je me suis habituée. On s'habitue à tout. Sauf au vert, peut-être... Conservatrice impénitente, je ne suis pas du genre à trouver les cheveux verts « amusants ». J'avais simplement admis depuis longtemps que les règles que j'appliquais à ma personne et à tout mon petit monde ne convenaient pas à Nick.

Il regrettait d'avoir quitté le pensionnat. Là-bas, il avait rencontré des élèves qu'il appréciait et s'était lié d'amitié avec quelques-uns ; ils allaient lui manquer, disait-il. Je lui promis de lui trouver une école en ville. Maintenant, j'avais la preuve de son incapacité à faire face aux conditions d'une scolarité normale. Il fallait donc l'aider à surmonter ses problèmes, sa dépression, son impulsivité. Heureusement, j'ignorais alors qu'il songeait depuis neuf mois au suicide ! La panique m'aurait submergée et je me faisais suffisamment de souci sans cela !

Nick reprit tout naturellement sa place au sein de la famille. Ses frères, ses sœurs et John lui souhaitèrent la bienvenue avec chaleur. Le soir même, il avait meilleur moral. Et le lendemain, tôt le matin à son grand désespoir, nous allâmes à notre rendez-vous avec le conseiller en éducation.

Nick n'a jamais été matinal. Toute sa vie, il s'est couché tard. Il souffrait de troubles de l'endormissement. Forcément, le matin il ne se sentait pas très en forme... Le conseiller a commencé par faire deux suggestions, toutes deux inacceptables, que Nick et moi avons écoutées, effarés. L'ancienne école de Nick lui avait communiqué son dossier et il le connaissait de réputation. (Apparemment, il avait appelé des amis enseignants.) Il avait également parlé au téléphone avec des professeurs du pensionnat. Aussi en avait-il tiré la conclusion qui s'imposait. Il nous la livra sans préambules et sans fioritures : compte tenu de ses antécédents, aucun lycée n'accepterait la candidature de Nick. Restaient deux possibilités : une institution spécialisée qui, d'après ce qu'il en disait, semblait tenir davantage de la prison que de l'école : locaux fermés à clé, isolement, visites interdites pendant un an. Pas de vacances, pas de coups de fil, aucun contact avec le monde extérieur. Nick semblait au bord des larmes, alors que le conseiller m'expliquait que « c'était le seul moyen de lui remettre les idées en place, et que c'était exactement ce dont il avait besoin ». Il existait une école similaire dans le sud de la Californie mais il ne la recommandait pas. La deuxième possibilité était un établissement renommé en Europe. Nick pourrait y rester de deux à quatre ans, c'est-à-dire être de nouveau emprisonné, mais dans un décor bien plus attrayant, cette fois. Il s'agissait également d'une institution spécialisée, mais plus chic, remplie de gosses de riches dont les parents, dépassés par les problèmes de leur progéniture, préféraient se décharger de leurs responsabilités sur des personnes plus compétentes. Aucune de ces solutions ne retint mon attention. Je ne voulais pas me débarrasser de Nick, ni l'enfermer quelque part pour être tranquille. Je voulais l'aider, à la maison, quoi qu'il m'en coûte.

Je rassurai Nick. Il n'irait nulle part, lui affirmai-je, aucune de toutes ces misères ne lui arriverait, j'allais le garder à la maison et, si cela s'avérait nécessaire, il prendrait des cours particuliers. Je répétai la même chose au conseiller ; il essaya une fois de plus de me convaincre du bien-fondé de ses propositions mais je lui répondis qu'il faisait fausse route, lui demandant de trouver d'autres solutions. Ce que nous voulions, c'était une école de jour, le plus près possible de la maison. Il haussa les épaules en disant qu'un tel souhait n'était guère facile à exaucer et que cela prendrait du temps.

Mais deux jours plus tard, il nous rappelait avec une

nouvelle proposition moins radicale. Comme il lui fallait du temps pour trouver à Nick une école convenable, pourquoi ne pas « l'occuper » en attendant ? Bref, il nous proposait un « stage de survie » inspiré des écoles d'endurance et spécialement adapté pour des enfants et adolescents plus ou moins perturbés. L'idée ne me déplaisait pas, pourvu que ce soit sans risque. Au dire du conseiller, il n'y en avait aucun. Il avait connu des jeunes qui avaient suivi ce programme. Selon lui, c'était l'endroit idéal pour Nick. Il y resterait trois semaines, le temps de se restructurer, de reprendre confiance en lui, le temps aussi, pour nous, de lui trouver une école à proximité de la maison, où il irait dès qu'il aurait terminé le stage.

Le point noir dans ce tableau idyllique était ce qu'il appelait « l'élément de surprise ». J'essayai d'obtenir le droit de déroger à la règle, mais le conseiller semblait y tenir par-dessus tout. Il ne fallait surtout pas prévenir Nick qu'il allait faire ce stage, ni lui donner l'occasion de réagir. Beaucoup d'adolescents, en effet, mis dans une situation inconnue, voire effrayante, font des fugues. Je ne craignais rien de tel, puisque Nick n'en avait jamais fait, sauf trois ans plus tôt, lorsque nous l'avions retrouvé dans le square en face de chez nous, assis sur un banc, en train de déguster des beignets, ce qui n'était pas bien méchant. Mais je n'avais aucune envie de l'effrayer. Et la surprise dont parlait le conseiller d'éducation ressemblait étrangement à un coup monté. J'aurais dû suivre mon instinct. Je connaissais mon enfant et je n'ai jamais permis que l'on vienne entamer notre confiance mutuelle. Mais d'un autre côté, à ce moment-là, Nicky affichait une humeur noire, un abattement accablant. Je me laissai convaincre qu'en effet il risquait de faire une fugue si je le mettais au courant. Alors, je ne lui ai rien dit.

L'homme du stage se présenta quelques jours plus tard, aux aurores. Il me parut mesurer un bon mètre quatre-vingt-dix, tandis que je m'effaçais, pieds nus et en chemise de nuit, pour le laisser passer. Il était six heures du matin. Pour Nicky, il devait avoir l'allure d'une armoire à glace. Nick avait alors quatorze ans. S'il était resté au pensionnat, il aurait été un jeune lycéen tout à la joie de sa première année d'études. Au lieu de cela, c'était un garçon endormi, aux cheveux ébouriffés, mais d'une couleur « normale » (après moult discussions, j'avais réussi à le persuader d'opter pour un châtain clair proche de sa couleur naturelle et, croyez-moi, l'opération n'avait pas été facile. Le coiffeur qui lui fit la teinture en parle encore aujourd'hui) que ce type partit réveiller.

De loin, j'observai son visage, le cœur serré. Il semblait terrorisé. Qui était cet inconnu dans sa chambre ? J'aurais voulu entrer, voler à son secours, mais je savais qu'il ne fallait pas. On m'avait bien précisé de ne pas intervenir.

Avec John, nous avions longuement étudié la question. Je lui avais confié mes craintes, mes hésitations. Mais nous avions conclu que c'était la meilleure solution. Nicky ne partirait que pour trois semaines, pas pour la vie, après tout. J'avais conscience de l'avoir trop protégé, j'imaginais là l'occasion de réparer mes erreurs passées.

Mais tandis que l'armoire à glace lui expliquait qu'ils partaient en avion pour un stage de survie, je me liquéfiais sous le poids de la culpabilité. Nick avait l'air de vouloir me tuer et je ne l'en blâmai pas. Si un géant s'était introduit dans ma chambre à six heures du matin pour m'entraîner contre ma volonté vers un lieu inconnu planté d'épines, j'aurais eu envie de prendre un fusil et de lui tirer une balle dans la peau. Nick pensait sûrement la même chose. Le stage dont l'autre lui chantait les louanges n'avait pas l'air de le tenter le moins du monde. Mais il avait compris qu'il était inutile d'opposer la moindre résistance. L'armoire à glace l'aurait tiré hors du lit, jeté comme un sac de pommes de terre sur son épaule avant de l'emporter.

Ils partirent une demi-heure plus tard.

Je les accompagnai jusqu'à la voiture où je voulus embrasser Nick, mais il détourna la tête. C'était la première fois qu'il me rejetait et je rentrai à la maison en sanglotant. Je m'accusais de l'avoir trahi, peut-être même d'avoir mis ses jours en danger. De ma vie je ne m'étais sentie aussi mal. L'inquiétude me rongeait. J'avais confié mon fils à des mains étrangères. Et si ces gens-là ne méritaient pas ma confiance ? Et s'il lui arrivait malheur ? Jamais je ne me le pardonnerais. J'essayais vainement de penser à autre chose. Mais sans cesse la même crainte venait me hanter.

Son accompagnateur lui ayant permis de m'appeler de l'aéroport, Nick le fit uniquement pour m'accabler de reproches. J'étais un monstre. Il me détestait. Il n'avait pas complètement tort. Je plaidai néanmoins ma cause en répondant que j'avais agi pour son bien. Furieux, il me raccrocha au nez.

Pendant les trois semaines qui suivirent, chaque jour me parut plus long qu'une année. Il y avait un autre conseiller d'éducation, là-bas, au téléphone, qui avait un accent de montagnard. Un homme bon, une sorte de sage. Il avait pris Nicky sous son aile protectrice, me sembla-t-il lors de son premier coup de fil. Nick n'avait pas le droit de me parler. C'était la première fois que nous ne pouvions pas communiquer et je vécus cette expérience comme un calvaire. Je rêvais de lui toutes les nuits. A tout instant, je m'attendais à une catastrophe. Heureusement, tous les deux ou trois jours, le conseiller m'appelait pour me donner des nouvelles de mon fils... qui se débrouillait très bien, et qui serait une nouvelle personne lorsqu'il reviendrait à la maison. J'aimais tout autant l'ancien Nick. Mais je souhaitais de toutes mes forces qu'il se sente mieux, qu'il ait une meilleure image de lui-même, qu'il devienne autonome, malgré les sacrifices qu'une telle entreprise supposait.

Imaginez mon découragement quand, vers la fin du stage, lors d'une de nos conversations téléphoniques, le conseiller m'incita à trouver une institution pour Nick. Certes, celui-ci avait accompli des progrès mais, au dire de mon interlocuteur, il n'arriverait pas à s'intégrer à la vie familiale s'il revenait à la maison. Il valait mieux l'envoyer dans une « école spécialisée », un an ou deux, jusqu'à ce qu'il résolve ses problèmes, quels qu'ils soient. Il présentait déjà une terrible impulsivité, doublée d'une incapacité à se concentrer, qui empira avec le temps.

Pourtant, j'étais convaincue que le garder à la maison était possible. Mon intuition, mon instinct, chaque fibre de mon corps m'avertissaient qu'en l'envoyant Dieu sait où je commettrais une grave erreur. Il était toujours mon bébé. Et toutes les institutions que le conseiller me citait se trouvaient loin, très loin de chez nous. Comment irions-nous le voir ? Et quand ? J'avais cinq petits enfants à la maison et, de toute façon, ces écoles-là n'acceptaient pas de visites. Il m'en proposa même une que le premier conseiller en éducation m'avait également recommandée — celle qui m'avait fait l'effet d'une prison. Nick n'était pas un mauvais garçon, lui rappelai-je, c'était un garçon malade. Mais pour lui, cela ne faisait pas de différence. Nick était inapte à la vie sociale, à la vie familiale. Il lui fallait une « structure » susceptible d'exercer un contrôle permanent sur sa conduite. J'avais l'impression qu'on voulait entourer mon fils de fils barbelés.

Pendant que Nick se débattait avec les éléments, la poussière, les punaises et la nature qu'il détestait foncièrement, je me mis à la recherche d'une école. Le premier conseiller n'avait rien trouvé. Une de mes relations, un médecin, me suggéra alors une solution qui me sembla viable. Un petit pensionnat pour enfants ayant des troubles du comportement, dans une ville dont jusqu'alors j'ignorais le nom. Nous aurions le droit d'aller le voir chaque week-end et, s'il se tenait correctement, il pourrait revenir de temps à autre à la maison. Le médecin ne connaissait pas personnellement l'institution, dont un de ses amis lui avait vanté les mérites. J'en parlai avec l'ami en question. De nouveau, j'eus l'impression qu'on me décrivait une prison, un endroit où les gens envoyaient leurs enfants quand ceux-ci leur posaient trop de problèmes. Apparemment, l'ami du médecin avait un fils violent, qui l'avait agressé physiquement à plusieurs reprises. Rien à voir avec Nicky. Nick était une âme tourmentée. Il tournait son agressivité contre lui-même ou des objets qui lui appartenaient, jamais contre les autres. Mais les jours passaient et mes efforts pour trouver une école acceptable n'aboutissaient à rien. Je décidai d'essayer l'institution. Ils avaient des conseillers en éducation sur place. Un psychiatre travaillait tous les jours avec les pensionnaires. Malgré mes réticences, tout cela semblait parfait.

Entre-temps le stage de Nick s'achevait. Ils me laissèrent lui parler au téléphone quelques jours avant son retour à la maison. Il avait effectué un « solo », c'est-à-dire un bref séjour d'un jour ou deux, seul en rase campagne, durant lequel on l'avait observé pour sa propre sécurité, à son insu. Il avait pris des leçons de secourisme, de réanimation, et avait ramené au camp un autre garçon, qui s'était perdu. Il avait l'air en pleine forme. Tout le chagrin que son absence m'avait causé en valait la peine. Sa voix vibrait d'espoir et de promesses. Il se sentait à nouveau sur des rails, et avait hâte de rentrer pour me le prouver. Là, je dus lui annoncer qu'il repartait aussitôt dans une école spécialisée. J'étais comme le bourreau qui abat sa hache sur le cou de sa victime. En effet, cela faillit bien le tuer. Il éclata en sanglots, jurant qu'il travaillerait comme un forcené dans n'importe quelle autre école, me suppliant de ne pas l'envoyer une fois de plus loin de moi. Je pleurai avec lui en l'implorant à mon tour d'essayer. J'avais seulement téléphoné à l'institution. J'avais l'intention d'aller voir comment elle était, bien sûr, mais un mauvais rhume m'avait retenue au lit. John avait proposé d'y aller à ma place. D'habitude, le rôle d'éclaireur me revenait chaque fois qu'une solution se présentait pour Nicky. Cette fois-ci, c'est John qui s'en était chargé. Il m'avait promis de s'assurer que tout se passerait bien. Il fit l'aller-retour en avion. Ce n'était pas mal... pas mal du tout, me rapporta-t-il. John espérait, comme moi, que Nick s'y plairait. Nous l'attendions le surlendemain et nous étions convenus de le retrouver à l'aéroport, de passer deux ou trois heures avec lui, puis de le remettre dans l'avion. Nous nous étions rangés à l'avis du deuxième conseiller : s'il passait ne serait-ce qu'une heure à la maison, il aurait beaucoup plus de mal à nous quitter. Alors que s'il repartait directement pour son école, après avoir déjeuné avec nous à l'aéroport, l'épreuve serait moins pénible.

Les derniers jours ne furent plus qu'une longue attente. Je n'avais plus qu'un seul désir : le voir, l'embrasser, le serrer dans mes bras, sentir son odeur. Il était le petit que j'avais perdu dans la jungle, et que je recherchais désespérément. Soit parce que notre vie commune avait débuté d'étrange façon, soit parce que je sentais ses faiblesses plus que je ne les voyais, soit encore parce que, simplement, un lien exceptionnel nous unissait et que nous nous ressemblions. J'ai toujours eu un attachement viscéral pour Nicky. Comme s'il faisait partie de moi-même, j'ai éprouvé une douleur physique chaque fois qu'on a voulu me l'enlever. Ce lien ne s'est pas atténué au fil des ans. Le temps n'a fait que le renforcer. Je suis tout autant attachée à mes autres enfants, auprès d'eux je me sens plus heureuse, mais comme ils sont en bonne santé, j'ai moins de scrupules à les laisser partir quelque temps, quand c'est nécessaire. Mais avec Nick c'était plus dur.

Je lui ai écrit cette lettre vers la fin du stage de survie. Je l'ai retrouvée récemment parmi ses papiers.

*Mardi 13 octobre 1992*

*Nicky, mon chéri,*

*Les mots se bousculent dans ma tête, dans mon cœur, dans ma bouche. Je meurs d'envie de te revoir ! Cent, mille, cent mille fois, j'ai pensé et repensé à toutes ces petites choses que j'avais envie de te dire depuis que tu es parti. J'ai même songé à commencer un journal où j'aurais consigné combien de fois par jour j'entends autour de moi les gens affirmer que tu leur manques (mais j'aurais alors passé tout mon temps à compter). J'aurais voulu te parler mais, finalement, j'ai décidé de penser à toi en*

106

silence. *Ce silence qu'on nous a imposé et qui m'insupporte. Comme une lionne en cage, j'arpente la maison de long en large à des heures impossibles, inlassablement, et je déambule d'une pièce à l'autre, malheureuse et souffrante, avec toi dans mon cœur et mon esprit ; mon esprit semblable à une porte qui s'obstine à s'entrouvrir, qui ne veut pas se refermer sur toi, car il n'y a pas moyen de te chasser de mes pensées, ne serait-ce qu'une seconde. Qui eût cru que le lien que l'on a avec ses enfants est aussi étrange, aussi puissant... Une sorte de souffrance, de nostalgie, d'envie de te revoir, de voir ton visage, de te toucher, de te serrer dans mes bras, de savoir que tu vas bien. (Je suis littéralement malade quand je suis loin de Zara ou de Maxx ; j'ai besoin de les sentir près de moi, ou d'aller immédiatement vérifier qu'il ne leur arrive rien.) Et toi, tu es toujours attaché à mon cœur, comme eux, par un lien inaltérable, un cordon que, Dieu merci, tu trancheras quand tu seras plus grand et que tu feras ta vie. Mais il faut du temps avant que ces liens deviennent plus ténus, plus raisonnables, pour une mère. Je t'aime. Je t'aime tellement. Oh, si tu savais combien tu me manques !!!*

*J'entre dans ta chambre cent fois par jour, j'arrange le tapis, la lampe, un coussin, comme s'il s'agissait d'une affaire de la plus haute importance. La position exacte de tes magazines est une question capitale, comme si tu allais les lire d'un instant à l'autre.*

*Je ne saurai jamais exactement par quelles épreuves tu es passé, tes tourments, la peur, l'affreuse sensation de grandir, de changer, d'apprendre des choses qui nous sont pénibles à tous. Nous avons tous nos démons à combattre mais les gens ne le comprennent pas vraiment. Je crois que j'ai compris. Je veux comprendre. En tout cas, j'essaierai de toutes mes forces et si parfois je n'y arrive pas, si jamais je me méprends sur quelque chose ou si je passe à côté, je te prie, je te supplie de me le dire, de me l'indiquer de ton mieux et de me pardonner si, de temps en temps, je me montre stupide. Et si tu songes à des solu-*

tions qui pourraient améliorer nos relations, n'hésite pas à me le faire savoir. J'essaierai, Nicky. Vraiment. Je te le promets. Nous sommes tous en train de grandir.

Tu as été très courageux ces trois dernières semaines et demie — vingt-quatre jours. Veux-tu savoir combien d'heures, de minutes ou de secondes ? Je suis sûre que je pourrais les compter. Non, sérieusement, mon chéri, tu as été formidable. Je ne sais presque rien de ce stage — on croit tout savoir mais on n'est pas là, après tout. Et puis comment imaginer avec justesse, alors qu'on est allongé dans un lit douillet, les conditions de survie dans la nature, la lutte pour se nourrir et se réchauffer, et surtout la force pour réussir à réadapter son système émotionnel. J'admire la façon dont tu as fait face, plus émotionnellement que physiquement d'ailleurs. Oui, je suis très fière de toi, mon Nicky.

Tu ne peux pas imaginer ce que cela m'a coûté de force et de peine pour t'envoyer là-bas. C'est le désespoir qui m'y a poussée. D'après certains signes, tu étais sur une mauvaise pente et je ne savais pas comment t'arrêter. Si tu vois quelqu'un se noyer, tu lui jetterais un tabouret de piano si tu étais sûr que c'est le meilleur moyen de le sauver... Je n'avais peur que d'une chose. Que le traitement soit pire que la maladie. Mais si j'ai fait le bon choix, nous pouvons tous remercier notre bonne fortune. Je ne prétends pas détenir la vérité. Je me suis accrochée à ce qui me semblait être la meilleure solution, et j'étais en même temps terrifiée.

Comme je le disais à papa, s'il s'avère que j'ai eu raison de t'inscrire à ce stage, j'aurai accompli l'action la plus courageuse de ma vie. Comme toi. Mais si je m'étais trompée, je ne me le serais jamais pardonné. J'ai donc passé des journées à me morfondre. Il n'y a pas pire que le silence. Nous n'avons pas eu la moindre nouvelle de toi pendant les dix premiers jours. Mon imagination fertile a alors échafaudé des scénarios épouvantables, à faire pâlir Stephen King. Livrée à moi-même, je suis capable de damer le pion aux plus grands ! Mais grâce à Dieu, tu vas bien, tu te sens bien et seul cela compte.

Je sais que le retour sera difficile pour toi. Tu as dû beaucoup réfléchir, faire le bilan de ta situation, de ta vie, de tes rapports avec ton entourage... Mon psychiatre me rappelait, il y a longtemps, que malgré le travail que j'avais effectué sur moi-même et le chemin que j'avais parcouru, les autres, dans ma vie, n'avaient pas bougé d'un pouce. Elle (à l'époque, mon psy était une femme) me recommandait de ne pas trop investir sur eux. Parce que eux n'avaient pas changé. Moi, si. Parfois, c'est un choc. Et toi aussi, tu te sens renaître à la vie, tu reviens de loin. Il se peut que nous te semblions simples d'esprit, tout petits par rapport aux progrès que tu as accomplis. Les uns seront impressionnés, les autres n'y verront que du feu, certains s'en ficheront, d'autres encore trouveront que tu aurais pu mieux faire. C'est le côté frustrant de la chose. Mais sois patient. Souviens-toi constamment de tes exploits passés et continue à grimper vers le sommet. Tu vas bientôt découvrir, mon chéri, que dans la vie, on n'est jamais vraiment arrivé. Et que lorsqu'on pense que, ça y est, on peut souffler cinq minutes, un nouveau défi survient. Ils sont de toutes sortes, de la simple épine à ôter au véritable défi. La vie est ainsi faite. Tu vas devoir relever les défis, résoudre les problèmes. Et pour ce faire, tu as découvert en toi la force, les aptitudes qui conviennent. Utilise-les et continue ! Tu es sur la bonne voie maintenant, c'est sûr à 100 %.

Je sais qu'aller dans une école spécialisée en attendant mieux est dur à digérer. Mais cela aussi fait partie de la réalité. Les règles, ce n'est pas nous qui les établissons, ni toi, ni papa, ni moi. Nous savons où tu en es et ce que tu as fait jusqu'à maintenant. Mais à présent, il va falloir ébaucher tes premiers pas dans le monde. L'endroit me semble convenable. Si tu te tiens correctement, si tu travailles bien, tu gagnes des avantages, des libertés. Sinon... de toute façon, ce n'est pas le bagne ! Je n'aurais pas pu vivre en te sachant dans une de ces institutions dont, heureusement, tu n'as pas besoin. J'espère que tu l'as compris. Non, je n'aurais pas supporté que tu sois dans une de ces écoles punitives. (Celle-ci n'est pas comme ça. Elle est très bien.) Et je crois sincèrement que ce sera un petit pas vers l'âge adulte et la liberté. La sécurité aussi. Ce serait dommage de gâcher en un jour, dans un moment de faiblesse, tous les merveilleux progrès que tu as accomplis.

Je crois donc que l'école en question te conviendra. Tu me diras si je me trompe. Mais j'ai le sentiment qu'elle te plaira, sinon je ne t'y aurais pas envoyé. Pense à cet endroit comme à un moment intéressant de ta vie, de ta croissance, un pont d'un point à un autre, une partie du voyage. Cela t'aidera à arriver à bon port. Plus tu l'accepteras, plus vite tu y arriveras. Un jour, tu regarderas en arrière et tu t'apercevras que tu as eu la chance d'apprendre énormément de choses, en très peu de temps. La plupart des gens fichent en l'air toute leur vie ou du moins une grosse partie. Beaucoup de jeunes ne s'imaginent pas ce qu'ils peuvent obtenir avant d'être bien plus âgés. Cette vision des choses, ce changement, cet apprentissage, est un superbe cadeau qui t'a été donné par les gens qui t'ont aidé jusqu'à maintenant à te réaliser. Tu l'as amplement mérité — car tu as réussi à te réaliser aussi, Nicky, et tu l'as fait pour toi-même. Et je ne te dirai jamais assez combien nous sommes fiers de toi, papa et moi.

Je ne vois pas dans cette école une sorte de punition et je voudrais que tu le comprennes. Cela n'a rien à voir. Je pense, au contraire, que c'est un pas vers ce que tu attends de la vie : la liberté, un foyer, des valeurs, une existence satisfaisante, de bonnes études. Je t'en prie, essaie de bien te débrouiller. Parce que j'en ai assez des pensionnats. Je ne les ai jamais aimés. Je t'aurais préféré à la maison, préparant du chili dans la cuisine, tandis que je te demande une fois de plus de ranger ta chambre. Oui, je voudrais ressentir le frisson de joie de ta présence ici. Ce que nous souhaitons tous, moi, papa, les petits, c'est que tu parviennes à un degré d'adaptation qui te permette de revenir chez nous. Je sais que tu te crois capable de t'adapter, mais il semble que les écoles ordinaires ne soient pas d'accord sur ce point. Et c'est normal. Ils ne voient pas dans ta tête. Ils ne savent pas combien tes idées sont claires. S'il existait des examens lors desquels on vous branche sur une prise et votre nez s'allume comme un lampion vert, par exemple, tout aurait été beaucoup plus simple. Mais il n'y en a pas. Alors, ils ont besoin de preuves : de bonnes notes, d'un comportement raisonnable. Ils n'ont pas tort, et tu es assez mûr pour l'admettre.

Aussi t'avoir à la maison, encore vacillant, serait négatif pour toi comme pour nous ; essayons donc de mener à bien cette entreprise. Il faudra du temps à tes amis et plus généralement à notre entourage pour comprendre qu'ils auront affaire à un nouveau Nick. Ils auront souvent tendance à le confondre avec l'ancien, ce qui te pèsera, car il faudra que tu leur prouves constamment le contraire. Peut-être trouveras-tu très confortable, finalement, d'être loin, dans cette école, pendant un certain temps. On dit que chaque difficulté arrive à point. Si le fait d'avoir été renvoyé de ta dernière école t'a propulsé physiquement et émotionnellement dans un endroit où, comme tu l'as dit, « on t'a sauvé la vie », alors ce renvoi est la meilleure chose qui te soit jamais arrivée. (Si plus tard tu préfères continuer tes études dans un pensionnat, nous aviserons. J'aurais adoré t'avoir près de moi, mais c'est à toi de voir.)

Je vais t'ennuyer maintenant avec un peu de philosophie. Une phrase de ma religion : « L'amour divin a toujours répondu et répondra toujours à tous les besoins humains ». A mon avis, les mots clés sont : « toujours », « tous » et « humains ». C'est-à-dire tous tes besoins, chacun de tes besoins, tes besoins « humains » et pas tes besoins spirituels ou religieux. L'amour divin a toujours répondu et répondra toujours à chaque besoin humain.

111

*Je trouve cela réconfortant. Peut-être en sera-t-il de même pour toi.*

*Mais le plus important, c'est que nous t'aimons. Le reste n'est que broutilles. Parfois, la vie n'est que broutilles. Mais, sérieusement, nous t'aimons, oh oui, si tu savais combien nous t'aimons, et seul cela compte.*

*Heureusement, bien que tu n'aies encore que quatorze ans, tu as mûri ces trois dernières semaines. Etre « grand » veut dire aussi comprendre que tout passe, que les choses difficiles ou désagréables ne durent pas toute la vie. J'espère que ta nouvelle école te plaira. Tu ne la trouveras peut-être pas très orthodoxe, mais ce sera amusant de faire des études avec seulement quarante autres élèves, sous un arbre et pas dans une classe. L'hiver, vous irez faire du ski, et au printemps, vous prendrez de super vacances à l'étranger. Je suis sûre que tu vas adorer, peut-être pas autant que le stage de survie mais comme un instant précieux de ta vie. (Il ne s'agit pas du gigantesque défi du stage, mais d'une promenade dans la réalité.) Et si, par aventure, tu t'y ennuies, si tu trouves l'existence assommante, voire irritante, dis-toi bien que ce n'est qu'un mauvais moment à passer et que cela ne durera pas jusqu'au jugement dernier. Tu resteras là-bas le temps qu'il faut et pas un jour de plus. Essaie de tirer le meilleur parti de cette expérience. Apprends, puis utilise tes connaissances à bon escient. Surtout ne t'affole pas. Dis-toi que c'est comme une croisière. Bientôt tu atteindras ta destination, alors reste calme. Aucune école, aucun endroit, personne n'est parfait. Oublie les inconvénients... Comme le disait très justement Alex Haley, « faites l'éloge des avantages » (la nourriture devrait être meilleure qu'au stage). Ce sont les épreuves et les privations qui m'ont appris à apprécier le confort, une journée en bonne santé, chaque enfant aux yeux brillants, chaque moment de bonheur. Toi aussi tu les apprécieras, après les épreuves que tu viens de traverser pendant le stage.*

*Sache, au plus profond de ton âme, que je t'admire pour ce que tu as fait. Tu as en effet accompli de grandes*

Nick, avec Beatie et ses poupées.
*Ph. Danielle Steel*

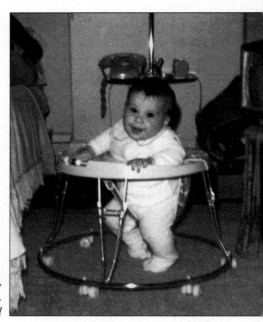

Nick dans son trotteur,
à l'âge de cinq mois.
*Ph. Danielle Steel*

Nick à six mois
*Ph. Danielle Steel*

Nick dans son landau, à l'âge de six mois : «Je suis Incroyable !»
*Ph. Danielle Steel*

Nick à un an.
*Ph. Danielle Steel*

Nick devant la machine
à écrire de Maman :
quatorze mois.
*Ph. Danielle Steel*

Nick,
le guerrier.
*Ph. Danielle Steel*

Nick à Noël 1982.
*Ph. Danielle Steel*

Nick à quatre ans.
*Ph. Roger Ressmeyer*

Nick, à quatre ans, au baptême de Sammie (1982).
*Ph. Roger Ressmeyer*

Nick en «rock star»
durant la fête de
Halloween, à l'âge de cinq
ou six ans.
*Ph. Danielle Steel*

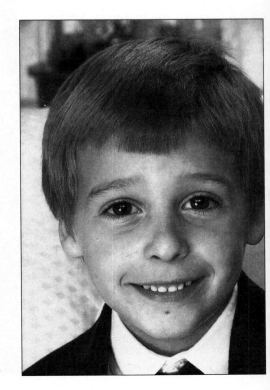

Nick à six ans.
*Ph. Roger Ressmeyer*

Photos de classe à six ou sept ans.
*Ph. John J. Capistrant, Lifetouch,
Hayward, Californie.*

Nick
à sept ans avec John,
durant sa cérémonie
d'adoption.
*Ph. Roger Ressmeyer*

Nick à huit ans.
*Ph. Tilly Abbe*

Nick à huit ans,
en compagnie de Maxx,
huit mois.
*Ph. Lucy Brown*

Nick à neuf ans.
*Ph. Tilly Abbe*

Nick à dix
ou onze ans.
*Ph. Danielle Steel*

Nick déguisé en Prince
lors d'une fête de Halloween.
*Ph. Danielle Steel*

Nick en «rock star»
à l'occasion d'un concours
de play-back organisé par son école.
*Ph. Danielle Steel*

Nick à onze ou douze ans.
*Ph. Roger Ressmeyer*

*choses, personne ne le niera. Mais la vie est une chaîne de montagnes, pas un seul sommet à conquérir. C'est comme le karaté. Tu as plusieurs couleurs et c'est la noire la plus convoitée... Je ne doute pas que tu la gagneras.*

*Mon chéri, je t'aime. Je vais me coucher maintenant et quand je me réveillerai, il ne restera plus que quelques heures avant de te revoir. Cent fois par jour, j'essaie d'imaginer ce que tu fais ; si tu dors, si tu manges, si tu marches ou si tu réfléchis... je sais que la nuit tu restes éveillé. Je te sens dans mon cœur toute la nuit. J'espère qu'en ce moment tu dors. Cela doit être à la fois excitant et effrayant de revenir.*

*J'en ai assez de t'imposer les règles des autres, de vivre moi-même selon ces règles-là. Trouve-toi des normes personnelles de manière que nous soyons libres de nouveau, mon amour. La vie est en perpétuelle croissance et tu as tellement poussé, tendre petit arbre bien-aimé. Que Dieu te protège — et je sais qu'il le fera. N'oublie pas combien je te chéris.*

*Avec tout mon cœur, toute mon âme, mon doux Nick, et avec toute ma tendresse,*

*ta maman.*

*P.S. Ravie de ton coup de fil et de tes phrases me disant combien nous te manquions et combien tu nous aimes. Moi aussi je t'aime.*


Et pendant que je l'attendais, pendant qu'il me manquait, il tenait son journal intime : il notait les remarques suivantes, dans un petit carnet qu'il emmenait partout avec lui et qu'il avait emporté au stage de survie. Je l'ai trouvé et lu après que nous l'avons perdu. (Il avait quatorze ans quand il a écrit ceci :)


*J'ai deux identités. Par essence, l'une est bonne, l'autre mauvaise. Le moment est venu de décider laquelle des deux l'emportera sur l'autre, et devenir celle-là. Il y a*

113

*même une troisième identité : l'impatiente, qui m'incite à choisir.*

*Première identité : rentrer à la maison, dans ma famille, être bon, les aimer et en être aimé. Je sais que je suis capable de le faire si je le décide. Oui, je crois que je pourrai.*

*Seconde identité : être envoyé dans une école, avoir mon argent, mes affaires, partir. Faire la fête pour le restant de mes jours, ne jamais regarder en arrière et mourir avant l'âge de vingt-cinq ans. Au moins je me serai bien amusé.*

*Ma mission.*
*Etre capable de changer la vie des autres. Etre honnête, digne de confiance, aimant. Tout ce que j'accomplirai, je souhaite le faire tout seul.*
*Mais quand on en arrive là, le seul obstacle à ma mission, c'est moi-même ! Et le désordre importe peu ; j'en suis responsable puisque je me laisse détourner de mon but.*

*Qui je serai.*
*Je serai fort. Je m'y exerce à présent. Je ne veux pas vivre dans l'ombre de mon père. Je veux être moi-même. Je veux être honnête. Ne pas reconnaître le bien par rapport au mal, mais faire le bien ; montrer mes vrais sentiments à ma famille et m'y intégrer. Je ne veux plus être une façade. Je veux que les gens voient mon nouveau moi, mon vrai moi. Je ne veux pas le cacher plus longtemps. Je veux que les gens sachent qu'ils peuvent croire en moi, qu'ils peuvent avoir confiance, je dois maîtriser mes sautes d'humeur. Je veux être bon. Je veux être Nick.*

*En vérité, je n'aime pas blesser les gens. Si par inadvertance cela se produit, je suis aussitôt submergé par des vagues de culpabilité. Et même si, par hasard, je fais*

114

*exprès de les blesser, je me sens si mal que j'évite de recommencer.*

*Je voudrais être considéré comme quelqu'un de responsable, comme une personne de confiance. Etre heureux avec moi-même et rendre heureux les autres. Je veux savoir que j'ai relevé le défi, que j'ai réussi, ce qui corrobore ma parole, à savoir que j'ai changé. Je ne veux plus être celui que j'étais. J'étais malheureux, je ne pouvais plus croire à mon propre univers. J'aurai juste besoin d'un peu de bonheur, d'un peu de respect de moi-même et des autres, lorsque j'aurai fini ce que j'ai commencé.*

*J'éprouve des sentiments irrépressibles envers ma mère. Je l'aime au point d'avoir mal. Je le lui dis mais je ne sais pas si elle le croit vraiment. Si je la fais souffrir, la culpabilité me fait souffrir dix fois plus. Je déteste ça. Je ne sais pas comment lui montrer, comment lui expliquer ce que je ressens. Quand j'arrive à lui parler, je suis libéré d'un poids et puis je fais quelque chose par mégarde — ou même exprès — qui la contrarie et alors, j'ai l'impression de lui démontrer ma propre fausseté. Mais mon amour pour elle est inconditionnel, comme le sien pour moi. J'ignore si elle le sait. J'espère que oui. Heureusement, ce stage me donnera le courage de le lui dire et la force de tenir ma parole.*

*Je vois un garçon fatigué, en pleine confusion.*
*Il est en colère mais pas trop.*
*Il est triste... en quelque sorte.*
*Il a mal... je crois.*
*Il m'aime... j'espère.*
*Il a besoin de moi... mais ne peut pas ou ne veut pas l'admettre.*
*Il ne me comprend pas... et je ne le comprends peut-être pas.*
*Il essaie de me montrer ce qu'il ressent, je le vois qui lutte... mais il ne parvient pas à se faire comprendre.*
*Je vois un garçon qui en a trop vu.*
*Mais comme je l'ai dit, c'est encore un garçon.*

*Si je devais mourir aujourd'hui, je ne serais pas vraiment triste. Je serais plutôt déçu. Je suis ce programme afin d'essayer de prendre ma vie en mains ; mes amis et ma famille me soutiennent. C'est le dernier barreau, le barreau le plus dur à gravir sur l'échelle d'une vie décente et normale. Si j'étais mort au milieu de l'échelle, ç'aurait été décevant. Bien sûr, ce serait dommage de ne pas avoir dit au revoir à ma famille, ni combien je les aime, ni d'avoir appris à mes amis ce que j'éprouve pour eux, mais je crois bien que le sentiment prédominant serait quand même la déception.*

*Après ma mort, je voudrais que les gens se souviennent de moi comme de quelqu'un de fort, quelqu'un qui a changé leur vie, sans menaces et sans disputes, de son plein gré. J'aimerais qu'ils gardent le souvenir de celui que j'aurais voulu être, pas de celui que j'ai été.*

*Je suis versatile mais ma personnalité de base est celle de quelqu'un qui s'intéresse aux autres.*

*Un vrai ami, je le conçois comme une personne qui m'aime vraiment et qui se fait du souci pour moi. Il mérite ma confiance, nous partageons les mêmes idées, les mêmes opinions et il ne me laisse pas tomber quand je vais mal (loyauté). Un véritable ami ne vous abandonne jamais, quoi qu'il arrive. Il ne m'aurait jamais mis en danger et m'aurait évité des ennuis, comme je l'aurais fait pour lui.*

*RIEN ne pourrait m'inciter à renoncer aux qualités que j'exige chez un ami. Je crois qu'on ne perd jamais un véritable ami, à moins de trahir sa confiance en vous.*

*Je suis du genre à imposer mes propres règles à moi-même comme aux autres. J'attends beaucoup d'un ami, car de mon côté, je m'efforce de correspondre à la définition ci-dessus et plus encore.*

Deux remarques me viennent à l'esprit aujourd'hui, tandis que je lis et relis ces passages. Premièrement, Nick souffrait d'un mal violent qui commençait à le dominer.

C'était un enfant gentil affligé d'une vilaine maladie. En général, on traite ces enfants, ou ces adultes, comme des personnes méchantes qui doivent être punies pour quelque chose dont elles ne sont pas responsables. Je n'ai jamais voulu que mon fils soit puni parce qu'il était malade. Ce n'était pas sa faute. Il était sous ma responsabilité et je n'avais pas l'intention de lui tourner le dos pour le restant de ses jours. Je déteste ces endroits où l'on enferme tous ceux qui ne sont pas conformes, loin des gens « normaux », hors de la vue, châtiant leurs singularités, et leur montrant qu'après tout personne ne les aime. J'ai toujours pensé que l'affection que je portais à Nicky ferait la différence, qu'elle rendrait sa souffrance plus tolérable, ou même le guérirait. Elle ne l'a peut-être pas guéri mais à aucun moment de sa vie il n'a douté de mon amour. C'était mon cadeau pour lui, le seul cadeau que je lui devais.

La deuxième chose qui me frappe en lisant son journal, c'est qu'il avait beaucoup d'amis, de bons amis, des amis qui l'ont soutenu et auxquels il est resté fidèle. Ils étaient là à la fin, et je les invite toujours à ma table. Des amis d'enfance, qu'il a connus depuis la maternelle, d'autres qu'il a rencontrés plus tard. Beaucoup sont sortis de sa vie. Il les a remplacés par d'autres, des jeunes gens exceptionnels, qui ont croisé son chemin. Lui-même était un excellent ami et tout le monde l'adorait. Même lorsqu'il s'isolait, il ne les perdait pas de vue. Ils l'entouraient, le consolaient quand il se sentait gagné par la tristesse. Ils ne l'ont jamais laissé tomber...

Après son fameux stage de survie, Nicky descendit de l'avion plus sain, plus heureux, plus grand que jamais. Il nous raconta ses aventures en mangeant une pizza au restaurant de l'aéroport. Nous bavardâmes pendant deux heures environ, puis il partit pour son école. Il éprouvait des hésitations mais il avait aussi envie de se donner une nouvelle chance. John lui avait rappelé que même si l'endroit ne lui plaisait pas, il allait devoir y rester. Il n'y avait pas d'autre solution. Je m'étais tue. Mais j'avais donné ma parole à Nicky que si jamais il était malheureux là-bas, je ne le forcerais pas à rester. Nous lui avons promis de lui rendre visite dès le week-end suivant.

Je n'eus pas de ses nouvelles de toute la semaine. Il n'avait pas le droit d'appeler, je le savais. Et le dimanche, la famille au grand complet partit lui rendre visite, nous étions tous ravis de le revoir.

L'école était telle qu'on me l'avait décrite. Un pimpant petit bâtiment entouré d'arbres. Les enfants couchaient dans des dortoirs et il y avait une cour de récréation. Mais les « profs » avaient une allure de videurs de boîtes de nuit et les pensionnaires arboraient un visage mort. Ils semblaient abandonnés à leur sort, sans espoir. Ils nous observaient, tels des survivants des camps de concentration qui ont perdu le goût de vivre. Ce que je vis ne me plut pas. Nous étions les seuls visiteurs, ce jour-là, et quand j'ai aperçu Nick, l'angoisse m'a suffoquée. Il avait une expression de terreur dans le regard...

Il me prit à part. C'était affreux, me dit-il. Le directeur n'habitait pas sur place, comme on nous l'avait affirmé, les éducateurs terrorisaient les élèves, qui étaient fous et violents. Quant au psychiatre, il n'y en avait pas, contrairement aux informations que nous avions eues.

— J'ai peur, maman, dit-il.

Naturellement, je ne pus m'empêcher de me rappeler toutes les histoires de persécutions, de corrections et de tortures qu'il avait inventées quelques années plus tôt, en colonie de vacances, juste pour me mettre à l'épreuve. Mais cette fois-ci, c'était différent. Nick implorait mon aide. En le scrutant au fond des yeux, je sus sans la moindre hésitation qu'il était sincère.

Nous en discutâmes pendant un moment. En quittant le dortoir, j'aperçus des excréments humains sur les marches de l'escalier. Je compris immédiatement qu'il disait la vérité et que je ne pouvais pas le laisser là. J'en touchai deux mots à John, qui me répondit qu'il valait mieux trouver une autre école avant d'agir. Ce fut donc le cœur lourd que j'embrassai Nicky pour lui dire au revoir, avant de repartir avec mes autres enfants. De ma vie je n'ai éprouvé aussi fortement la sensation d'avoir trahi quelqu'un que j'aimais.

Je ne dormis pas de la nuit. J'arpentai la maison jusqu'au matin. Dès que John fut réveillé, je lui fis part de ma décision. Il avait raison, nous n'avions aucune autre solution mais ce n'était pas une excuse pour laisser Nick dans un endroit pareil. Je rappelai le conseiller en éducation pour lui demander une autre école. Prudemment, il convint qu'il y avait une autre possibilité, bien qu'il n'eût pas encore transmis le dossier de Nick à la direction. Cela m'était complètement égal. Je lui aurais donné des cours moi-même, s'il le fallait. Mais il ne resterait pas là-bas une minute de plus.

Je téléphonai à l'institution, disant que j'avais décidé de retirer mon fils. On me répondit que je ne pouvais pas récupérer la caution. (Il était là-bas depuis cinq jours.) Je leur dis de garder l'argent et de m'envoyer mon fils. Je les priai de le mettre dans un avion le matin même. L'après-midi, il était chez nous, avec un sourire aussi large que le Texas. La décision de ramener Nick à la maison fut l'une de mes meilleures initiatives. Elle rétablit ma confiance en moi-même, en ma capacité à faire le bon choix. Et depuis lors, Nick comprit qu'il pouvait me faire confiance en toutes circonstances, que je tenais mes promesses, et qu'il pouvait compter sur moi quand je lui donnais ma parole. Jamais il ne m'a serrée aussi fortement dans ses bras, et jamais je ne l'ai aimé autant. Ce fut un moment parfait de connivence, de foi, de confiance et d'amour. Je n'ai jamais regretté de l'avoir ramené à la maison.

Par la suite les événements m'ont donné raison. Des années plus tard, j'ai reçu un appel téléphonique d'un avocat. L'école avait fermé, m'annonça-t-il. Les pensionnaires prétendaient avoir subi toutes sortes d'abus et de mauvais traitements, et un procès était intenté aux éducateurs. Ils étaient assez bêtes pour me prier d'être témoin de la défense. J'en ai profité pour leur dire leurs quatre vérités. J'aurais figuré avec joie parmi les témoins à charge, ai-je répondu avant de raccrocher. Je n'ai plus jamais eu de leurs nouvelles.

Je crois qu'après que je l'eus tiré de ce mauvais pas Nick me voua une confiance absolue. J'avais décidé de ne plus l'envoyer dans des institutions dont je ne serais pas totalement sûre, ni dans aucun autre endroit qui m'inspirerait le doute le plus infime, quitte à le garder à la maison. J'en pris l'engagement vis-à-vis de lui et de moi-même. Je ne voulais pas l'enfermer dans une école, ni le confier à des mains étrangères. Nous allions trouver une solution, et nous nous battrions pour qu'elle soit bonne. Pour le restant de sa vie, j'ai tenu ma promesse, chaque fois que j'ai pu le faire sans le mettre en danger.

# 9

## Démons

Après le retour de Nick, nous avons tout repris à zéro. Où allions-nous l'envoyer ? Comment allions-nous nous y prendre ? J'ai dû passer un millier de coups de fil, battre le rappel de toutes mes relations. Nous devions trouver une école, et vite, un nouveau psychothérapeute et un bon soutien psychologique. J'ai contacté amis, conseillers, psychiatres, tous ceux qui me venaient en tête.

Tout d'abord, j'ai trouvé un psychiatre, une fois de plus chaudement recommandé, qui a accepté Nick comme patient.

Ensuite, l'école. J'ai rappelé le conseiller en éducation, qui m'a indiqué une petite école dans un autre comté. Cela voulait dire que Nick ferait la navette tous les jours, mais ce long trajet ne posait pas de problème insurmontable. Nick, John et moi avons visité ensemble les lieux. L'endroit, très agréable, était dirigé par des gens charmants aux idées larges, qui nous ont réservé un accueil amical et qui ont bien voulu accepter Nick parmi leurs élèves.

Voilà donc les problèmes de l'école et du psychiatre résolus. Pourtant, je savais qu'il lui fallait une assistance supplémentaire. L'un de mes amis, pédiatre, me signala un nouveau traitement pour adolescents, mis au point par des personnes tout à fait compétentes. Je lui rétorquai que Nick n'avait pas besoin d'un tel traitement. Il insista : on ne savait jamais. Cela valait la peine d'y aller au cas où ils pourraient l'intégrer dans un groupe de thérapie.

Je convainquis Nick de venir avec moi, de leur parler. Au début, il refusa, puis il accepta pour me faire plaisir. Si mes souvenirs sont exacts, je crois même que je l'ai soudoyé, en l'emmenant au cinéma ou au restaurant chinois, je ne me rappelle plus... Je n'en étais pas à un pot-de-vin près. J'aurais eu recours au vaudou si j'avais été sûre que cela l'aiderait. Nick m'a toujours obligée à faire fonctionner ma matière grise.

Nous nous sommes donc rendus dans l'établissement. J'avais pris rendez-vous. La femme avec qui j'avais parlé au téléphone avait une voix jeune, énergique, pleine d'entrain. J'avais apprécié sa manière de réagir lorsque je lui avais dressé la liste des problèmes les plus récents de mon fils. Je ne lui avais pas dévoilé le fond de ma pensée : à savoir que Nick était peut-être un malade mental. J'avais simplement raconté ses problèmes avec ses deux précédentes écoles, l'une l'ayant renvoyé, l'autre lui ayant demandé de partir. J'avais ensuite parlé du stage de survie et de l'institution d'où je venais de le retirer. Ses réponses pertinentes m'avaient donné envie de la rencontrer. Pas Nick !

Durant le trajet, il écouta son walkman sans desserrer les dents. Il n'ouvrit la bouche que pour me signaler, d'un air ennuyé, qu'il espérait que l'entretien ne s'éterniserait pas. C'était une journée froide de fin octobre et, tandis que nous roulions vers notre destination, je fis mentalement le bilan des obstacles que Nick avait dû surmonter depuis l'été précédent. Tant de changements l'avaient certainement stressé, encore que le fait d'avoir échappé aux horreurs de l'institution lui avait remonté le moral. De plus, il avait hâte d'aller à sa nouvelle école.

Nous restâmes quelques minutes dans une salle d'attente. C'était une maison d'assez belles proportions. Nous vîmes des adolescents entrer et sortir pendant que nous attendions. Enfin, la femme avec qui nous avions rendez-vous apparut. Elle était jeune, jolie, avec de longs cheveux blond foncé et de grands yeux verts. Elle s'appelait Julie. Je me souviens qu'elle portait une longue robe à fleurs, et je n'oublierai jamais son sourire lumineux, tandis qu'elle me serrait la main avant de se présenter à Nicky. Instantanément, je sus qu'elle me plaisait. J'ignore pourquoi, mais le courant passait. Elle avait un esprit vif et rapide — elle comprenait à demi-mot. Et surtout, elle s'intéressait à Nick.

Nous lui parlâmes de sa nouvelle école, de son nouveau psychiatre, de notre idée de donner à Nick la possibilité d'un nouveau départ, et que nous étions venus ici sans trop savoir pourquoi, ni à quoi s'attendre. Enfin, si ! Après cinq minutes d'entretien, j'étais convaincue d'une chose : je voulais que cette femme s'occupe de Nick. J'avais tout de suite éprouvé une profonde sympathie pour elle. Et j'avais tout de suite compris que son soutien serait précieux. J'ignorais encore à quel point ! Comment aurais-je pu deviner alors qu'elle deviendrait ma sœur, mon associée dans l'opération de sauvetage de Nick, et une amie pour toujours ?

Au terme de l'entrevue, nous décidâmes que la meilleure façon de procéder serait que mon fils la voie une fois par semaine, juste pour demander conseil et pour faire ensemble le point de ses séances de psychothérapie. Il n'était pas nécessaire de lui faire suivre un traitement particulier mais les horaires de Julie lui permettaient de donner des consultations privées. Tout comme moi, elle ne savait pas encore en quoi elle pourrait nous être utile. Elle l'admit d'ailleurs, avec une honnêteté qui ne fit qu'accroître mon admiration. Je souhaitais que Nick travaille avec elle. Visiblement, ils s'entendaient à merveille. Il paraissait d'ailleurs aussi enthousiaste que moi. Il l'aimait bien, cela se voyait. Elle était comme un trait d'union entre les théories psychiatriques et la façon dont Nick les appliquait dans sa vie quotidienne. Plus tard, elle fut une excellente interprète entre ses angoisses d'adolescent et mes idées quelque peu rétrogrades.

Julie était spécialisée dans la dépendance aux drogues. Son vrai don était pourtant de comprendre les adolescents. Sa spécialité englobait les problèmes des jeunes toxicomanes mais elle traitait également les troubles du comportement, ce qui semblait tout à fait approprié au cas de Nick. Elle avait connu elle-même des problèmes similaires pendant près de dix ans et depuis, elle passait le plus clair de son temps à venir au secours d'adolescents en perdition. Elle possédait un véritable talent pour les écouter et les comprendre mais, à ses dires, elle manquait d'une formation classique, ce qui m'était parfaitement égal, compte tenu de la justesse de ses observations concernant Nick.

Elle dirigeait le programme pour adolescents là où nous l'avons rencontrée. Auparavant, elle avait dirigé un autre programme de désintoxication, très connu. Elle avait pris de la drogue dans sa jeunesse, précisa-t-elle à Nick. Mais comme je l'ai déjà dit, j'ai été fascinée par la facilité avec laquelle elle traduisait en termes clairs les sentiments, les inquiétudes, les craintes de mon fils. Elle avait une qualité qui me manquait : elle parlait le même langage que lui.

A peine quelques jours après le retour de Nick, je me sentis immensément soulagée. J'envisageai même l'avenir avec un regain d'optimisme. Il se passionnait pour ce qu'il faisait. Avec un peu de chance, il allait pouvoir se prendre en charge, améliorer sa qualité de vie. Ce serait un véritable exploit, à quatorze ans. Pour la première fois depuis longtemps, j'entrevoyais enfin une lueur d'espoir.

Ensuite, l'existence de Nick ne fut plus qu'une course incessante entre l'école, ses trois ou quatre séances chez le psychiatre, et Julie, qu'il voyait une fois par semaine. Il n'arrivait pas à la maison avant l'heure du dîner mais il semblait satisfait de ses journées... Du moins pendant un certain temps.

Un mois ou deux plus tard, de petites chamailleries l'opposèrent à ses éducateurs. Leur système de discipline, au demeurant assez compliqué, consistait à récompenser ceux qui gagnaient des points et à châtier ceux qui en perdaient. Et Nick avait du mal à suivre. Toujours le fameux problème du règlement. Mais il faisait de son mieux et au début, il n'y eut aucune plainte. Julie lui était d'un grand secours. Il aimait bien la voir. En revanche, son nouveau psychiatre s'avérait décevant. J'avais le sentiment qu'il n'éprouvait rien pour Nick, pas même un peu de sympathie. Il avait conclu une fois pour toutes qu'il avait affaire à un sale gosse gâté, atteint de troubles caractériels mineurs. En retour, Nick, qui le détestait, le traitait d'« enfoiré ». Je songeai à changer de psychiatre mais j'avais épuisé le réseau de mes relations. De plus, Nick se montrait si résistant à la psychiatrie que je commençais à désespérer de lui trouver le bon thérapeute. Du reste, c'était un rôle que Julie assumait parfaitement.

Pendant quelques mois, Nick se plia à ce rythme. Au début, il travailla assez bien à l'école puis, peu à peu, inéluctablement, la situation se détériora. Il était déprimé pour un rien, et il recommença à prendre occasionnellement de la drogue. Je découvris dans sa chambre une boîte métallique d'oxyde nitreux. J'en fus bouleversée. D'après ses professeurs, il en avait respiré une fois à l'école pendant la pause, bien que Nick l'ait nié avec véhémence. Mais j'ai davantage cru les professeurs que Nicky.

En feuilletant son journal aujourd'hui, je sais que durant cet hiver, juste avant d'avoir quinze ans, il a essayé tout un éventail de drogues allant de la marijuana au LSD, en passant par les « champignons », l'ecstasy et le speed. A mon avis, il devait faire une grosse consommation de marijuana, ce qui achevait de le déprimer.

De nouveau, il s'isolait dans sa chambre, évitant le reste de la famille. Sans difficultés particulières à l'école, il paraissait cependant malheureux. Seules ses séances avec Julie semblaient l'aider.

Je n'étais pas consciente qu'il se droguait, alors même que je gardais un œil vigilant sur lui. Je crois qu'à la même époque il s'est mis à prendre de la cocaïne. Il n'était dépendant d'aucune substance spécifique mais pratiquait l'automédication. J'avais appris entre-temps que tous ces symptômes qui s'accompagnent de dépression ne font que s'aggraver pendant l'adolescence. Que la croissance constante d'hormones dans l'organisme agit comme un catalyseur quand le sujet souffre de désordres mentaux. Jusqu'alors, personne n'avait confirmé ou même prononcé le terme de maladie mentale. Les psychiatres avaient toujours vu et continuaient à voir en Nick un garçon intelligent et gâté, qui affrontait simplement des problèmes d'adolescence. Aujourd'hui je regrette que ni moi ni tous ces spécialistes n'ayons lu son journal intime. Il nous aurait livré les indices qui nous manquaient. Mais je respectais trop son intimité pour fouiller dans ses affaires.

Au printemps, Julie abandonna le programme qu'elle dirigeait pour se consacrer exclusivement à ses consultations privées. Elle allait voir ses patients chez eux : des adolescents présentant des troubles du comportement à l'école ou vis-à-vis de leurs parents. Je lui demandai de rendre visite à Nick. Il devenait de plus en plus irritable. Plus isolé, plus craintif, plus agressif, plus hostile. L'amener à dîner avec nous représentait une corvée quotidienne. Lorsque, enfin, il acceptait, il s'asseyait à table en sous-vêtements ou enveloppé dans son dessus-de-lit. Autrement dit, il commençait à adopter une attitude irrationnelle. Même Julie convenait qu'il avait changé. Il était plus difficile que ses autres patients, mais cela ne semblait pas la décourager. Elle n'était jamais à court d'idées pour rendre la vie plus agréable à Nick. Et elle parvenait à l'atteindre dans sa tour d'ivoire et à communiquer avec lui, contrairement à nous.

Il était devenu pour moi une source constante d'inquiétude. J'en parlais régulièrement à ma propre psychothérapeute qui, un jour, me fit une réponse que personne ne m'avait donnée auparavant. Elle pensait, bien qu'elle ne l'ait jamais rencontré, que Nick était atteint de troubles mentaux graves. De schizophrénie ou de psychose maniaco-dépressive, précisa-t-elle, ce qui me choqua profondément. Après quoi, elle se déclara surprise de ce que le psychiatre qu'il voyait ne lui ait pas manifesté plus d'intérêt. Au début, je résistai. J'insistai en disant qu'il était normal, sachant au fond qu'il ne l'était pas, mais je ne la convainquis pas.

Elle ajouta que, lorsque j'arrêterais d'exiger de lui des réactions normales et que je le considérerais comme « quelqu'un de malade », la situation s'améliorerait ou, du moins, deviendrait plus réaliste. Il avait quatorze ans et l'idée qu'il était vraiment malade mental, peut-être même gravement atteint, me terrifiait, me déchirait le cœur, et pourtant je ne pouvais le nier. Ma psychothérapeute avait raison. Quelle différence qu'il prenne son dîner avec nous ou pas ? En fait, il serait plus simple pour nous tous qu'il ne franchisse pas le seuil de la salle à manger. Tous les soirs, notre repas confinait au cauchemar. Nick argumentait sur tout, insultait tout le monde, pétait et rotait à table, ricanait, hurlait, nous imposant ses idées fixes, obsessionnelles, à propos d'événements futurs, tel le concert auquel il irait trois mois plus tard et qui l'y conduirait. Avec lui toute conversation devenait impossible. Les autres enfants ne pouvaient pas placer un mot. J'avais en vain essayé d'instituer des règles susceptibles de l'empêcher de gâcher notre soirée, mais ce n'étaient que des règles supplémentaires auxquelles il ne voulait pas ou ne pouvait pas se plier. Le voir dans cet état me brisait le cœur. A présent, il avait l'air négligé, refusait de se peigner ou de se brosser les cheveux et prenait un malin plaisir à nous torturer, surtout moi, par des disputes, des injures, des procès d'intention, des scènes épouvantables qu'il nous infligeait nuit et jour, et surtout pendant les repas.

En quelques mois, malgré tous nos efforts, il semblait avoir perdu le contrôle et le respect de soi. Il avait sombré dans les noires profondeurs de la dépression. Pour la première fois de sa vie, il se montrait à la fois grossier et brutal. A quatorze ans, il était amoureux d'une jeune fille de trois ans son aînée ; il disait qu'ils allaient se marier. Son existence avait soudain basculé dans un écheveau irrationnel d'extravagances monumentales.

Julie le voyait une ou deux fois par semaine à la maison. Vers la fin de l'année scolaire, tandis que son quinzième anniversaire approchait, ses visites devinrent quotidiennes. Il n'aurait pas survécu sans elle. Son influence apaisante, sa pertinence, son intuition, ses paroles pleines de sagesse rendaient la vie plus supportable aussi bien pour lui que pour nous. Elle faisait figure de médiateur entre des belligérants. Parfois, elle négociait de petits détails avec lui : prendre une douche, mettre des chaussures. Et parfois aussi, elle l'aidait à résoudre des questions plus importantes.

Comme tous les parents qui doivent faire face à de telles difficultés, John et moi avions des points de vue divergents sur la question. L'angoisse d'affronter Nick minute après minute, jour après jour, soumettait notre couple à une terrible pression. Parfois, il débarquait dans notre chambre à deux, trois ou quatre heures du matin, argumentant sur un sujet insignifiant, et Julie n'était pas là pour l'apaiser. C'était à la fois épuisant, pénible et affreusement triste.

Le comportement de Nick était devenu trop stressant pour toute la famille, bien que nous ayons toujours essayé de le traiter à part, sans impliquer les plus jeunes. La chose était pratiquement impossible. A cette époque, vivre sous le même toit que Nick relevait du cauchemar. John et moi étions inquiets pour un tas de choses. Son bien-être physique, sa scolarité, son attitude à la maison, mais aussi l'exemple négatif qu'il donnait aux petits, et, par-dessus tout, la crainte grandissante que ce qui alimentait sans cesse sa rébellion dépasse largement les problèmes de l'adolescence.

Mon attention s'étant entièrement focalisée sur Nick, je devais me battre pour trouver un peu de temps à consacrer à mes autres enfants. Grâce à Julie, j'arrivais miraculeusement à m'occuper d'eux aussi.

Mais il y avait des moments où j'avais envie de me coucher par terre et de hurler, des moments où j'avais l'impression de devenir folle. Le pire, c'était que je ne savais plus quoi faire. La patience, le raisonnement n'avaient aucune prise sur Nick, pas plus que les menaces et les conséquences de ses actes. Rien ne semblait l'impressionner. Nous avons tout tenté. Etablir avec lui des « contrats », par exemple, dont il discutait âprement chaque clause, des heures durant, avant de signer finalement, pour rompre ses promesses quelques minutes ou quelques heures après.

Ses nombreuses séances de psychothérapie n'avaient amélioré en rien la situation. Personne, aucun médecin, aucun psychiatre n'avait encore proposé un traitement par médication. Je mis le thérapeute de Nick au courant des suppositions de ma psychanalyste, qui pensait que Nick était atteint de troubles mentaux graves. Il n'était pas du tout de cet avis, et après tout, c'est lui qui connaissait Nick. A la place d'un traitement médical, il prescrivit de la « rigueur » en remettant les « contrats » sur le tapis. J'aurais pu recouvrir les murs avec ceux que nous avions déjà signés... et qui n'avaient servi à rien. D'ailleurs, peu importait le sérieux avec lequel nous mettions au point le texte, le temps passé à le peaufiner ou le fait que pendant l'élaboration Nick semblait prêt à le respecter : il ne tint jamais ses engagements. Pas un jour, pas une minute. On aurait dit que nos conventions s'évanouissaient dès que nous avions apposé nos signatures au bas de la page. Il s'en désintéressait aussitôt.

Je sais maintenant que son journal intime nous aurait apporté l'explication de son attitude illogique. C'est là que se trouvait la clé, mais cette clé était en possession de Nick. Lui seul connaissait vraiment ses affres. Et il n'en parlait jamais. Nous ne voyions qu'un garçon profondément perturbé, hostile, agressif, triste, craintif, réveillé la moitié de la nuit, déambulant dans la maison, les cheveux mal peignés, drapé dans son dessus-de-lit, ou dormant par terre. Pourtant, personne parmi tous ceux vers qui je me suis tournée ne partageait mes inquiétudes.

Voici quelques extraits des carnets de Nick. Des passages d'un journal qu'il avait intitulé « l'enfant-singe », un sobriquet qu'il s'était donné à lui-même. Certains sont parfaitement incohérents. D'autres, la plupart, frappent par leur style brillant, sachant qu'ils ont été écrits par un garçon de quatorze ans.

### « Démons »

*Les démons lancent des ruades dans ma tête ; ils tourbillonnent en riant. Je m'aplatis. Ils ricanent et me pincent, leurs vilaines griffes s'enfoncent dans ma chair. Je me tords pour m'échapper, je me racle la gorge, je vomis du sang rouge, je meurs. Pas facile de rester suspendu à ce crochet, alors je me balance, supplicié, englouti par la grande évasion. Je ne vois rien à part le mur d'acier vert, surplombant l'amas d'épaves laissé par mes tourmenteurs...*

Le journal est plein d'histoires sur Sarah, son amie morte deux ans plus tôt. Elle lui manquait toujours cruellement et il avait hâte de la retrouver.

Au fond de son enfer personnel, la solitude n'en était que plus terrifiante. Mon cœur se serre quand je lis la suite.

*L'odeur de chair brûlée me pique les narines. Assis là, empoté, somnolent, la peau me démange. Ils discutent. Tout est mou, flou. Yeux vagues, imprécis, poings brandis contre moi, faces rouges. Ils me disent : « Tu es mauvais. Tu as été méchant. » Je ne suis pas d'accord. Je ne suis pas mauvais. Je ne suis pas fou. Qu'on me laisse en paix. Tranquille. Je veux être au chaud, douillet, picotant de partout. Je ne peux pas trouver cet endroit. Ce petit endroit paisible pour y poser la tête, pour me reposer. « Entre, reste un peu, enlève ton chapeau, tes chaussures, fais comme chez toi. » Me sentir désiré, dorloté, regardé. Je voudrais qu'on me dise que je suis beau. Je suis parfait. Mais on ne me le dit pas. L'interminable combat pour atteindre le point que je me suis fixé, loin des autres, flânant dans le promenoir obscur de la misanthropie. Je voudrais juste retirer mes bottes, appuyer mes pieds sur la table basse. Me sentir à l'aise à jamais, loin des mauvaises choses, des gens mesquins, des interminables rangées de prisons grises remplies de gens gris, vieux et fourbes, pleins de ressentiments, de haine froide pour tout ce qui est différent. Je ne les aime pas. Ils me regardent d'une drôle de manière, rient dans mon dos, me montrent du doigt. Ils me font mal, à cause d'eux je ne me sens pas désiré. Je déteste cela.*

D'autres passages :

### « *Souffrance* »

*Je suis malade et j'en ai assez. Je fais de mon mieux tout le temps. Je fais ce que j'ai à faire. Peu importe combien je pleure et palpite en dedans. Personne ne s'intéresse à moi. Personne ne se rend compte de l'effort. Je m'échine, et je m'échine, encore et encore, jusqu'à ce que je sois couvert de sueur, sanglotant, tremblant. Tout se met à tourner. Je cherche à tâtons la corde qui me tirera vers la délivrance mais tandis que je rampe, centimètre par centimètre, quelqu'un la pousse hors de ma portée, se moquant de mes larmes, de ma sueur, de mon sang. Cela me rend malade. Cela ne vaut pas la peine. Je m'en suis libéré. Je me redresse sur les genoux, je brosse mes vêtements, je nettoie le sang de mon visage. Et je m'en vais. Je vous laisse à vos rires, à votre joie. Tout combat, tout effort est sans espoir. Comme si on essayait de traverser un mur. Et votre haine inutile et décharnée me transperce, tandis que je m'éloigne en courant. Je ne peux pas courir, même si mes jambes se déplacent vite. Ni me cacher sous terre quelle que soit ma volonté de me salir. Un jeu, pour vous, un subterfuge pour voir jusqu'où vous pouvez me pousser sous la surface. Je suis en dessous maintenant. Ce qui est pour vous un jeu, pour moi est ma vie.*

## « Force »

Est-ce qu'il t'arrive de t'enlacer toi-même, imaginant que quelqu'un te serre dans ses bras ? Ou de souhaiter parler à quelqu'un en lui tenant la main ? Est-ce que tu te sens laid, vaurien, essaies-tu de découvrir tes défauts en te regardant dans le miroir, debout, pendant des jours ? Est-ce qu'on s'est moqué de toi ? Te sens-tu bizarre ? Etranger ? As-tu été traîné hors des rangs, pris à partie, brûlé et violé dans ta tête ? Tu ne voyais pas ce qu'ils voulaient. Tu ne pouvais pas savoir de quoi ils avaient besoin. As-tu jamais dissimulé ta sensibilité, tes véritables sentiments, de crainte de te faire écraser ? Moi oui. J'ai fait tout ça. J'ai vécu tout ça. Je le vis encore. Je me tiens tout seul compagnie, j'essaie d'imaginer quelqu'un qui aimerait mon corps et mon âme écartelés par la haine. Devenir fort. Serrer les poings, grincer des dents, feindre d'être pur et continuer mon affaire, malgré les conséquences. Malgré la douleur et le feu qui ravagent ma poitrine, j'ai besoin de mettre de l'ordre dans mes sentiments et de faire face. Pas de nourriture, pas de rires, pas d'applaudissements, juste survivre. Juste mon guide, squelette pourri et suintant aux dents saillantes, qui me flanque une peur bleue et avec qui je dois passer un marché. Trouver l'ultime accoutumance et la porter jusqu'à la dernière page, de sorte que je puisse m'en aller dans un bordel de grand fracas de fumée.

## « Petit enfoiré sournois »

Je suis en colère. Je ne suis pas un imbécile. Je m'assieds sur le bord de sa fenêtre et la pluie trempe mon dos. Je ne sais pas où aller. Quand je me penche, le goudron noir se répand par ma bouche. Mes poumons sont en feu, le sang remplit mon estomac. Quand je serai mort, moi aussi je retournerai à la poussière. Je lancerai mon petit cerf-volant et courrai à travers les vastes prairies à ciel ouvert. J'aurai des amis. J'aurai une famille. J'en ai assez de cette vie. Assez de toujours essayer de m'en tirer.

*De tout faire comme les autres, et d'éprouver la vilaine haine noire qui me pourrit les entrailles.*

### « Explosion »

*Normal, c'est mal, équilibre, c'est de la merde. Je veux être furieux, impétueux, sans chemise, en nage, hurlant à pleins poumons et me griffant la peau pour le restant de mes jours. Me rouler sur le tapis sale, tandis que les sirènes d'alerte explosent au-dessus de ma tête, déchirant l'air en lambeaux. Furieux, seul, détestant le monde, détestant mes parents, me détestant moi-même. Je ne veux plus appeler personne au téléphone, faire semblant d'être heureux, semblant d'être tout ce que je ne suis pas. Je ne peux plus le supporter. Je veux sauter dans l'engrenage, m'emmêler dans mes propres viscères et rester là, haletant, plein de bruit et de violence. J'en rêve depuis toujours, c'est cela que je veux faire. C'est tellement simple. Mais ils ne me laisseront pas. Ils m'immobiliseront les bras, ils se moqueront d'un rire malfaisant de mes raisonnements. Ils me demanderont pourquoi je fais ces choses et pourquoi je suis un si méchant garçon et pourquoi je suis si mauvais. Mais je n'ai pas de réponse. Arc-bouté contre leur mur de psychose, j'éclaterai si je ne m'évade pas, si je n'arrive pas à passer de l'autre côté, si je n'arrive pas à hurler, à cogner, à suivre mon cœur. Leurs poings serrent mon cœur et le broient, tandis qu'ils me disent que je vais mieux. Je suis guéri. Je ne vois rien à travers l'eau et les dragons rouges et bouffis qui bourgeonnent dans ma tête et que mes paupières boursouflées ne peuvent plus retenir. Il faut que je m'échappe vers un refuge. Pourquoi ne s'en vont-ils pas ? Je crois que ce n'est plus aussi simple.*

### « Monde admirable, laid et brutal »

*Pourquoi suis-je si confus et malheureux, en colère sans répit ? Que se passe-t-il dans ma tête pour que tout semble si sale et tordu ? Est-ce vraiment si laid, si mauvais ? Ce n'est pas possible. Les gens disent que non. Mais alors,*

*pourquoi y a-t-il du sang par terre, du sang sur les murs,*
*du sang sur mes mains ? Le sexe est violent, le chagrin*
*silencieux. Je suis dans l'œil du cyclone, le carnage et des*
*morceaux de corps humains se tordent et volent autour*
*de moi. Je ne bouge pas, j'ai peur d'être pris dans ce*
*tourbillon qui s'appelle esprit sain.*

*Avez-vous jamais observé les couples dans la rue ?*
*Quand ils sont jeunes, ils se tiennent par la main pour*
*ne pas s'entretuer. Quand ils sont vieux, ils se tiennent*
*par la main pour ne pas tomber.*

Quand je suis amoureux
un glaçon laisse derrière lui
sa trace d'engourdissement
Je me sens nauséeux mais content,
nerveux mais excité.
L'ultime sentiment de peur et d'espoir
mélangés.
Quand je suis aimé,
des mains froides me touchent.
C'est plaisant mais effrayant.
Je me sens mal à l'aise
bien que je sois sur un petit nuage
duveteux et rose,
je me sens seul.

### « Contrôle »

*Le soleil maléfique filtre ses rayons à travers la muraille*
*de ma cellule, je ferme les yeux, je me ferme à sa chaleur, à*
*sa lumière cicatrisante. Je veux rester ici dans le noir, pâle,*
*à bout de souffle, ensanglanté, cherchant une issue vers la*
*réalité et n'en trouvant aucune. Mon âme est vide. Je suis*
*faible, le visage creux, seul. Je prie le ciel noir et vide la*
*nuit, exhorte l'Etre dont parlent mes parents à me sauver,*
*mais il n'en fera rien. Aucun Dieu ne se penche sur moi,*
*aucun paradis ne m'attend. J'emplis de mes cris l'abysse à*
*échos, je cingle l'obscurité, mes poings frappent l'air. J'au-*

*rais voulu heurter quelque chose, juste pour savoir que je ne suis pas seul ici-bas. Mais seul, je suis. Nulle part où aller, rien à voir. Je suis enfermé dans ma cage comme un animal, je commence à me sentir animal. Tout ce que je sais, c'est que je dois passer nuit après nuit, étranglé, ici, seul dans ma chambre.*

### « Rêve »

*Un rêve s'est abattu sur ma tête cet après-midi. J'en ai eu le crâne brisé, le cerveau éclaté, le cœur déchiré. Je n'arrive pas à le fixer, mais je sais que c'est aussi dur que de le laisser me glisser entre les doigts. Cela me fait pleurer. Je ne peux pas laisser une chose pareille se produire ; me laisser glisser loin de la lumière que j'ai approchée après une lutte acharnée. Je ne veux plus vivre dans le noir. J'aurai trop à perdre. J'ai beaucoup de bonnes choses, des choses heureuses dans ma vie, oui plus que je n'imaginais. Et je n'ai plus les armes pour combattre la réalité. Je ne peux plus me rouiller dans mon coin. Et je ne suis plus sûr de le vouloir. Je désire le bonheur plus que tout et j'ai trouvé de nouveaux instruments qui m'aideront à le trouver. Ma vie marchera si je me bats pour elle. Je sais combien c'est effrayant chaque fois que je tente de réussir quelque chose. Mais je sais que je le peux. Quand je serre ma main droite, elle m'aide à attraper la vie avec ma main gauche. Elle représente ce qu'il me faut pour redevenir fort. Je ne veux plus être craintif et faible. J'ai vu la lumière et j'essaierai de l'atteindre vite.*

Ce journal particulier, si désespérant, si effroyable et angoissant soit-il, semble se terminer sur une note d'espoir — Nick avait encore quatorze ans. Or, plus aucun doute ne subsistait dans nos esprits, son mal s'était aggravé. Les démons qui se déchaînaient en lui échappaient peu à peu à tout contrôle. Avec Julie, nous avons passé des heures et des heures à en discuter, cherchant différents moyens de ramener Nick à « la normale ».

Ses difficultés à l'école s'accentuaient, tandis que l'année scolaire touchait à sa fin et qu'il fêtait son quinzième anniversaire. Ils finirent par m'appeler. Selon eux, il avait besoin d'un traitement avant la rentrée en automne. John, Julie et moi n'avions cessé d'y penser. C'est Julie qui effectua les recherches. Nick flirtait toujours avec la drogue, peut-être parce qu'il y trouvait une sorte de soulagement. Un programme de sevrage semblait inadéquat, l'hôpital psychiatrique trop cruel, son psychiatre s'opposait à toute forme de traitement. Ne vivant pas avec Nick, il ne voyait pas la situation aussi clairement que nous. Il ne pensait pas que sa pathologie était assez grave pour justifier des soins spécifiques.

Au printemps, j'accompagnai Nick à une de ses séances. Tout ce qu'il fit fut de s'asseoir et insulter son thérapeute, pendant que celui-ci lui parlait avec patience. A l'évidence, mon fils n'avait aucun respect, aucune affection pour lui. D'un point de vue purement médical, aucun progrès n'avait été accompli. C'était le troisième psychiatre que Nick voyait en quatre ans, mais il ne voulait pas coopérer.

Julie était la seule qui arrivait à communiquer avec lui, bien que, selon son propre aveu, elle n'ait aucune expérience dans le domaine des maladies mentales. Sa spécialité se limitait aux jeunes drogués et aux adolescents « difficiles ». Mais elle aimait beaucoup Nick. Elle souhaitait l'aider. L'univers de l'aliénation mentale lui étant inconnu, Julie n'avait pas d'idées préconçues. Elle était prête à tout tenter, comme moi d'ailleurs. A ce moment-là, il nous était devenu clair que Nick présentait des troubles mentaux sévères et que son « problème » devait avoir un nom. Nous savions tous qu'il avait d'énormes lacunes mentales que nous nous acharnions à combler, John, Julie et moi, sans aucune autre assistance. C'était comme si on avait voulu empêcher Nick de se vider de son sang. Comme s'il avait sectionné une artère quelque part, au fond de son esprit, une artère ouverte que nous devions trouver et recoudre. Vite. Avant qu'il n'en meure.

# 10

## Programmes, évaluations, et finalement, médication. Un petit espoir commence à poindre

Un peu avant la fin de la première année d'études de Nick au lycée, Julie nous recommanda un hôpital situé dans un autre Etat. On y avait mis au point un traitement pour adolescents qui n'exigeait pas plus d'un bref séjour en été, ce qui pourrait aider Nick tout en donnant satisfaction à ses professeurs. Il venait d'avoir quinze ans. Nous n'étions pas tout à fait sûrs que l'hôpital lui convienne, car le traitement concernait seulement la dépendance. Mais on ne savait jamais. C'était un domaine que Julie connaissait bien et qui comportait, à son avis, des possibilités pour Nick. Il s'agissait d'une thérapie de groupe sous la férule de psychiatres, qui en tout cas ne lui ferait pas de mal. Nous n'avions pas d'autre solution et, par ailleurs, l'hôpital en question jouissait d'une excellente réputation.

Nous étions tous d'avis qu'il fallait faire quelque chose. L'état de Nick n'avait cessé de se dégrader ; pourtant cela ne semblait pas inquiéter outre mesure son psychiatre. Celui-ci persistait à affirmer qu'il n'avait pas à prescrire de médicaments pour son patient, alors que, manifestement, Nick s'enfonçait chaque jour un peu plus dans la dépression, à tel point que, parfois, il devenait incohérent. Je m'en rends mieux compte aujourd'hui, après la lecture de son journal.

Cependant, il fallait qu'il accepte d'aller à l'hôpital. Il y consentit à titre expérimental, sans aucun enthousiasme. En fait, il n'avait pas le choix : le proviseur du lycée exigeait une cure avant la rentrée, et même son psychiatre avait fini par approuver cette initiative.

Voilà comment, le jour J, il faillit rater l'avion. Au dernier moment, il s'enferma dans la salle de bains, sous prétexte qu'il avait à faire une chose importante. Quelqu'un dans la maison me dit soudain qu'il avait mis des gants en caoutchouc. J'ai aussitôt paniqué. Je me mis à secouer la porte comme une furie, menaçant de l'enfoncer. Un affreux pressentiment m'oppressait. Enfin, il m'ouvrit. Je ne m'étais pas complètement trompée. Il se tenait devant moi, un sourire penaud aux lèvres, avec de la teinture bleue dégoulinant dans le cou et de part et d'autre de son visage. Ses cheveux étaient mouillés, et il y avait de la teinture partout, sur ses vêtements, sur le carrelage, dans la baignoire.

— C'est une nouvelle couleur. Ça s'appelle turquoise. Comment tu la trouves, maman ?

Il ressemblait à un enfant de maternelle, tout fier de vous montrer sa première peinture. Il était difficile de ne pas le chérir, de ne pas lui pardonner ses bêtises.

— Tu n'aimes pas ma couleur ?

Si, plus que la vie elle-même, Nick ! Je l'ai fait descendre dare-dare au rez-de-chaussée. Encore un peu et il aurait raté son avion. Julie devait l'accompagner à l'hôpital où il était censé rester un mois. J'emmenais les enfants à Napa Valley où il irait nous rejoindre à la fin de sa thérapie de groupe.

Je nourrissais l'espoir bête et naïf que tout se passerait bien. Qu'il allait suivre tranquillement son traitement de trente jours, qu'il appellerait de temps à autre pour nous raconter comment les choses évoluaient, avant de revenir, se sentant beaucoup mieux. Julie devait rester près de lui pendant la première semaine. Elle le laisserait lorsqu'il serait plus à l'aise, puis retournerait le chercher à la fin et le ramènerait à la maison.

Comment ai-je pu imaginer que son séjour se déroulerait sans heurts ? Etre idiote au point de croire qu'il ne ferait pas d'histoires ? Les premiers jours s'écoulèrent paisiblement, en effet. Son journal en témoigne. Du moins, il avait les idées claires.

> *Si tu es gentil, les autres le sont aussi. Si t'es un enfoiré, tu n'auras que ce que tu mérites. Essaie de traiter les gens avec respect, même s'ils te déplaisent, de façon à être traité de la même manière par eux. Et s'ils ne sont pas sympas, ce seront eux, les enfoirés, et pas toi. C'est important, parce qu'ici on ne peut pas éviter les autres, surtout ceux qui font partie du même groupe. On est confronté à eux tout le temps. C'est un bon exercice pour l'avenir. Dans une situation donnée, au travail par exemple, on ne peut pas parler à ses collègues à tort et à travers et s'attendre à ce qu'ils soient « cool » avec toi.*
>
> *1. J'admire l'honnêteté, la loyauté, la gentillesse, la générosité, la créativité, la sensibilité et la force. Pas la force physique. Celle qu'on acquiert par les épreuves dont on sort grandi. Plus sage et plus intelligent qu'avant.*
>
> *2. J'admire ma mère. Tout ce qu'elle a, elle l'a obtenu par son travail. Elle a commencé pauvre, elle a passé des moments difficiles, et elle s'en est très bien sortie. Plus forte et pas du tout aigrie. Elle est très gentille, aimante, généreuse, honnête. Elle peut exprimer ses sentiments, elle est d'une grande loyauté vis-à-vis de sa famille.*

Cet état de grâce dura quelques jours, après quoi il redevint incontrôlable. Cela se voit dans la suite de son journal. Il dit qu'il est fou, maniaco-dépressif, puis ce n'est plus que mort, sang, douleur, excréments, images pleines de violence et de fureur. Ensuite, il note :

> *Je suis enfermé dans mon enfance. Mon voyage à travers la grande épreuve m'a assommé. Je suis sale. Je mens. Je suis un abruti, l'image même de la régression. Je suis la créature la plus vile dans l'échelle de l'évolution. Je ne suis qu'immondice. Je suis la haine. Je suis la guerre.*

J'ignore ce qui a pu déclencher la crise mais c'était reparti. Les insultes aux éducateurs, le refus de se soumettre au règlement ou d'assister aux réunions de groupe. D'après Julie, il avait été perturbé par les réunions. En tout cas, il avait décrété qu'il nous détestait et qu'il ne reviendrait plus jamais à la maison. Apparemment, un membre de son groupe lui aurait fait remarquer que cela devait être dur d'avoir une mère célèbre. Et les autres de suggérer que j'avais écarté Nick, pour être libre de vivre ma vie, ce qui avait achevé de le déstabiliser. Nick avait attrapé au vol la balle qu'on lui avait lancée, et il courait dans tous les sens, essayant de marquer un but, mais pour quelle équipe ? Il l'ignorait. Et après une semaine ou deux à l'hôpital, il ne savait plus à qui ou à quoi se raccrocher. Il les détestait, me détestait, il détestait John et Julie. Il détestait tout le monde. Lorsqu'ils lui demandèrent s'il se sentait « abusé » par nous, il répondit oui. Ils lui indiquèrent, alors, qu'il pourrait devenir pupille sous tutelle judiciaire, s'il le souhaitait.

Lorsque Julie lui rendit visite à l'hôpital, elle le trouva dans un état de confusion inimaginable. Il était maniaque à lier, fou de frayeur, et farouchement déterminé à se mettre sous tutelle judiciaire sans savoir, toutefois, pourquoi. Elle nous conseilla de le ramener à la maison au plus vite, avant que son état ne s'aggrave. La direction de l'hôpital ne demandait pas mieux. Ils avaient soumis Nick à une trop grande pression à laquelle il n'avait pas pu résister. On aurait dit qu'un boulon avait sauté dans le fragile mécanisme de son esprit. D'après Julie, il ne savait plus comment il s'appelait ! De plus, il avait singulièrement compliqué les choses en déposant une requête en justice pour demander le statut de pupille judiciaire. Finalement, j'appelai mon avocat, qui connaissait quelqu'un dans la ville où se trouvait Nick. L'ami de l'avocat contacta l'hôpital. Entre-temps Nick avait sombré dans la confusion la plus totale. Les médecins pensaient qu'il était urgent de le renvoyer chez lui. A sa confusion s'ajoutait une sorte de panique impossible à maîtriser ; il se comportait comme un détraqué qui avait perdu tout contact avec la réalité. Le personnel de l'hôpital n'arrivait pas à maîtriser la situation. D'habitude, ils s'occupaient de toxicomanes, pas de psychotiques. L'attitude de Nick dépassait largement leurs compétences.

Ils désiraient son départ avec autant d'ardeur que nous voulions le récupérer. Il avait commencé le programme deux semaines plus tôt et, bien que déprimé à son entrée à l'hôpital, il paraissait tout de même normal. Maintenant, ayant perdu ses points de repère, il avait l'air complètement dément.

Julie n'osait le ramener seule à la maison. Elle demanda un garde du corps. L'état mental de Nick lui inspirait de vives inquiétudes. Elle craignait que, dans un accès de panique, il veuille sauter de l'avion en plein vol. Nous lui envoyâmes quelqu'un, un homme gentil et compréhensif. Elle nous rappela de l'aéroport pour nous rassurer. A peine parti de l'hôpital, Nick s'était considérablement calmé. Mais nous avions tous conscience qu'il nous revenait aussi perturbé, aussi déstructuré qu'il l'avait été ces deux dernières semaines. En fait, il n'était pas en état de rentrer à la maison et nous ne savions pas comment faire front, une fois qu'il descendrait de l'avion. Il lui fallait une nouvelle thérapie, sur une base souple, qui l'aiderait à recouvrer peu à peu ses esprits. Son psychiatre, à qui je téléphonai, ne connaissait aucune institution appropriée pour Nick. Il n'était dangereux ni pour lui-même ni pour les autres, sa place n'était donc pas dans un hôpital psychiatrique... Et, non, il ne pensait toujours pas que Nick avait besoin de médication. Comme d'habitude, je me sentis complètement impuissante. Nick me semblait trop malade pour que je puisse le garder à la maison, avec mes autres enfants.

Je me rendis donc à l'aéroport, tendue, envahie d'une sombre appréhension. Au téléphone, il m'avait dit qu'il me détestait parce que je l'avais laissé tomber et que je ne m'intéressais qu'à ma carrière et à ma renommée. Toute logique l'avait quitté et il m'accusait de tous ses maux.

Je n'avais pas essayé de le raisonner. Il aurait été inutile de lui rappeler que je lui consacrais pratiquement toutes mes journées. A cette époque, Nick était devenu à lui tout seul un emploi à plein temps. J'étais sans cesse en train de transiger avec ses professeurs, avec son psychiatre, quand je ne parlais pas de lui pendant des heures avec Julie. Il n'y avait pas assez d'heures dans une journée pour lui consacrer le temps nécessaire, m'occuper des autres enfants, et écrire jusque tard dans la nuit des émissions pour la télévision et mes romans. Je manquais de sommeil. J'étais constamment sur des charbons ardents. Sans cesse, je devais m'excuser à la place de Nick, sans compter les interminables conversations téléphoniques à son sujet et la recherche éperdue de nouvelles solutions. Mon existence n'était plus qu'un défi de tous les instants. Nicky n'avait pas conscience que je passais le plus clair de mon temps à essayer de lui venir en aide. Comme la plupart des adolescents de son âge, il était égocentrique. Il exigeait constamment notre attention, et tout particulièrement la mienne.

Voilà dans quelles affres je l'attendais à l'aéroport, le 5 juillet 1993. Mais toutes mes réticences s'évanouirent lorsque je l'aperçus, exactement comme j'avais oublié mes souffrances le jour de sa naissance. Je ne vis que ces yeux, ce visage que je chérissais tant. Il m'adressa un sourire resplendissant et se précipita vers moi pour me serrer dans ses bras. Ses premiers mots furent :

— Je t'aime, maman, en me regardant de cet air malicieux que je connaissais si bien et en ajoutant : Je ne sais pas pourquoi je me suis fâché contre toi. Je crois que là-bas je n'étais pas très clair. Mais je ne suis plus en colère. Tout va bien maintenant.

Il n'y avait qu'à le regarder pour se rendre compte qu'il allait mieux effectivement. Mais il avait en même temps exprimé ce qui n'allait pas chez lui : à l'hôpital, il « n'était pas très clair ». Soit le traitement ne lui correspondait pas, soit le stress inhérent à la thérapie de groupe avait provoqué une sorte de démence réactionnelle. Ce n'était la faute de personne, bien sûr, mais il était difficile de savoir ce qui s'était réellement passé dans sa tête. Notre but n'avait pas été atteint. Il revenait plus confus, plus déprimé que jamais, bien que soulagé de me revoir. Ou alors c'était l'évolution normale de sa maladie et cette crise serait survenue n'importe où, dans n'importe quelles circonstances. Le minuteur de la bombe à retardement avançait inexorablement.

Cependant, plus que jamais, il avait besoin d'être pris en charge. C'est encore Julie qui trouva une solution temporaire. A ce stade de sa maladie, nous ne savions toujours pas de quoi il s'agissait ; ce qui le faisait souffrir, et qui semblait énorme, restait pour nous un mystère. Jusqu'alors, personne n'avait prononcé de diagnostic.

Notre nouvelle démarche consistait à lui faire suivre un nouveau traitement conduit par des gens que Julie connaissait. Elle les avait appelés afin de solliciter leur aide, et ils avaient accepté qu'on leur envoie Nick. Une fois de plus, il s'agissait d'un traitement de sevrage qui n'était pas approprié aux symptômes de Nick ; ceux-ci relevaient davantage de la psychopathologie que de l'accoutumance à la drogue, mais nous n'avions pas d'autre solution. Aucun médecin n'avait encore songé à envoyer Nick à l'hôpital psychiatrique. Nous nous rangeâmes donc à l'avis de Julie, sachant pertinemment que le traitement n'aurait que peu d'effet sur Nick. Nous tâtonnions dans l'obscurité. Nous ne nous étions pas encore aperçus que les traitements de sevrage n'étaient pas appropriés à son mal et ne servaient pas à grand-chose. Mais nous ne savions plus à quel saint nous vouer.

Nous le conduisîmes le jour même dans son nouveau lieu de séjour. Je n'étais pas convaincue que l'endroit lui conviendrait, j'étais même sûre du contraire. Un petit bâtiment sans jardin, sans la moindre verdure, n'offrant aucune possibilité d'exercice physique. Je n'avais pas le choix. Il paraissait plus calme que quelques jours plus tôt, mais pas suffisamment pour retourner auprès de ses frères et sœurs. Julie et moi espérions qu'il y resterait quelques semaines. Cette fois-ci, il accepta, sans discuter. Sans négocier. Il sentait bien qu'il n'était pas capable de rentrer. L'endroit lui déplut, bien sûr, et je dus lui promettre que je reviendrais le chercher le plus tôt possible. Il me faisait confiance, je le savais. J'avais toujours tenu ma parole.

A ma vue, le personnel réagit de deux manières différentes. Ce n'était jamais qu'un phénomène devenu, hélas, habituel. D'un côté, il y avait ceux qui se disaient très impressionnés par ma célébrité — dès notre arrivée, chacun voulut un autographe — et, de l'autre côté, ceux qui me témoignaient du ressentiment. Julie, qui avait déjà travaillé avec la plupart des éducateurs, avait demandé et obtenu le droit de participer au traitement de Nick. L'un des problèmes de Nick était qu'à mesure que les autres adolescents, grâce au sevrage, revenaient à la normale et retrouvaient leur équilibre, son état à lui empirait. Il ne parvenait plus à s'intégrer aux structures qu'on voulait lui imposer, ni à se plier à une quelconque discipline. Il était, en fait, beaucoup moins normal qu'il n'en avait l'air. Et on l'oubliait facilement, car on se laissait abuser par les apparences. De prime abord, il donnait l'image d'un gentil garçon, brillant et drôle, autrement plus normal qu'il ne l'était en réalité. Plus tard, cela se gâtait...

Peu après le début du traitement, les éducateurs voulurent lui imposer le règlement en vigueur : assister aux réunions de groupe, assumer des responsabilités, obéir à un code vestimentaire. Nick refusa catégoriquement. Il ne voulait ou ne pouvait pas. De plus, les directeurs avaient refusé d'autoriser Julie à travailler avec eux. Lorsque j'appelais mon fils, je ne pouvais jamais le joindre. Les éducateurs n'étaient pas très coopératifs, dans de petits détails que nous n'avons pas relevés. Nous souhaitions passer pour des gens ordinaires, qui ne demandent aucun traitement de faveur. Mais une chose était claire. Plus ils s'efforçaient de le soumettre au règlement, moins il participait, jusqu'au moment où il n'arrivait plus à fonctionner du tout.

Leur attitude ne comportait aucun danger pour l'état mental de Nick. Cette fois-ci, il ne créa aucun ennui. Il ne demanda pas à devenir pupille sous tutelle judiciaire. En quelques jours, toutefois, il fit montre d'une totale inaptitude à se conformer au règlement. Le dernier mois l'avait épuisé. Il ne pouvait plus, en réponse à leurs exigences, que se fermer émotionnellement en cherchant refuge dans le sommeil. Et comme ils persistaient à le pousser à surmonter ses incapacités, il se retira peu à peu dans une vie végétative, perdant le contact avec le monde extérieur, la volonté de vivre. Je ne les blâme pas, car sa réaction était certainement inhérente à sa maladie.

A la suite de plusieurs heures passées au téléphone à brosser le tableau de la situation, Julie et moi décidâmes de ramener Nick à la maison. Toute tentative de thérapie, cet été-là, avait lamentablement échoué. Nick avait régressé. Il paraissait plus dispersé que jamais.

Je le ramenai donc à Napa Valley où je le berçai, dorlotai, cajolai. En vain. Nicky avait sombré dans une vraie dépression d'où personne, pas même Julie, ne pouvait le tirer. Elle venait chaque jour. Parfois, elle s'asseyait dans ma cuisine après l'avoir vu et pleurait. Sa souffrance faisait peine à voir. Nous n'arrivions plus à le sortir de sa chambre, de son lit. C'est alors que je me dis qu'il fallait prendre des mesures plus radicales. Sur les conseils de Julie, j'appelai le psychiatre qui avait suivi Nick toute l'année. Je lui déclarai de but en blanc qu'une médication s'imposait. Il répondit qu'il ne pouvait rien prescrire tant qu'un examen clinique n'aurait pas été fait, après quoi il me donna le nom d'un psychologue qui se chargerait de cet examen. J'étais désespérée. Je souhaitais donner tout de suite à Nick les médicaments dont nous pensions qu'il avait un besoin urgent. Je téléphonai au psychologue sans attendre une minute de plus.

Il était absent. Je laissai un message. Il me rappela un ou deux jours plus tard, alors que Julie et moi étions au bord de la crise de nerfs. L'état de Nick s'aggravait d'heure en heure. Il avait quinze ans et il était si abattu que c'est à peine s'il pouvait articuler un mot. Lorsque j'expliquai la situation au psychologue, il promit de nous aider. Il allait effectuer l'examen clinique aussi vite qu'il le pouvait et s'il pensait que c'était nécessaire, il demanderait au psychiatre de prescrire des médicaments. Mais avant tout, il devait avoir une image claire des symptômes. Et pour ce faire, il ne fallait ni se presser ni se montrer négligent. Je m'inquiétais de ce nouveau délai.

Entre-temps, Nick était si déprimé qu'il ne se levait plus. J'avais le sentiment que sa vie était en danger et, en feuilletant ses carnets aujourd'hui, j'ai la preuve qui confirme mon pressentiment. J'avais l'impression, que Julie partageait, qu'il avait perdu tout espoir, et je redoutais une réaction impulsive.

Ce fut une période pénible. Au dire du psychologue, l'examen demanderait plusieurs séances. Je déployai un effort surhumain pour tirer Nick du fond de son lit et le conduire chez le psychologue. Nick était d'accord pour lui parler, ce qui était un miracle en soi, peut-être parce qu'il avait compris de lui-même la gravité de son état. A mon grand soulagement, il trouva son interlocuteur sympathique et accepta de passer différents tests. Après la première séance, le psychologue m'annonça qu'il ne pourrait finir les examens car il partait en déplacement. Il se confondit en excuses, mais il ne pouvait remettre ce voyage.

Cependant, d'après les premiers tests, il craignait, dit-il, une forme atypique de psychose maniaco-dépressive. Mais il devait compléter les examens avant de nous donner son diagnostic définitif. Car, ajouta-t-il, il était inhabituel qu'un garçon de quinze ans soit maniaco-dépressif. Il n'était pas certain que Nick ait besoin de médicaments, mais il voulait avant tout définir sa maladie avant de se prononcer. Je n'avais qu'un seul souhait : qu'il se dépêche.

J'appelai le psychiatre qui nous l'avait recommandé. Absent, lui aussi. Il ne restait plus qu'à attendre. Je suppliai son remplaçant de donner quelque chose à Nick jusqu'à ce que son médecin soit de retour. Du Prozac. Du

Valium. De l'aspirine. Du chocolat. N'importe quoi. Donnez à cet enfant un peu de répit ! Le remplaçant me répéta la même chose. Nous devions être patients. Il n'y avait pas d'autre solution qu'attendre la fin des examens.

Je me sentais terriblement frustrée. Je suis quelqu'un de raisonnable, d'intelligent, de volontaire, de compétent. J'ai de l'argent. Je dispose de moyens, de relations, de la capacité de faire avancer plus vite les choses. Et je ne pouvais rien pour mon propre fils. Je frémis quand je pense aux gens qui sont trop timides, ceux qui n'osent pas parler, qui ne savent pas quelle marche suivre, qui n'ont pas une personne comme Julie auprès d'eux. Julie me confirmait tout ce que je pensais de la maladie de Nick depuis des années. Elle me donnait la force et le courage de continuer à me battre. Mais qu'en est-il de ceux qui n'ont personne pour les soutenir ? Qui n'ont jamais la confirmation de leurs soupçons ? Mon seul conseil, compte tenu de mon expérience, est le suivant : si vous pensez que quelqu'un de votre entourage souffre de psychose maniaco-dépressive ou d'une maladie mentale analogue, n'attendez pas. Ne traînez pas. Ne soyez pas patients. Essayez un autre médecin. Puis un autre encore. Donnez-vous tous les moyens que vous pouvez. Il y a des centaines de médecins, bons, mauvais, brillants, stupides, des médecins qui s'intéressent à leurs patients et d'autres qui sont indifférents. Il y a enfin ceux qui vous aideront, qui feront la différence. Vous avez le droit d'exiger des réponses. Tentez l'impossible pour trouver les personnes qui vous aideront, celles qui viendront à votre secours. Ne cessez jamais d'essayer, de demander, d'exiger, d'implorer. On a le droit d'avoir un bon médecin. Et écoutez *toujours* votre instinct. Vous connaissez le malade mieux que les autres, mieux même que les médecins.

Ne me demandez pas comment nous avons réussi à passer le mois avant de retourner chez le psychologue, qui enfin compléta les examens. Il allait classer les résultats des tests et faire taper ses conclusions. Cela prendrait

147

quelques jours de plus, mais je craignais que Nick ne puisse attendre plus longtemps.

Il s'était plus ou moins remis sur pied, sans être toutefois en grande forme. Julie, par sa présence constante et affectueuse, son apport précieux, l'avait sauvé. Elle refusait de baisser les bras. Elle avait tout essayé pour le soutenir, jusqu'à ce qu'il bénéficie d'un traitement adéquat. Nick lui-même était conscient de son besoin de médication. Il était prêt à prendre des médicaments si quelqu'un voulait bien lui en donner.

Il put retourner à l'école. A ma surprise et à notre grande joie à tous, il créa une formation musicale — encouragé par Julie, qui avait plus d'un tour dans son sac quand il s'agissait d'inciter Nicky à aller de l'avant. Son orchestre s'appelait « Shanker », un nom peu attractif, mais il représentait la seule joie de sa vie. Sa passion pour la musique renaissait. Mais, lorsqu'il n'était pas à l'école ou en train de répéter avec son groupe, il regardait la télévision, dans le noir, assis sur son lit, ou il dormait. Les symptômes classiques de la dépression. Un désespoir mortel l'habitait. Une détresse capable de le conduire au désastre. J'ai rappelé plusieurs fois le psychologue. Il n'avait pas encore terminé son rapport. Mais il serait prêt « bientôt ». Sur les conseils de Julie, je demandai une fois de plus des médicaments... sans obtenir satisfaction. Lorsque j'essayai de reconduire Nick chez le psychiatre qui l'avait suivi durant l'année scolaire précédente, il m'opposa un refus catégorique. En revanche, il trouvait le psychologue sympathique. Je me suis tournée vers lui et il accepta de recevoir Nick trois ou quatre fois par semaine. Il ne voulait toujours pas lui prescrire de médicaments tant qu'il n'aurait pas un tableau clinique clair de la situation. J'avais l'impression que nous attendions que les Rois mages apparaissent sur leurs chameaux, guidés par une étoile et apportant du Prozac.

Durant l'automne 1993, quand Nick avait quinze ans, j'avais peur d'entrer dans sa chambre. Je ressentais si puissamment son désespoir — et comment l'en blâmer ?

Nous étions en train de panser des blessures mortelles avec des bandes Velpeau — que chaque fois que je me trouvais devant sa porte j'étais prise de terreur. La peur de ce que je trouverais, la peur qu'il se soit tué avant qu'on ait pu l'aider. A la fin, j'ai sèchement déclaré au psychologue qu'un de ces jours on trouverait Nick pendu avec la ceinture de sa robe de chambre et alors, que dirait-il ? Qu'il était désolé ? Qu'il n'avait rien pu faire, alors qu'il aurait été si simple de lui prescrire les médicaments dont il avait besoin d'une manière aussi flagrante ?

J'ignore si cette mise en garde y fut pour quelque chose, mais peu après, il nous envoya son rapport. Nous nous rendîmes, John et moi, à son cabinet où il nous reçut d'un air sombre. Nick présentait des troubles de l'apprentissage. « Ses troubles du comportement, spécifiques des états hypomaniaques, représentaient une variante de désordres affectifs bipolaires. » Pour la première fois, la possibilité de la maladie bipolaire, même atypique, était avancée. Et bien que cela ne fût pas mentionné dans le rapport, le psychologue pensait que Nick avait des troubles de l'attention et qu'il était probablement suicidaire. La mélancolie constituait l'une des composantes de son cas, bien qu'il ne crût pas que nous ayons affaire à une dépression majeure. Mais il était d'accord pour qu'on le soigne par médication. Alléluia ! A mes yeux, le miracle était que Nick fût encore vivant pour suivre le traitement.

Ils le mirent sous un antidépresseur de la famille du Prozac, ce qui le remonta un peu. Pas assez à mon goût. Le plus souvent, il était quand même abattu, peut-être un peu moins qu'avant, mais sans plus. L'amélioration se faisait attendre.

Une chanson que Nick a écrite à cette époque pour Shanker en dit long sur ce qu'il ressentait.

Je suis tout seul
Je suis tout seul
Le ciel est blanc

149

La douleur vive
Et je veux planer
Je suis tout seul
Destinée, ma destinée,
Danse avec moi, danse avec moi, destinée,
Destinée, ma destinée,
Il n'y a pas d'issue pour moi.
Ma mère gémit au téléphone
N'aime pas ma façon de parler
Mama peut avoir,
et Papa peut avoir
Mais Dieu bénisse l'enfant qui a ses propres parents,
Dieu bénisse l'enfant qui a ses propres parents
J'ai exhibé mon cœur de pierre
Je sens mes os cassés
L'amour que je n'ai pas
Le père que je n'ai pas,
On a laissé l'enfant tout seul,
On m'a laissé tout seul
Destinée, ma destinée,
Danse avec moi, ma destinée.
Destinée, ma destinée,
Il n'y a pas d'issue pour moi...

Une belle mélodie, sur un ton mélancolique. J'ai eu le cœur brisé la première fois que j'ai entendu cette chanson.

Ce fut un hiver difficile pour Nick. Les médicaments ne le soulageaient pas beaucoup, mais c'était quand même une aide.

Nous passions tous un mauvais moment. Nous savions, depuis l'été précédent, que deux biographies de moi seraient publiées sans mon autorisation. Pire encore, l'un des prétendus biographes avait eu accès, on ne sait comment, au registre d'adoption de Nick. Les registres des enfants adoptés en Californie sont mis sous scellés. C'est automatique. Nous ne l'avions pas demandé expressément mais la loi avait suivi son cours. L'adoption de Nick par John, quand il avait sept ans, se trouvait donc sous scellés.

Or, le biographe menaçait de révéler ce fait dans son livre, et cela bouleversait Nick. Dans l'état de dépression où il se trouvait, il voulait que personne ne sache qu'il avait été adopté, et surtout pas ses jeunes frère et sœurs. Nous avions respecté sa volonté. Les petits ignoraient cette information, afin que Nick ne se sente pas trop différent d'eux. John demanda au tribunal de protéger le secret de l'adoption de Nick, ainsi que les droits dont il jouissait en tant que mineur adopté dans l'Etat de Californie. C'est pour lui que nous agissions ainsi. Il était déjà si fragile qu'une telle révélation l'aurait définitivement détruit.

Les journaux s'y mirent à leur tour. D'après eux, nous nous efforcions d'interdire le livre, et nous avions porté plainte contre le biographe, ce qui était faux. Nous avons été déboutés de notre demande. Le juge considérait que ma célébrité retirait à Nick le droit au secret, au nom de la liberté de la presse. Notre avocat sortit de la salle d'audience ulcéré ; quant à Nick, il était effondré. Nous aurions pu faire appel, mais il aurait fallu alors entreprendre de pénibles démarches et Nick n'était pas en état de comparaître, comme on le lui aurait sans doute demandé. Nous abandonnâmes, ce qui plongea notre fils dans une amère déception. Mais les biographies, en fin de compte, étaient alors le cadet de nos soucis.

Durant septembre, octobre et novembre, Nick adopta une attitude bizarre à l'école. Apparemment calme et doux, il négligeait ses devoirs, tandis que son impulsivité intriguait de plus en plus ses professeurs. Un jour qu'il s'ennuyait, il se leva, traversa tranquillement la classe devant ses camarades, puis sans méchanceté, d'une main indolente, il renversa le contenu d'une canette de Coca-Cola sur les chaussures du professeur avant de retourner s'asseoir tout aussi paisiblement. Naturellement, le professeur horrifié se plaignit au proviseur et les coups de fil recommencèrent. Cela me fait de la peine de l'avouer mais, à l'évidence, Nick devait être traité comme un adolescent « inadapté ». Il ne pouvait plus fonctionner sur une base ordinaire, dans une école normale. Ses professeurs le considéraient comme émotionnellement handicapé et ne s'estimaient pas équipés pour le garder au lycée.

Une semaine avant Thanksgiving, ils me prièrent de le retirer de l'école. Il n'y était pas resté plus d'une année qu'il fallait déjà lui trouver un autre établissement. Justement, nous avions visité, Nick et moi, une école quelques mois plus tôt. A l'époque, elle nous avait paru spéciale. A présent, elle semblait correspondre exactement à ses besoins.

J'allai voir le directeur. Je lui décrivis la situation sans rien lui cacher, et il accepta la candidature de Nick, qui en fut ravi. Il avait adoré l'école et surtout le directeur, un homme intelligent, fin et créatif, qui ne semblait guère impressionné par les problèmes mentaux de son nouvel élève.

Nick commença ses cours en décembre. Tout se passa bien pendant un mois ou deux. Ensuite, le cycle infernal reprit. Plus aucun doute ne subsistait. Son état mental se dégradait rapidement. Julie s'était déjà mise à la recherche d'une autre structure. Elle travaillait tous les jours à la maison avec Nick. De plus, il continuait à voir le psychologue qui avait effectué les examens cliniques. Si progrès il y avait, ils étaient singulièrement lents.

Julie faisait systématiquement le tour des hôpitaux psychiatriques qui offraient des traitements plus appropriés au cas où Nick retomberait dans la dépression ou songerait de nouveau au suicide. Un examen clinique plus poussé s'imposait. Celui que le psychologue avait établi l'été précédent me paraissait incomplet.

John, lui, suggérait un grand hôpital psychiatrique dans le Kansas. Nous en étions venus à envisager une hospitalisation à long terme sinon permanente. Indéniablement, garder Nick à la maison devenait problématique. Mais je n'arrivais pas à me décider. Je lui avais promis de ne jamais l'envoyer dans un hôpital tant qu'il serait capable de se comporter plus ou moins normalement chez nous et je n'avais pas l'intention de trahir ma parole. L'une des meilleures choses qui soient arrivées à Nick, c'est bien sa famille. Si je l'envoyais aussi loin, nous ne pourrions pas lui rendre visite régulièrement. J'avais de jeunes enfants à la maison et faire la navette entre la Californie et le Kansas était peu réaliste. C'était pourtant un hôpital réputé. Nous n'en avions même pas parlé à Nick, sinon il aurait paniqué. Il ne voulait pas se séparer de moi, de John, de Julie ou de ses frères et sœurs une minute.

Il eut alors une rémission. Il prenait ses médicaments, se rendait à sa nouvelle école. Un incident inattendu se produisit alors, qui selon moi pouvait changer le cours des événements. J'espérais encore que des forces extérieures interviendraient en sa faveur, alors que, comme tous les maniaco-dépressifs, il obéissait à des forces intérieures. Mais l'incident dont je parle se présenta au bon moment et lui-même le ressentit comme positif. Une chaîne de télévision envisageait de diffuser une émission pour jeunes présentée par des jeunes et supervisée par des adultes. Après l'entretien d'usage, Nick fut embauché comme l'un des principaux « reporters ». C'était une chance inespérée, un job amusant et, en effet, pendant un certain temps, il s'en acquitta avec enthousiasme.

Il interviewa des jeunes malades du sida, des artistes du tatouage, des adeptes du piercing. Il réalisa des interviews de fugueurs à Haight, en les commentant après. Son émission était à la fois sérieuse, drôle, spirituelle, voire délirante. La personnalité et le physique de Nick correspondaient parfaitement à son rôle d'animateur. Au début, il fut le chouchou des responsables de la chaîne. Son émission de Halloween remporta un vif succès. Il avait fait le tour des boutiques de location de costumes, interrogeant les commerçants sur les déguisements les plus en vogue. Il parlait face à la caméra, portant lui-même un gigantesque tutu rose.

Mais cela aussi ne dura qu'un temps. Son impulsivité mit fin à sa brève carrière à la télévision. Il discutait tout, se disputait sur tout, argumentait sans cesse sur les instructions, se querellait avec le réalisateur et le producteur à propos des sujets proposés. Finalement, il quitta le plateau en déclarant que l'interview qu'on lui demandait de faire était décidément « trop nulle ». Avec le recul, je crois que tout simplement il ne supportait plus la pression. Que malgré ses compétences, malgré le fait qu'il s'amusait, il était incapable de maintenir ses performances au même niveau. Il partit en claquant la porte, puis déclara qu'il ne voulait plus faire « le guignol ». Dans son langage, cela voulait dire qu'il ne « pouvait plus ». Il avait eu le même problème à l'époque où il avait été mannequin ; il avait refusé de porter les vêtements du défilé et de se plier aux instructions.

Tandis que Nick abandonnait sa fulgurante carrière médiatique, Julie venait de passer trois mois à sillonner le pays à la recherche de l'hôpital psychiatrique idéal. Et elle l'avait trouvé. Un endroit accessible aussi bien pour moi que pour ma mère et ma belle-mère. Le séjour de Nick y serait bref et Julie s'était arrangée pour laisser sa propre famille, afin de l'accompagner.

Les psychiatres avaient accepté d'effectuer de nouveaux examens en février, pendant les vacances de neige. Après quoi, ils lui donneraient peut-être un traitement plus approprié. Nous réussîmes à convaincre Nick d'y aller, en lui promettant qu'il ne resterait pas plus d'une semaine. Sur ce point, il savait qu'il pouvait nous faire confiance.

Il s'y rendit de son plein gré. Nous découvrîmes par la suite que, pour apaiser son anxiété, il avait absorbé une quantité inhabituelle de Valium — sans rien dire, bien sûr — une heure avant son rendez-vous. Les médecins procédèrent quand même aux tests cliniques. Nous reçûmes assez vite le rapport : il constatait un nombre incroyable de troubles mentaux et dérèglements psychologiques mais, comme pour embrouiller davantage la piste, ils n'avaient diagnostiqué ni désordres de l'attention ni psychose maniaco-dépressive.

Nick rentra à la maison une semaine plus tard comme convenu. L'expérience n'avait pas été aussi traumatisante qu'il l'avait pensé. Mais il n'avait pas avancé d'un pouce. Après une semaine de tests, nous en étions à la case départ : nous avions un tas de questions sur la nature de ses troubles et pas de réponses.

## 11

Des hauts, des bas, et des hauts et des bas.
Mieux, pire, mieux.
Montagnes russes.
Finalement, un diagnostic

Après la semaine de tests à l'hôpital, Nick retourna à l'école où il était inscrit depuis deux mois. Julie, qui n'en était plus à un miracle près, découvrit un nouveau psychiatre. Nous aurions été complètement perdus sans elle. La vie avec Nick, sans la présence bénéfique de Julie, sa capacité à l'apaiser, à interpréter ses paroles, aurait été un véritable enfer. Elle le réconfortait, elle nous réconfortait, et fourmillait d'idées. Souvent, je la comparais à Ann Sullivan, qui avait apporté dans l'existence de Helen Keller la lumière, la joie, la faculté de communiquer par le langage. Julie était notre faiseuse de miracles. Pour cela, et pour sa générosité, je lui serai éternellement reconnaissante. Je ne sais pas quelles divinités sont à l'origine de notre rencontre, en cette venteuse journée d'octobre, quand Nick avait quatorze ans, mais ce sont des divinités bénéfiques.

Juste avant que Julie nous présente au psychiatre, j'avais recommencé à téléphoner partout. Les gens avaient l'habitude de mes coups de fil lors desquels je demandais toujours des noms de psychiatres, d'hôpitaux, d'écoles. Je me faisais l'effet de l'homme-orchestre qui joue des années durant le même morceau. J'avais réussi néanmoins à réunir une douzaine de noms et d'adresses dans la région de la Baie, et j'avais commencé à les contacter, récoltant une extraordinaire variété d'excuses lorsqu'ils n'avaient pas le temps de nous recevoir. La plupart de ces psychiatres, parfaitement courtois au demeurant, ne prenaient pas de nouveaux patients. Or, il fallait que je trouve rapidement quelqu'un. Le psychologue que Nick voyait depuis six mois ne lui convenait pas. Nick n'avait accompli aucun progrès. Il était déçu et moi aussi. J'avoue qu'il m'avait découragée quand il m'avait demandé, je ne sais plus à quel propos exactement — Nick avait dû commettre une de ses bêtises —, si je lui avais jamais dit non. Bien sûr que je lui avais dit non. Mais la question, mille fois posée par d'autres, m'avait convaincue que cet homme n'était pas capable de gérer une situation délicate. Non, Nicky, non, ne sois pas déprimé, ne t'enferme pas dans ta chambre, ne reste pas assis sur le tapis dans le noir pendant trois jours... Non, non, ne déambule pas dans la maison toute la nuit, ne t'endors pas par terre n'importe où, enveloppé dans ton dessus-de-lit... Non, Nick, ne descends pas dîner à moitié nu. Et, pour l'amour du ciel, non, ne te suicide pas, ne prends pas cet air misérable et lugubre qui, chaque fois, me brise le cœur.

Le plus dur à comprendre, c'est que Nick n'affrontait pas seulement des problèmes de discipline. Par moments, il arrivait à peine à fonctionner. Les corvées les plus simples prenaient pour lui des proportions gigantesques. Il n'assumait plus aucune responsabilité. Nourrir un animal domestique, se rappeler de vider sa poubelle, refermer la porte du réfrigérateur à quatre heures du matin pour préserver son contenu, faire son lit, tout cela semblait au-dessus de ses forces. Il n'était pas paresseux. Il était incapable d'affronter les tâches les plus élémentaires. Plus il grandissait et plus c'était flagrant. Par-dessus le marché, son impulsivité le rendait de moins en moins contrôlable. A quinze ans, il paraissait moins capable de s'acquitter des besognes quotidiennes que sa sœur de six ans, qui lui offrait d'ailleurs souvent son aide. L'éventail de ses capacités avait tellement régressé que tirer la chasse d'eau prenait des allures de victoire. Je lui étais reconnaissante chaque fois qu'il songeait à le faire. Et ce n'était pas tout ! En même temps que cette totale

157

irresponsabilité, il avait développé un manque de vigilance alarmant. Il était capable de mettre quelque chose d'inflammable en contact avec une ampoule allumée, de laisser une bougie brûler jusqu'au bout, de regarder un enfant se pencher par la fenêtre sans intervenir. Il devenait dangereux pour lui-même et pour les autres, par inadvertance. Mais pour revenir à la question du psychologue, OUI, j'avais souvent dit non à Nick, et cela ne nous avait menés nulle part.

Je pris rendez-vous avec quatre nouveaux psychiatres, désireuse de les rencontrer avant de leur amener Nick. Je triais sur le volet toutes les futures rencontres, car toute nouveauté augmentait considérablement sa nervosité. Le stress, les stimulations exacerbaient son émotivité. Par exemple, il ne pouvait plus voyager avec nous. Notre maisonnée avec les enfants, leurs animaux domestiques, le personnel, le va-et-vient incessant des copains et des copines, ne faisait qu'accroître son anxiété. Alors que nous étions habitués à nous déplacer, avec le temps, Nick n'arrivait plus à suivre.

Pour lui épargner la tension nerveuse des entretiens avec de nouveaux psychiatres, j'avais décidé de les rencontrer seule dans un premier temps. J'allais d'un rendez-vous à l'autre, à l'instar de Diane Keaton dans le film *Baby Boom* où elle passe en revue plusieurs nourrices, ce qui permet au réalisateur de faire défiler une galerie de personnages tous plus curieux les uns que les autres, allant de la bigote à la vamp en combinaison de cuir brandissant son fouet... Les psychiatres que j'ai vus n'étaient pas aussi extravagants, même si quelques-uns valaient le détour.

Je me rappelle notamment l'un d'eux qui préconisait une psychothérapie pour la famille proche (parents-enfants) aussi bien que pour la famille plus éloignée (oncles, tantes, grands-parents). Amusée, j'entrepris de lui expliquer que rien que la famille proche comptait onze personnes dont les plus jeunes avaient six, sept et huit ans et que les autres, un peu plus âgés, ne me paraissaient en rien responsables de la maladie de Nick. Quant à nos parents plus éloignés, ils étaient neuf, disséminés entre Londres, New York et Tokyo. Perspective qui ne parut pas effrayer le moins du monde mon interlocuteur. Le fait qu'il allait devoir questionner vingt-deux personnes avant de se sentir suffisamment inspiré pour s'attaquer aux problèmes de Nick ne lui faisait pas peur, déclara-t-il en me regardant droit dans les yeux.

Un autre psychiatre semblait si déprimé lui-même que je sortis de son cabinet complètement abattue.

Les plus compétents, du moins ceux que je jugeai comme tels, affichaient complet. Seuls les originaux avaient le temps de s'occuper de Nick — je voyais très bien pourquoi —, mais je n'approuvais pas leurs méthodes.

Je reviens au psychiatre que Julie découvrit pour nous. Il semblait formidable. Pratique, raisonnable, le Dr Seifried combinait l'intelligence et la sensibilité. Dans une relation entre médecin et patient avec un garçon aussi perturbé que Nick, l'un des deux devait posséder une solide santé mentale et celui-ci ne pouvait être Nicky. Nous parlâmes longuement au téléphone. Il pensait avec raison que dans le cas de Nick une solution médicamenteuse s'imposait et que le reste de la famille, compte tenu de ce qu'il savait de nous, n'avait rien à voir là-dedans. Il n'avait l'intention d'examiner ni les autres enfants, ni John, ni moi, ni les canaris, ni les chiens, ni le lapin de Maxx. Il ne s'intéressait qu'à Nick. D'après lui, de tels troubles ne sont généralement pas causés par la famille ou l'environnement.

— En fait, dit-il à ma grande joie, si la réponse à ses problèmes d'humeur est chimique, ce dont il a besoin avant tout, c'est d'une médication appropriée.

J'eus envie de pleurer. Si je l'avais eu devant moi, je l'aurais embrassé. Il y avait plus d'un an que je savais que la seule solution résidait, justement, dans les médicaments.

Nick alla le voir dès son retour de l'hôpital. Ils se rencontrèrent plusieurs fois avant que le Dr Seifried vienne à la maison. D'emblée je le trouvai sympathique. Un visage intelligent, ouvert, un beau sourire, des yeux chaleureux, un immense sens de l'humour. Il était brillant, très concret. Visiblement, il savait ce qu'il faisait. Au bout de quelques séances, Nick en était venu à ne plus jurer que par lui et c'était ce qui comptait. Bref, un vrai bonheur !

Il ne mâcha pas ses mots avec moi. Il avait étudié à fond le dossier de son patient. Les premiers examens, les seconds, plus récents, les rapports de ses différentes écoles. Il me posa plusieurs questions pertinentes. Son diagnostic fut clair et sans appel :

« Troubles de l'attention, légères lésions neurologiques aggravées par la consommation de drogue pendant les trois dernières années. Psychose bipolaire atypique, ce qui avait rendu le diagnostic incertain pendant des années. »

La psychose maniaco-dépressive s'avère autrement plus difficile à déceler chez l'adolescent que chez l'adulte, et c'est pourquoi les psychiatres avaient eu tant d'hésitations. Pendant des années, j'avais eu droit aux avis d'amis bien intentionnés, qui voyaient en Nick un « teenager normal » et « plein d'esprit ». Tous mes efforts pour attirer l'attention sur ses failles avaient échoué, et j'ai souvent eu l'impression de me battre contre des moulins.

Le constat du Dr Seifried me procura pendant un instant un immense soulagement. Ainsi les doutes qui m'avaient tourmentée depuis la plus tendre enfance de Nick étaient justifiés. Il y avait en lui quelque chose qui n'allait pas. Quelque chose de grave. Je n'étais pas la victime de mon imagination. Et entendre quelqu'un formuler tout haut ce que je pensais tout bas m'emplissait, bizarrement, de gratitude. Hélas, l'instant suivant, le soulagement et l'excitation cédèrent la place à une sensation de panique. Une sorte d'interrogation spontanée du genre : « Oh, mon Dieu, qu'allons-nous faire maintenant ? » La réponse n'avait rien d'évident.

Au dire du médecin, il était avant tout question de réadaptation médicamenteuse. La fameuse médication appropriée. Après quoi, il faudrait vérifier si Nick supportait bien le traitement, quitte à rectifier le dosage. Cela n'avait plus rien à voir avec le fait de lui avoir dit ou pas dit « non », de l'avoir « trop gâté » ou pas assez, de l'avoir mis en rivalité avec ses frères et sœurs, ou de lui imposer des « contrats ». Il suivait une psychothérapie pour provoquer une amélioration de son équilibre et une régression de son impulsivité. Nous voulions l'aider à mener une vie aussi normale et heureuse que possible. Et, en effet, les médicaments représentaient la part la plus importante du traitement.

— Comment saurons-nous lesquels sont les bons ? demandai-je en espérant, dans ma naïveté, qu'une seule pilule magique suffirait.

Personne n'avait encore trouvé une solution. La solution magique. Les cachets qu'il avait pris jusqu'alors avaient été inefficaces.

— Bonne question ! dit le médecin avec un sourire. Imaginez que nous lancions des fléchettes contre un panneau en espérant que quelques-unes atteindront leur cible. C'est tout ce que je peux vous proposer, malheureusement. Nick devra patienter.

La patience ne figurait pas parmi les qualités de Nick — les miennes non plus d'ailleurs. Mais une fois de plus, nous n'avions pas d'autre choix. Du moins, le docteur avait gagné ma confiance. Il n'y allait pas par quatre chemins, et c'était la raison pour laquelle je l'appréciais tant. Il m'avait donné du soulagement, du réconfort, la justification de mes craintes, de l'espoir. Il n'avait pas cherché à me cacher la vérité. Quand je commençai à évoquer les futures implications de la maladie de Nick, il m'arrêta. Il était encore trop tôt pour se lancer dans des estimations. Nous allions avancer doucement, au jour le jour. Il y avait un tas de questions à régler avant et Nick était encore très jeune. Encore une fois, le diagnostic de la psychose maniaco-dépressive s'avérait extrêmement difficile sinon impossible à établir à quinze ans. Il comprenait parfaitement les raisons qui avaient empêché ses collègues de se prononcer. Ils craignaient de s'exposer à de grossières erreurs de diagnostic et affirmer que Nick était un malade bipolaire représentait une lourde responsabilité. C'était encore plus difficile du fait qu'il était ainsi depuis longtemps, probablement depuis qu'il avait atteint ses douze ou treize ans. Les premières manifestations de la maladie avaient été précoces, puisque généralement la psychose maniaco-dépressive ne se manifeste pas avant que le sujet ait entre vingt et vingt-cinq ans. Je n'osais imaginer dans quel état serait Nick à cet âge-là. Comment est-on après dix ans de maladie mentale ? Irait-il encore plus mal, ou mieux peut-être, puisque nous aurions stoppé l'évolution du mal ou qu'il aurait appris à vivre avec, grâce aux médicaments ? D'après le Dr Seifried, c'était impossible à prévoir. J'éprouvais le vague et inquiétant sentiment qu'en fin de compte il n'était pas très optimiste. Mais je ne me sentais pas prête à l'entendre. J'en avais assez entendu pour une seule journée. Bien que je sois habituée aux bizarreries de Nick et soulagée de savoir que sa maladie portait un nom, la sévérité du verdict m'avait accablée.

Durant les quatre années qui suivirent, j'ai souvent comparé la maladie de Nick au diabète de l'enfant, autre maladie plus sévère chez les jeunes que chez les adultes. Dans les deux cas, seule une médication constante permet au patient de vivre et de fonctionner à peu près normalement. Il s'agit de maladies chroniques qu'il faut traiter avec le plus grand sérieux, et qui sont plus graves lorsqu'elles surviennent dès l'enfance.

Je demandai au docteur quel genre de médicament il comptait donner à Nick. Il n'en savait encore rien. Il se refusait à mettre sous lithium un garçon aussi jeune, craignant des effets secondaires telles des lésions rénales. Nick allait devoir vivre avec sa maladie toute sa vie. Il n'existait pas de guérison, surtout si l'aspect atypique disparaissait pour se transformer en syndrome spécifique. Je ne savais pas encore avec quelle rapidité la psychose maniaco-dépressive tue. J'ignorais le taux élevé de suicides parmi les personnes atteintes. Je sais aujourd'hui que 60 % des malades attentent à leurs jours et que 30 % en meurent. Mais même si je l'avais su alors, je doute que j'aurais pu changer le cours des choses. Je n'avais pas compris que nous nous battions pour sa survie, ni qu'il avait peu de chances de gagner la bataille.

Et tandis que le Dr Seifried poursuivait ses explications, j'étais triste pour Nick, triste pour le fardeau qui pesait sur ses épaules. A aucun moment je n'ai eu honte pour lui ou pour nous. Tout au plus, j'ai éprouvé un plus grand désir de le protéger, en même temps qu'une immense reconnaissance d'avoir enfin rencontré le médecin qui, j'en étais convaincue, arriverait à le soigner.

Le docteur opta pour le Prozac, auquel il comptait ajouter un complément suivant les résultats. Nous espérions que le Prozac atténuerait les effets de la dépression. Les dés étaient jetés. Nous allions apprendre à jouer avec une marge d'erreur. D'un commun accord nous décidâmes de ne rien dire à Nick, afin de ménager sa fragilité. Il saurait simplement qu'à partir de maintenant il prendrait du Prozac à la place de ce qu'il prenait avant.

Au début, il supporta bien son nouveau traitement. Il aimait bien son nouveau « psy » parce qu'il le trouvait « cool ». Il aimait bien aussi sa nouvelle école. Il avait meilleur moral, sans doute grâce à plusieurs facteurs combinés. Julie passait toujours le voir cinq fois par semaine à la maison, plus les week-ends, en cas de crise. J'entends par crise une dispute concernant un concert auquel il voulait assister, ou son refus de se passer un peigne ou une brosse dans les cheveux pendant des mois. Il avait décidé de laisser pousser ses cheveux, qu'il avait fins et soyeux, pour se faire des « dreadlocks », ce qui n'était jamais qu'un défi supplémentaire. Il avait l'air d'un clochard, mais du moment que sa nouvelle coiffure lui plaisait, je ne m'en mêlais pas. Je me préoccupais davantage de ce qui se passait sous ses cheveux plutôt que de la façon dont il les peignait. Maintenant, je peux l'avouer, parfois son apparence négligée m'attristait. J'étais toujours attachée à mes normes bourgeoises, dont

Nick n'avait que faire. Parfois aussi, je le trouvais mignon dans ses tenues extravagantes.

Au printemps, il eut l'air d'aller mieux. Il était encore souvent déprimé, toujours irritable, terriblement insomniaque. Il tournait en rond dans la maison, symptôme classique de la psychose maniaco-dépressive, comme il est classique que les patients inversent le jour et la nuit. Nick était souvent debout jusqu'à quatre ou cinq heures du matin, en pleine forme, tandis qu'il sombrait dans un état comateux le matin, quand j'essayais de le réveiller. Son médecin essaya d'y remédier en lui administrant le Prozac le matin. Il n'avait pas ajouté d'autre médicament au traitement ; il préférait procéder lentement. Travailler avec le Dr Seifried me changeait complètement des autres psychiatres. Toujours disponible, très attentif aux réactions de Nick, conscient de nos difficultés, compatissant. Il me fut d'un précieux secours lors de l'épreuve que nous traversions. J'avais une liste de numéros de téléphone — ils couvraient une page entière de mon répertoire —, y compris le numéro de ses parents et de sa sœur dans l'Ohio. Quand je l'appelais, il me rappelait dans l'heure qui suivait.

Le bon dosage du médicament ne fut pas long à trouver. Une dose trop forte le rendait anxieux, voire irritable, une trop faible le plongeait dans le sombre tunnel de la dépression et de la léthargie. Mais il semblait moins agressif, moins malheureux qu'auparavant. Sans constituer la solution parfaite, le Prozac l'aidait.

Notre optimisme retrouvé, Julie et moi avons pensé que Nick aurait besoin d'exercice pendant l'été. Il s'ennuyait à Napa. Evidemment, il manquait de maturité, on ne pouvait le laisser seul plus de cinq minutes. D'humeur changeante, il avait le sens des responsabilités d'un enfant de dix ans. Aussi un job pour l'été était-il exclu, même s'il aurait seize ans en mai. Oui, mais s'enliser dans l'ennui à Napa Valley risquait de le déprimer de nouveau. Nous avons cherché quelque chose qui lui conviendrait et l'occuperait.

Comme toujours, Julie s'est consacrée à corps perdu à cette recherche. Elle a imaginé mille et une possibilités, toutes plus séduisantes les unes que les autres. L'ennui, c'est que Nick était pratiquement incasable. Et ce, malgré les médicaments. Son impulsivité le poussait à faire tout ce qui lui passait par la tête. Quelques semaines plus tôt, étant allé voir Julie chez elle, il était parti se promener et avait marché sur l'autoroute, totalement inconscient des risques qu'il encourait. Il n'avait pas un sens réel du danger. Le Dr Seifried nous avait expliqué que, chez Nick, la perception de la douleur comportait des lacunes dues aux troubles de l'attention et à la psychose maniaco-dépressive, et non aux médicaments comme on aurait pu le croire. Il l'avait déjà prouvé. Un soir, alors qu'il était seul dans sa chambre, il avait décidé que sa coiffure lui déplaisait. Aussitôt, il s'était emparé de ciseaux, puis d'un rasoir, accessoires indispensables pour une superbe coupe faite maison. Hélas, la superbe coupe n'ayant pas trouvé grâce à ses yeux — jusque-là rien d'étonnant —, il avait estimé qu'il valait mieux se raser le crâne. Il l'avait fait, s'était coupé bien sûr, puis était entré dans ma chambre, le cuir chevelu balafré à mille endroits, des gouttes de sang dégoulinant sur son visage, comme s'il avait été poignardé. Il était en larmes, pas à cause de ses blessures, mais parce qu'il n'aimait pas sa nouvelle coiffure. J'ai pleuré avec lui. Mon cœur se nouait de le voir si malade. Pendant des semaines, il a porté un chapeau pour cacher les cicatrices. Nick était une menace potentielle pour lui-même, sinon pour les autres. Sa perception imparfaite de la douleur physique n'était qu'un danger de plus. Il était capable de se trancher un doigt en coupant du pain pour se faire un sandwich.

Julie finit par trouver une idée pour les vacances. Un camp pour adolescents normaux. Les éducateurs prendraient la responsabilité de lui administrer ses médicaments. Comme pour les diabétiques, il était hors de question d'oublier une prise. Mais, chaque fois que nous appelions un camp, la direction refusait. Ils n'étaient pas

165

équipés pour accueillir quelqu'un d'aussi malade que Nick. Nous avons éliminé les vacances pour les enfants normaux et nous sommes rabattues, sur le conseil de John, sur une école d'endurance. Là aussi, refus catégorique. Un garçon comme Nick mettrait sa vie et celle de ses camarades en danger. C'était un jeune formidable, mais on ne pouvait pas lui faire confiance.

Nous dûmes nous rabattre sur des vacances pour adolescents perturbés, et il y en avait beaucoup. Nous avons assez vite découvert qu'elles étaient réservées à des enfants et adolescents atteints de désordres mentaux beaucoup plus apparents que ceux de Nick. Une fois de plus, nos démarches n'avaient pas abouti.

Mais nous persistâmes. Et enfin, Julie, John et moi crûmes découvrir la panacée, le programme idéal. Nous faisions tous preuve d'une grande créativité. En regardant en arrière, je me demande parfois comment nous avons pu vivre dans une telle effervescence. C'est en commençant à écrire ce livre, en feuilletant des notes et en écoutant des enregistrements que je me suis aperçue du nombre de solutions que nous avons essayées, et des plans démentiels que nous avons ébauchés dans l'espoir de l'aider.

Nous avions réussi cette fois-ci à dénicher un camp réservé à des enfants nécessitant une attention particulière. De jeunes drogués pour la plupart, plus quelques autres comme Nick, tous des garçons. Persuadées qu'il vivrait une saine et heureuse expérience, nous nous sommes mises en devoir, Julie et moi, de le convaincre. A notre avis, il allait bien s'amuser, même si, comme il se plaisait à le répéter, il détestait la nature. Le séjour durait quatre semaines, le temps pour moi d'emmener les autres enfants en vacances à Napa où, malheureusement, il ne pouvait plus nous rejoindre. Il n'était pas en état de voyager avec nous et n'avait même pas essayé depuis des années.

Je ne voudrais pas vous brosser un portrait plus sombre que la réalité. Ni vous montrer un Nick hagard, prostré dans sa chambre, l'œil vide. Au contraire, pour les gens qui ne le connaissaient pas bien, il avait l'air d'un adolescent ordinaire, obstiné, bizarrement vêtu et indiscipliné. Il avait des opinions sur tout, qu'il défendait âprement, même lorsqu'elles étaient impopulaires. Il avait beaucoup d'amis et, plus que jamais, il était passionné de musique. Pourtant, derrière cette façade, étaient tapis les démons. Nick le savait, comme nous, ses docteurs et Julie. Personne d'autre n'était au courant. Il parvenait à cacher ses troubles de l'humeur pendant de brèves périodes durant lesquelles les gens le prenaient simplement pour un jeune homme difficile. C'était un adolescent après tout, non ? Son esprit brillant, sa bonne mine, son charme séduisaient tout le monde. Les rares fois où j'ai confié mes inquiétudes à des amis proches, ils m'ont répondu que tous les adolescents étaient pareils, et que Nick n'était pas différent des autres. Mais en réalité il était très différent, et nous en avions tous conscience. Aucun autre adolescent ne mobilisait une équipe entière d'adultes pour le laver, l'habiller, l'empêcher de se sectionner un doigt en coupant du pain. Aucun autre adolescent n'avait autant de peine à éteindre la lumière, à refermer la porte du réfrigérateur, à tirer la chasse d'eau. Non, aucun autre adolescent ne passait des nuits blanches, torturé par ses démons intérieurs. Mais Nick dissimulait les failles du mieux qu'il le pouvait, nous aussi, et il parvenait à se faire passer pour quelqu'un de normal.

Ce printemps-là, nous prîmes une importante décision dans le but de protéger notre santé mentale, cette fois. C'était mon idée et je la soumis à Nick. Il y allait de la paix de notre esprit. De notre tranquillité. De la manière de rendre vivable sa maladie. A la longue, non seulement Nick s'y adapta, mais il s'en déclara enchanté. Nous décidâmes d'embaucher des aides pour lui. Des sortes de surveillants.

Quand les enfants étaient petits, l'été nous engagions des gardes pour notre maison de campagne où une immense piscine incarnait à mes yeux un danger de tous les instants. Avec six petits enfants et trois adolescents, j'avais peur d'un accident, d'une noyade. Louer les services d'étudiants, qui surveillaient les enfants aux abords de la piscine, me procurait le calme nécessaire au repos ou à la création. Parce que neuf enfants, cela signifie une dizaine d'amis en plus. Il y avait des jours, à Napa Valley, où ils étaient entre quinze et vingt dans la piscine. La présence de surveillants était indispensable.

Les aides pour Nick relevaient du même principe. Ils seraient chargés de le surveiller à tout instant, de s'assurer qu'il allait bien, de le conduire d'un endroit à un autre. Comme tous les garçons de son âge, Nick avait souvent besoin de se déplacer en voiture, mais il exigeait plus d'attention et de vigilance que ma benjamine de six ans. Il est inutile de nier qu'il fallait toujours garder un œil sur Nick. Et, malgré ma bonne volonté, entre mes autres enfants, mon travail et lui, je n'avais plus une minute à moi. Je pensais que les aides amélioreraient notre qualité de vie. Il fallait emmener Nick à la douche, l'aider à se laver les cheveux (après qu'il eut sacrifié ses dreadlocks), lui donner ses médicaments, lui rappeler, comme à un petit enfant, qu'il devait ranger sa chambre (des mots vides de sens pour lui), l'aider à faire ses devoirs. Un aide-soignant serait un cadeau du ciel. J'ai fini par convaincre Nick. Il ne restait plus qu'à découvrir l'oiseau rare.

Julie se chargea des entretiens. Il nous fallait des personnes ayant l'expérience des enfants à problèmes. Julie battit le rappel de ses anciens collègues, qui avaient travaillé avec elle dans différents programmes de sevrage. Les problèmes n'étaient pas exactement les mêmes, mais quelques-uns acceptèrent de tenter l'expérience. La plupart faisaient preuve d'un optimisme exagéré, certains qu'ils allaient venir à bout de Nick, qui, à leurs yeux, n'était qu'un adolescent charmant, un peu à côté de ses pompes. Une fois de plus, même à ce stade de sa maladie, il parvenait à donner une image de normalité trompeuse. Les aides qui se laissèrent prendre à ce piège apprirent

Nick et Zara,
vers 1993.
*Ph. Danielle
Steel*

Nick et Beatie, vers 1993.
*Ph. Danielle Steel*

Nick
avec son
couvre-lit.
*Ph. Harry
Langdon*

Nick et son ami Max Leavitt.
*Ph. Danielle Steel*

Nick à quinze ans.
*Photos Harry Langdon*

Nick à seize ans avec, de gauche à droite,
Maxx, Vanessa, Sam, Zara et Victoria.
*Ph. Tilly Abbe*

Sam et Nick.
*Ph. Tilly Abbe*

Nick sur scène, à l'âge de
seize ans, à l'occasion de
shows ou de concerts.

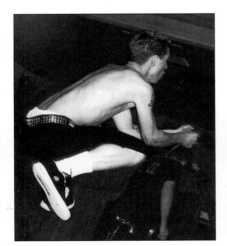

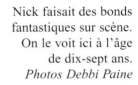

Nick faisait des bonds
fantastiques sur scène.
On le voit ici à l'âge
de dix-sept ans.
*Photos Debbi Paine*

Pendant la fête
de Thanksgiving,
en 1995.
*Ph. Danielle
Steel / famille*

Le jour de la fête
des Mères,
en 1996.
*Ph. Danielle Steel /
famille*

Durant l'été 1996 avec, de gauche à droite, Victoria, Nick, Zara, Maxx,
Beatie, Todd, Sam, Trevor, Vanessa.
*Ph. Harry Langdon*

Nick et Julie.
*Ph. Danielle Steel*

Nick et Beatie.
*Ph. Danielle Steel*

Avec son ami
Sam Ewing.
*Ph. Danielle Steel*

HAWAII, AVRIL 1997

Avec Julie.
*Ph. Bert
D. Bautista*

vite à qui ils avaient affaire. Le cher ange ne tarda pas à dévoiler son véritable caractère : coléreux, insultant, infantile, capricieux. Les uns, mal préparés à affronter l'ouragan, prirent leurs jambes à leur cou, d'autres restèrent. Ils avaient bon cœur, la volonté d'apprendre et étaient pleins de dévouement.

Certains s'adaptèrent rapidement aux aléas de leur travail. D'autres rendirent leur tablier tout aussi rapidement et nous-mêmes avons fini par comprendre, au bout d'un certain temps, ce dont Nick avait réellement besoin. Durant les quatre années où nous avons embauché des aides, nous eûmes des gens merveilleux qu'il prit en affection et qui s'attachèrent sincèrement à lui.

Confier Nick à un aide me facilitait la vie. Le savoir en sécurité combattait efficacement mon stress, mes inquiétudes à son sujet. Il était entre de bonnes mains, je pouvais enfin respirer. Lui-même finit par s'habituer à cette idée. Mieux, cela lui plut. Les aides se mettaient en quatre pour lui faire plaisir. Nick était le centre de leur attention, ce qu'il avait toujours adoré. Il raconta à ses copains qu'il avait des gardes du corps. Bref, il avait l'impression d'être important.

Plus tard, quand les besoins de Nick ont augmenté, nous avons embauché des assistants en psychiatrie. Il y avait toujours deux personnes près de lui, l'équipe de jour et l'équipe de nuit. Ils travaillaient avec lui sept jours sur sept. Les deux derniers assistants qui se sont occupés de lui se sont attelés à la tâche avec une volonté surhumaine. Eux et Nick étaient inséparables. Paul est resté avec lui pendant trois ans et Cody plus d'un an. Nous les aimions tous beaucoup, et Nick les considérait comme ses grands frères.

Ses aides passaient davantage de temps auprès de lui que de n'importe qui d'autre. Cela dépendait de son programme du jour et de son humeur du moment, mais ils restaient à ses côtés entre quatorze et vingt-quatre heures par jour, ce qui représentait plus de temps que celui qu'ils consacraient à leurs épouses, leurs amis ou leurs propres enfants. Aussi attachant que fût Nick, il n'était pas toujours facile à vivre. Il émanait de lui une intensité incroyable, un sens de l'urgence inouï : tout devait se passer maintenant, tout de suite, très vite, dès qu'il en avait l'idée. Il avait une notion du temps fantaisiste, si bien qu'un événement survenu quelques heures ou quelques jours auparavant lui semblait à des années-lumière, alors que quelque chose situé dans un avenir lointain devait se produire immédiatement.

Julie habitait à une heure de chez moi — une heure et demie pendant les heures de pointe. D'après Paul, durant les trois ans où il a conduit Nick là-bas, et l'a ramené, celui-ci a toujours décrété que le trajet ne prenait pas plus de vingt minutes. Il traînait chez Julie et en repartait toujours en retard. Alors, il disait en riant :

— Tu n'as qu'à dire à maman qu'il y a eu un accident sur le pont, Paul. Ça va aller.

Je réalise maintenant, à la lumière de ce souvenir, que s'il y avait eu vraiment autant d'accidents sur ce pont, le nombre des victimes aurait dépassé celui de la guerre de Corée. Mais ces retards n'ennuyaient pas Nick. Il rentrait à la maison, le visage fendu d'un large sourire, me serrait dans ses bras et m'embrassait en s'excusant d'arriver au milieu du dîner.

Il y avait un aspect cajoleur infantile chez lui, qui ne cessa de s'intensifier au fil des ans, et qui consistait à rester, physiquement et émotionnellement, dans le sillage des gens qu'il aimait. Il me suivait partout, tout heureux d'être avec moi. Il faisait la même chose avec Julie. Il adorait flâner en compagnie de ses aides. Paul me raconta que lorsqu'il allait faire une course, laissant Nick chez Julie, il ne s'écoulait pas une minute avant qu'il reçoive un message sur son biper, suivi invariablement du chiffre 911, signe de l'urgence absolue. Il rappelait aussitôt Nick, bien sûr, pour entendre sa voix chaude déclarer :

— Salut, Pauly, ça va ? Je voulais juste savoir ce que tu fais.

On ne pouvait pas se fâcher contre Nick. Ni lui en tenir rigueur. Sa façon de dire : « Salut, j'ai besoin de toi... je t'aime »... était désarmante. Il vous faisait sentir ainsi combien vous étiez important pour lui. Et, en effet, il considérait ses aides comme des personnes importantes. Notamment Cody et Paul. Il les admirait, les respectait. Il leur était très attaché et ils le lui rendaient bien.

D'une certaine manière, ils le connaissaient mieux que quiconque. Ils voyaient ses lacunes, ses faiblesses, ses craintes, sa force, ses moments d'inattention. Cody me raconta une autre histoire à propos de la générosité de Nick. Chaque fois qu'il voyait passer un sans-abri dans la rue, Nick s'arrêtait. Plutôt que de lui donner de l'argent, il lui offrait un paquet de cigarettes, et quand il n'en avait pas, il allait en acheter. Il était charitable, offrait à ses amis ce qu'il possédait de plus précieux, quand il ne leur faisait pas de cadeaux personnalisés. Il aimait faire plaisir, comme moi.

Le travail des aides devint particulièrement ardu pendant les années où Nick partait en tournée avec son groupe. Ces personnes, qui s'étaient dévouées au point de ne jamais le laisser seul, de lui administrer ses médicaments, etc., durent subir le vacarme des concerts et des lumières aveuglantes des projecteurs, au milieu d'une foule hurlante de jeunes aux corps brûlants, couverts de tatouages et de sueur, alors que Nick chantait, puis aider les musiciens à ranger leur matériel. Sans parler des longs voyages en camionnette, d'une quinzaine d'heures, pour arriver avec neuf adolescents dans la ville où aurait lieu un autre concert. Ils avaient quasiment abandonné leurs familles, avaient renoncé à leurs vacances, étaient sûrement devenus à moitié sourds à force d'entendre la musique de Nick, mais ils tinrent bon. Parce qu'ils l'aimaient bien. Et parce que, avec Nick, la vie était toujours pleine de surprises.

Ses aides l'accompagnaient également à ses séances de thérapie de groupe. La drogue ne posait pas de problème majeur à Nick. Toute sa vie, son combat le plus féroce, il l'a livré contre la psychose maniaco-dépressive, compagne terrifiante, omniprésente, avec laquelle il fallait apprendre à vivre. C'est lorsque le contrôle de lui-même lui échappait, malgré les médicaments, qu'il recherchait l'apaisement dans la drogue. Les séances de thérapie de groupe l'aidaient à résister à une tentation qui n'aurait fait que compliquer les choses en interférant avec les médicaments qu'il prenait. Pour nous assurer qu'il ne se droguait pas, nous lui faisions faire tous les jours une analyse d'urine et je le réprimandais vertement chaque fois que le test était positif, ce qui n'arrivait pas souvent.

Pendant cette période, il inventa des histoires incroyables à propos de ses hospitalisations. Pas pour nous, avec qui il se montra toujours d'une honnêteté absolue, mais pour ses amis. Cela lui permettait sans doute de rehausser son image. Quand il allait à l'hôpital psychiatrique, il racontait à ses copains qu'il avait été en maison de redressement ou, pire encore, en prison. C'était indéniablement plus intéressant. Pas pour moi ! Mais quand je le grondais, il répondait en riant :

— Allez, maman, sois « cool », quoi !

J'appris à être drôlement « cool » au fil des ans. Beaucoup plus « cool » que je ne m'en serais crue capable. J'en ai appris, des choses, avec Nick.

Mais quelles qu'aient été ses idées sur la drogue et les drogués au début, vers la fin de son adolescence, il adopta une attitude diamétralement opposée. Il s'élevait même violemment contre l'usage de la drogue, non seulement pour lui-même mais pour ses jeunes frère et sœurs. Il devint ce qu'on appelle « un puritain bon teint », fustigeant la drogue, l'alcool et le sexe. Il était en tout cas parvenu à se débarrasser des deux premiers. Nous le taquinions gentiment pour le reste. La seule fois où il reprit de la drogue, les dernières années, ce fut pour tenter de se suicider. Avant, au moindre verre de bière, à la moindre bouffée de joint, nous nous jetions tous sur lui et le transportions à l'hôpital tout en l'avertissant des risques qu'il faisait peser sur sa santé et son équilibre fragile. Pendant les dernières années, nous n'avons plus jamais eu affaire à ce genre de situation. Il se surveillait lui-même et semblait avoir des idées bien arrêtées sur le sujet. Des idées raisonnables. Mais comme Julie le fit remarquer, il n'y a pas longtemps, la résistance de Nick à son penchant pour la drogue devait, à cause de sa maladie, lui coûter beaucoup plus qu'aux autres. Sur ce plan, il avait remporté une éclatante victoire dont il pouvait être fier.

Voilà à quoi Nick était confronté au printemps de ses seize ans.

Il prenait du Prozac, allait à l'école, était entouré de ses deux aides, qui se relayaient. En juin, il partit au camp de vacances pour « enfants et adolescents requérant une attention particulière ». Sans grand enthousiasme, car il n'avait jamais apprécié la campagne ; il aurait préféré rester à la maison et assister à des concerts. Il venait de rejoindre un groupe appelé « Link 80 » et se réjouissait à l'idée de jouer avec eux. Il avait hâte de rentrer afin de commencer à répéter avec ses nouveaux musiciens. Mais nous l'avions convaincu que des vacances en pleine nature ne pouvaient que lui faire du bien. Il n'avait pas pu s'empêcher de se moquer de moi : je déteste la campagne autant que lui.

Julie le conduisit au camp. Il emportait dans ses bagages des médicaments pour quatre semaines, une liste de conseils de son médecin, tous nos numéros de téléphone, y compris le mien en Europe où je voyageais avec John et les enfants. C'était un voyage très spécial pour moi. Revoir Paris où j'avais passé une partie de mon enfance et de mon adolescence et où j'avais encore des camarades de classe et de la famille m'emplissait d'émotion. Je n'y étais pas retournée depuis des années et brûlais de montrer à mes enfants les lieux de ma propre enfance. Je regrettais l'absence de Nick. Mais peut-être qu'un jour...

Je reçus le premier coup de fil de Nick quelques jours après notre arrivée à Paris. Pour lui, c'était le milieu de la nuit et il semblait en proie à la panique. Mon espoir que tout irait bien s'évanouit. J'étais à dix mille kilomètres de lui, en train de déguster des crêpes, avant de montrer le métro aux enfants.

— Qu'est-ce qui se passe ?

Je m'efforçais de rester calme. Mais j'entendais la pointe de nervosité de sa voix. Une nervosité dont l'origine était sûrement psychologique. Jusqu'alors, je ne l'avais jamais laissé. Il aimait me savoir à proximité. Il souffrait d'une profonde angoisse de séparation pour un garçon de son âge, et son psychiatre m'avait affirmé que cela ne se rapportait pas seulement à sa maladie mais aussi au fait que nous ne nous étions encore jamais quittés.

— Comment vas-tu, mon chéri ?

J'essayais de le rassurer par le son de ma voix. C'était la première fois qu'il n'était entouré de personne de sa connaissance : ni moi, ni John, ni Julie, pas même ses aides. A seize ans, nous le pensions prêt à affronter une telle situation. Je compris, à sa voix, que nous nous étions lourdement trompés.

— Ils ne me donnent pas mes médicaments, maman. Je deviens fou.

Il se définissait très rarement comme « fou » et ne reconnaissait pas volontiers qu'il avait besoin de médicaments. Pendant un instant, je me demandai s'il ne le faisait pas exprès pour me pousser à le ramener à la maison, comme du temps où il avait inventé ces horribles histoires de persécutions et de tortures. Mais alors, il n'avait que dix ans et se plaisait à noircir le trait.

— Tu en es sûr ?

J'étais inquiète, mais ne voulais pas le lui montrer.

— Evidemment, dit-il, mortifié par ma question.

— Je vais appeler Julie, promis-je.

— Je veux rentrer à la maison, maman.

Il avait l'air d'avoir cinq ans, et sa voix plaintive me toucha en plein cœur.

174

— Je sais, mon chéri. Accroche-toi. Nous serons tous bientôt à la maison.

— Sors-moi d'ici. Ils ne me donneront jamais mes médicaments.

Il semblait au bord des larmes.

— Si, ils te les donneront. Je vais appeler Julie.

Julie, notre bonne fée. Julie, qui avait depuis longtemps abandonné ses autres patients pour Nick. Que serions-nous devenus sans elle ?

Après avoir encouragé Nick à tenir bon, j'appelai aussitôt Julie. Il était fort tard pour elle, mais elle ne se plaignait jamais de mes coups de fil nocturnes. Comme moi, elle trouva les affirmations de Nick plutôt invraisemblables. Mais lorsqu'elle appela le camp, il lui fut répondu que chacun était responsable de sa personne et que Nick devait se présenter tous les matins à sept heures à l'infirmerie, faute de quoi il n'avait pas ses médicaments. Chose qu'il était incapable de faire, nous le savions.

La panique nous submergea toutes les deux. Nous comptions sur les éducateurs pour donner à Nick ses médicaments. Cela avait été convenu dès le début. La responsabilité n'était qu'un mot vide de sens pour Nick.

Il devait se sentir bien plus paniqué et désespéré que nous. Le soir même, il entra de force dans l'infirmerie et avala n'importe quels cachets, juste pour apaiser son angoisse, s'attirant la colère des éducateurs. Ceux-ci n'avaient pas compris que, pour lui, se présenter tous les jours à l'infirmerie à sept heures du matin relevait de l'impossible.

Le lendemain, le téléphone se mit à sonner au moment où nous allions quitter notre chambre d'hôtel pour nous rendre à l'aéroport. Pour Nick, il était deux heures de l'après-midi. Il paraissait à bout.

— Je pars, maman. Je ne peux plus rester. Ils ne m'ont toujours pas donné mes médicaments.

Zut ! C'était la fête des pères aux Etats-Unis, j'étais à des milliers de kilomètres et si cela continuait, j'allais rater le vol de Londres. Mais je ne pouvais pas l'abandonner. Le son de sa voix en disait long sur son état mental. Il était désespéré. Il avait peur. Sans les médicaments, son impulsivité avait repris le dessus. Il n'y avait pas moyen d'intervenir. Je m'efforçai de lui parler calmement.

— Nick, tu ne peux pas partir. Attends juste un jour. Donne-moi un jour. Julie viendra te chercher demain.

Pauvre Julie ! Une fois de plus, elle allait planter là sa famille et sauter dans le premier avion, volant au secours de Nick. Les éducateurs du camp avaient honteusement failli à tous leurs devoirs, alors qu'il aurait pu avoir une expérience normale, pour changer. Mais non. C'était à la fois décevant et inquiétant.

— Je ne peux pas attendre, dit Nick sèchement.

— Si, tu peux. Jusqu'à demain. Je ne peux pas demander à Julie de venir le jour de la fête des pères. Mais demain, elle sera là. Et je rentrerai bientôt, moi aussi. En attendant, tu resteras chez elle.

Il avait déjà passé plusieurs week-ends chez Julie, quand les aides prenaient leurs jours de repos.

— Ecoute, mon chéri, je te rappelle... (Je calculai rapidement.) Dans environ trois heures, de Londres. Ne bouge pas de là.

— Maman, je pars.

— Non, Nick, tu ne pars pas. (Je déployais des efforts surhumains pour avoir l'air calme et ferme.) Tu vas rester jusqu'à ce qu'on vienne te chercher. Dans vingt-quatre heures. Je te le jure.

Là-dessus, quelqu'un interrompit notre conversation. J'entendais derrière Nick l'un des éducateurs. Il venait de le découvrir au téléphone et lui reprochait d'appeler sa mère en Californie.

— Je n'appelle pas en Californie, répliqua Nick avec franchise.

Je savais ce qu'il avait voulu dire. Je n'étais pas en Californie. J'étais à Paris. Il téléphonait du bureau du directeur. Nicky n'a jamais hésité à prendre des initiatives quand il voulait quelque chose.

— Nick, je te rappelle. Dans trois heures. C'est promis.

Je raccrochai et nous arrivâmes juste à temps pour le décollage. Lorsque nous entrâmes dans notre chambre d'hôtel, le téléphone sonnait. C'était Nick. Il suivait de près nos mouvements, ce qui, d'une certaine manière, me rassurait sur sa lucidité d'esprit.

— Tu vas bien ? lui demandai-je.

Sa voix m'avait paru plus joyeuse quand j'avais pris le téléphone. Il n'était plus affolé, ce qui pour moi représentait un véritable réconfort.

— Ouais, très bien.

Soudain, je commençai à me poser des questions. Il semblait en ébullition. Peut-être en début de phase maniaque. Mais, sans ses médicaments, cela n'avait rien de surprenant.

— Où es-tu, Nick ? dis-je calmement.

— Dans une cabine téléphonique sur l'autoroute.

Il l'avait fait ! Il était parti du camp au milieu de la nuit, alors qu'il n'avait pas pris ses médicaments depuis deux semaines. Et il se trouvait au milieu de nulle part, sur une autoroute déserte. Je n'avais plus qu'une crainte : qu'il fasse du stop, parte faire une virée avec un camionneur et qu'il lui arrive Dieu sait quoi. Malgré mes efforts pour conserver mon sang-froid, ma voix dérapa. La terreur s'emparait de moi.

Je le suppliai de retourner au camp, juste pour me faire plaisir. Il demeura inflexible. Il n'en ferait rien, je le savais. Ce genre de raisonnement n'avait aucune signification pour lui. Son impulsivité l'avait déjà entraîné au point de non-retour. Je me mis à réfléchir à cent à l'heure.

— Qu'y a-t-il à proximité, Nick ? Peux-tu voir quelque chose ? Une ville ?

A tâtons je cherchai une issue, tandis que John traversait la pièce, le visage empreint d'inquiétude. De toute façon, avec Nick, c'était toujours le drame. Des choses aussi simples que passer une journée sans ennuis ou des vacances sans soucis n'existaient pas. Et maintenant, comme d'habitude, tout mon être se tendait vers Nick.

— Il y a un motel, dit-il avec entrain.

— Où ça ?

— De l'autre côté de la route.

Il avait donc parcouru une grande distance le long de l'autoroute, pensai-je, le cœur battant à tout rompre.

— Comment s'appelle-t-il ?

Il me dit le nom, que je griffonnai sur un bout de papier.

— D'accord. Maintenant, écoute-moi. Je te parle sérieusement, Nick. Tu vas aller au motel. Louer une chambre. S'il le faut, appelle-moi et je leur donnerai le numéro de ma carte de crédit comme garantie. Assieds-toi dans la chambre et reste là. J'enverrai quelqu'un te chercher dès que possible, mais je t'en supplie, promets-moi que tu n'iras *nulle part*, sinon tu auras de graves ennuis.

De mon mieux, je dissimulais ma frayeur derrière un ton déterminé. Je ne voyais pas encore qui j'enverrais le récupérer.

— Je peux commander une pizza ?

Il jubilait. Ce projet lui convenait à merveille. Mieux qu'à moi !

— Oui, bien sûr. Commandes-en autant que tu veux. Je t'appellerai quand je saurai qui viendra. Et souviens-toi. *Reste sur place !*

— OK, maman. Je t'aime.

Il exultait carrément. Quel sale gosse ! Mais combien je l'aimais !

— Je t'aime aussi, Nick.

Mes projets avec les enfants tombaient à l'eau. Heureusement, ils étaient habitués. John se proposa de les emmener à une excursion organisée.

— Maman doit s'occuper de Nick.

Ces mots, j'avais conscience qu'ils les avaient entendus des centaines, des milliers de fois. Mais c'était la réalité de ma vie, de notre vie à tous. Il n'y a pas de solutions faciles. On ne peut pas faire plaisir à tout le monde. J'en ai toujours déçu certains en me consacrant à Nick. Mais ils avaient grandi avec ce poids et ils me comprenaient. Du moins, je l'espérais.

J'appelai Julie pour lui exposer la situation. Elle eut peur, bien sûr, mais c'était la fête des pères et elle ne pouvait quitter son mari et ses enfants. Ensuite, je téléphonai à Camilla, notre chère gouvernante, qui, Dieu merci, était restée à la maison, au lieu de nous accompagner en voyage. Je comprenais maintenant pourquoi. Dès qu'elle décrocha, je lui expliquai ce qui se passait. Elle me rappela cinq minutes plus tard après s'être renseignée. Si elle allait en voiture à l'aéroport, elle pouvait attraper un avion et avoir la correspondance. Elle serait près de Nick cinq heures plus tard, à condition que nous le persuadions de rester au motel aussi longtemps. Camilla promit de me rappeler à son arrivée. Cinq heures d'attente. L'enfer ! Ensuite, elle le conduirait chez Julie.

— Allez-y ! dis-je.

Elle quitta la maison, sans même songer à prendre une tenue de rechange ou sa brosse à dents, comme elle me le raconta plus tard.

Je rappelai Nick. Camilla était en route, lui dis-je, l'implorant une fois de plus de ne pas bouger de sa chambre. Il me jura qu'il attendrait. Il paraissait parfaitement satisfait. Il était en train de regarder la télévision, dit-il, et avait commandé une pizza pour le petit déjeuner. Formidable ! Quant à moi, j'avais perdu l'appétit, ma nervosité était à son paroxysme et j'allais devoir attendre cinq longues heures avant de connaître la suite de l'aventure. Je mis Julie au courant, qui en fut soulagée, puis j'appelai le camp. Pour voir ce qu'ils allaient inventer comme excuse. J'avais déjà interrogé mon répondeur et ils n'avaient pas laissé de message. Je leur avais laissé mes différents numéros de téléphone en Europe, mais ils n'avaient pas essayé de me joindre à Londres non plus.

Quelqu'un décrocha. Je demandai à parler à Nick. Il répondit qu'il était occupé.

— Vraiment ? Que fait-il ? demandai-je suavement.

— Du cheval, mentit mon correspondant.

— Oh, magnifique ! (Nick détestait les chevaux.) Et quand rentrera-t-il ?

— Bientôt, dit-il, l'air nerveux.

Ils mentaient. Personne ne m'avait prévenue que mon fils était parti.

Je rappelai dans l'après-midi (c'était le matin pour eux). J'eus un nouveau rapport de ses activités. Au troisième coup de fil, je réclamai la vérité. Ils prétendirent avoir essayé de me contacter chez moi et à mon hôtel, ce qui était un mensonge éhonté, et je ne me gênai pas pour le leur signifier. Lorsque je demandai s'ils savaient où il était, ils admirent que non. Et quand je voulus savoir s'ils avaient averti la police qu'un adolescent émotionnellement perturbé était porté disparu, ils répliquèrent que non, pas encore, mais qu'ils allaient le faire. J'étais hors de moi. Ils avaient mis mon fils en danger en ne lui donnant pas les médicaments qui l'aidaient à maintenir son équilibre. Ils n'avaient pas d'excuse. Qu'auraient-ils fait s'ils l'avaient vraiment perdu ? Dans son état ? Comment auraient-ils réagi s'il lui était arrivé malheur ? Je leur dis que je les rappellerais quand nous l'aurions retrouvé. Je ne leur dirais rien avant que Camilla soit là, de crainte qu'ils le ramènent au camp. Je ne leur faisais pas confiance.

Peu après, Camilla appela. Elle était au motel, avec lui. Elle avait repris la situation en main. Nicky semblait plutôt content. Il avait commandé des pizzas pour un montant de 480 dollars, ce qui confirmait mes craintes : il était en phase maniaque. Il avait également acheté un cigare et il était en train de le fumer quand Camilla était entrée dans sa chambre.

Mais ce n'était pas tout. Le reste de l'histoire était à l'image de Julie. Camilla avait pris le premier avion, puis le second, l'esprit préoccupé par Nick. C'était un petit appareil, mais elle n'avait pas fait attention aux autres passagers. Or, en s'apprêtant à sortir de l'avion, elle aperçut un visage familier derrière elle. Julie ! Fête des pères ou pas, celle-ci avait accouru. Elle avait pris un autre vol, avec la même correspondance que Camilla, mais aucune n'avait vu l'autre pendant l'embarquement.

Elles s'étaient rendues ensemble au motel. Nick, qui fumait son cigare, les avait accueillies avec un large sourire. Le reste était nettement moins drôle. Il leur confia qu'il se sentait complètement perdu. Pour la première fois, il pria Julie de le faire hospitaliser jusqu'à ce qu'il redevienne « normal ». Il avait arrêté les médicaments depuis trop longtemps et cela n'avait pas manqué : la période d'accalmie avait été suivie par l'horrible retour du mal. Il expliqua à Julie qu'il ne savait plus où il en était, qu'il craignait de retomber dans la confusion et qu'il avait peur. Par chance, Julie et Camilla étaient arrivées à temps. Leur présence le sécurisait. Il n'aurait pas pu tenir plus longtemps.

Je rappelai le camp, puis le médecin de Nick, qui donna son accord pour l'hospitalisation. Nouveau coup de fil à Julie. Elle proposa l'hôpital qui avait procédé aux examens cliniques quatre mois plus tôt. J'acquiesçai. Le Dr Seifried promit de prendre l'avion pour aller voir Nick. Mon dernier coup de fil au directeur de l'hôpital acheva de me rassurer. Il me promit de trouver un lit libre.

J'avais passé la journée au téléphone. Les enfants et John étaient rentrés de leur excursion, mais j'étais trop bouleversée pour leur parler. Mes pensées étaient tournées vers Nick, qui devait être à l'aéroport, avec Julie et la fidèle Camilla. J'éprouvais un affreux sentiment de culpabilité de ne pas être auprès de lui.

Deux heures plus tard, tous les trois montaient à bord d'un avion. Nous avions remporté la victoire. J'étais une loque humaine quand je posai enfin l'écouteur sur le combiné. Je souhaitais aller voir Nick dès notre retour aux Etats-Unis, avant même de rentrer à la maison. A présent, il était en sécurité. Julie logerait dans un hôtel près de l'hôpital. Dans une ou deux semaines, le Prozac agirait de nouveau, calmant l'agitation maniaque, puis atténuant la dépression qui suivrait immanquablement.

Lâchant le téléphone, je retrouvai mes autres enfants. Parfois, j'avais du mal à rire et à m'amuser avec eux. Je portais un lourd fardeau, ils le savaient. Même quand je leur cachais certains détails, ils ressentaient toujours ma tristesse. Ils savaient quand Nick n'allait pas bien. Surtout Sammie, qui avait douze ans à cette époque. La guerre entre Nick et elle était terminée depuis longtemps. Elle l'idolâtrait, et se montrait très protectrice à son égard. Dès qu'elle vit mon visage, elle demanda :

— C'est Nick, n'est-ce pas ?

J'en convins, après quoi je la rassurai, en lui annonçant qu'il était en route pour l'hôpital d'où il ressortirait bientôt, en meilleure forme. Mais je décelais l'inquiétude dans ses yeux.

Elle me reprocha de le faire hospitaliser pour le punir. Elle savait combien il détestait les hôpitaux. Aux yeux de Samantha, l'hôpital incarnait l'ultime trahison. J'essayai en vain de lui expliquer que c'était lui qui l'avait demandé. Victoria, qui avait onze ans, eut une réaction plus pragmatique. Alors que Samantha m'accusait d'enfermer Nick, Victoria regarda sa sœur en haussant les épaules.

— Allons, Sam, il est malade, tu le sais bien. Il a besoin d'être soigné.

La vérité sort de la bouche des enfants. Ils étaient tous au courant. Ils avaient grandi avec Nick. Ils l'acceptaient tel qu'il était, même quand il leur rendait la vie impossible. Je lui consacrais presque tout mon temps, mais cela ne les empêchait pas de l'aimer. Car ils l'aimaient. Et heureusement, il le savait.

# 12

## Un été long et difficile

La suite du voyage en Europe se déroula normalement. Les enfants en profitèrent bien, tout comme John. En revanche, je recevais des rapports alarmants de l'hôpital où Nick se trouvait. L'hospitalisation que nous avions crue brève semblait à présent se prolonger. Les médecins demandaient à le garder pour une période indéterminée, peut-être tout l'été. Et Nick n'en était que plus malheureux.

Je ne savais plus quoi penser. Au téléphone, il avait l'air bouleversé, tandis que ceux qui le soignaient m'assuraient qu'ils tentaient tout pour le remettre sur pied. Le directeur de l'hôpital, un homme avec qui j'avais de longues conversations téléphoniques et que j'appréciais, les thérapeutes et les conseillers semblaient sincèrement s'intéresser au cas de Nick. Malheureusement, une semaine plus tard, le directeur prit un mois de vacances, tandis que les thérapeutes paraissaient de plus en plus réservés et inquiets. Au fil des jours, Nick devenait de moins en moins coopératif. Un jour vint où il ne voulut plus coopérer du tout. Sa fureur n'avait d'égale que son agressivité et ceux qui le soignaient se remirent à nous chanter le refrain dont je ne connaissais que trop bien la musique. Enfant négligé, gâté, mère célèbre et indifférente. Formidable ! Cependant, ils ne niaient pas la gravité de son état qui, malgré les médicaments, empirait. Fallait-il imputer cette aggravation à son refus de l'hôpital ou à l'évolution de sa maladie ? Je l'ignorais. Le Dr Seifried, qui lui rendit visite comme promis, jugea que Nick n'était pas prêt à revenir à la maison. Mais, d'un autre côté, le milieu hospitalier ne semblait pas apporter de résultats.

De retour aux Etats-Unis, j'allai le voir avec John. Nick offrait l'image même de la désolation : pâle, fatigué, délirant, désespéré. Il voulait rentrer à la maison avec moi. J'aurais cédé s'il n'avait pas été aussi agité. Malgré mon ardent désir de le voir sortir, il devait d'abord se calmer. J'essayai inutilement de le lui expliquer, car il croyait que je voulais l'abandonner dans cet hôpital pour toujours.

Le problème avec Nick, c'est qu'il n'entrait dans aucune catégorie de patients. Trop intelligent, trop fin pour les adolescents de son âge, hospitalisés pour diverses raisons, il s'entendait mieux avec les adultes, mais leurs vies n'avaient rien en commun. Les autres évoquaient des relations brisées, des emplois perdus, des divergences avec leurs femmes et leurs enfants, expériences inconnues pour Nick. En fait, il n'avait rien à leur dire. On le réintégra dans les groupes d'adolescents, mais il était trop fort pour eux. De plus, il transgressait sans cesse le règlement. Incapable de le suivre, il ignorait royalement, par exemple, l'interdiction de fumer. C'est ainsi qu'il mit le feu au tapis de sa chambre et roussit un pan de mur en se livrant à un rituel extravagant et extrêmement dangereux pour allumer une cigarette. Heureusement, il ne fut pas blessé. Mais le personnel de l'hôpital en avait par-dessus la tête de ce pensionnaire indocile. Le Dr Seifried, qui essayait de changer son traitement médical, se heurta à un double obstacle : la lenteur de l'hôpital et le refus de Nicky.

Je l'exhortais à coopérer, à se calmer autant qu'il le pouvait, lui promettant de le ramener à la maison dès qu'il serait en mesure de voyager. J'étais sincère. Je n'avais pas l'intention de le laisser indéfiniment dans un hôpital, à moins d'avoir la preuve d'une nette amélioration, ce qui n'était pas le cas. Malgré les efforts déployés, rien, que ce soit la psychothérapie, la médication ou la persuasion, ne réussissait. Nick allait de mal en pis, ses raisonnements aberrants et son agitation augmentaient de jour en jour. Cela venait sans doute du fait qu'il avait cessé de prendre ses médicaments pendant deux semaines, ce qui avait provoqué de gros dégâts. Nous n'avions plus qu'à attendre qu'il retrouve son état normal.

Je lui dis au revoir, le cœur lourd, et pris l'avion avec John et les enfants. L'angoisse me rongeait. Je n'étais pas sûre que ce soit l'arrêt du Prozac pendant quinze jours qui avait provoqué une crise aussi violente. Je craignais plutôt que sa maladie ne le pousse inexorablement vers une issue fatale. Sur ce point, personne ne pouvait m'éclairer. Il fallait attendre et attendre encore, dans l'espoir d'une amélioration, mais je commençais à ne plus y croire.

De retour à la maison, je reçus des coups de fil de Nick plusieurs fois par jour. Je subissais sa violence. Il me détestait, disait-il, parce que je l'avais abandonné et trahi. Selon lui, je lui mentais. J'allais le laisser pour toujours à l'hôpital. Même Julie n'arrivait pas à le raisonner. Seules les visites de ma mère semblaient l'apaiser. Ma mère, qui parcourait de très longues distances pour aller le voir et qui, malgré les rigueurs du voyage, arrivait vêtue d'élégantes robes en soie égayées de colliers de perles, impeccable. Nick, les cheveux ébouriffés, jouait au Scrabble avec elle. Mais, à mesure que son séjour se prolongeait, son état se détériorait, rendant son retour à la maison de plus en plus hypothétique. C'était un cercle vicieux sans aucune échappatoire possible.

En lisant son journal correspondant à cette période, une fois de plus je me rends compte de la profondeur de son désespoir. J'en ai le cœur serré. Ces passages ont été écrits en juillet 1994. Il avait alors seize ans. Ils sont la preuve de terribles souffrances psychiques et d'un reste de lucidité qui lui permettait encore de s'exprimer par écrit.

### « La chambre de repos »

*En cage fermée à double tour, crache et glapit l'animal, rongeur submergé par la rage, la gueule tétanisée, écumante. Je me tape la tête contre les murs, dans le cercle au plafond blanc ; le matelas au milieu de la pièce*

185

nue et bizarre la fait paraître plus vide encore. A genoux, je hurle au secours aux murs denses et épais. Je prie le ciel vide que je ne peux pas voir et le Dieu vide qui n'y habite pas de soulager ma souffrance, de me remettre d'aplomb, de me guérir, de me sauver. Pas de réponse. Je suis assis au coin, les mains sur les yeux, afin de me couper de la réalité inodore, insipide, l'atroce réalité d'où je ne puis m'échapper. Seul, tête basse, pris au piège dans ma cage de bois et de plastique. Un seul rayon de lumière filtre à travers la vitre rectangulaire découpée au milieu de la porte et garnie de fil de fer, enlevant tout espoir d'évasion. Ils pensent que je pourrais me faire mal. Je regarde dans le miroir en plastique où je vois un garçon hagard. Ils me surveillent à travers le miroir, afin de s'assurer que je suis réduit à néant, que j'appelle au secours, que j'implore le salut qu'ils peuvent m'offrir ; mais je ne me casserai pas en morceaux. Ça ne s'arrêtera jamais, quoi qu'il arrive.

Mon équilibre mental a atteint son amère limite, tous mes sens sont infectés. Je ne sortirai jamais de cet enfer. Tout interpelle la santé de mon esprit. J'en perds le contrôle. Je ne peux pas me faire confiance. Si quelqu'un pouvait m'entendre, s'il pouvait m'inculquer un peu de bon sens, mais non, ils tournent en rond, et je finis par me parler à moi-même. Je suis défoncé par l'anxiété, angoissé à en perdre la tête, à ne plus pouvoir la cogner contre le mur. Isolé, furieux, elle entrave ma convalescence, empêche ma guérison.

La confusion me fait planer, me désespère. Mon univers est fait de désillusion et de pitié, il n'est que mirage, transparent, inexistant. J'ai tendu la main pour toucher mon âme, mais elle n'est plus là. Je l'ai perdue quelque part, je suis un petit garçon craintif et je ne sais pas dans quelle direction courir. Mes jambes de petit garçon ne me porteront pas plus loin. Je suis faible, moi qui ai toujours pensé posséder la force. J'ai les pieds en l'air, la tête en bas. La réalité me fait tournoyer. J'ai cru que je réussirais à me relever, mais ce n'était pas aussi simple et je me suis

186

*demandé... où est mon esprit ? J'ai cru savoir ce que c'est*
*qu'être un homme, mais maintenant je sais que je ne*
*comprends pas. Secrets, ramassis de poussière, tombés en*
*cendres au fin fond de ma tête, et maintenant les sque-*
*lettes reviennent à la vie dans mon placard.*

Dans cette partie de son journal il évoque ses amis, une
fille dont il est amoureux. Il dit qu'il est malade, dément,
et pour la première fois, beaucoup de passages sont irra-
tionnels, incohérents, très différents des autres. Pourtant,
certains sont vraiment brillants.

### « Sur un scooter »

*La confusion m'écartèle dans tous les sens. La colère*
*me jette ses tulipes en plein visage, le ciel refuse de s'ouvrir*
*au bien-être de mon ego. Comment vais-je le supporter ?*
*Comment mon corps tiendra-t-il pendant la course ? Je*
*me mords les lèvres, je déchire mon dessus-de-lit. Cours,*
*cours, cours, crachat des reins de notre père, empoisonne*
*le lait de la mère, fais pleurer les enfants en les infectant.*
*Mes yeux saignent, je frappe l'air fluide, je fouille ma*
*poitrine à coups d'ongles, cherchant à découvrir si mon*
*cœur bat toujours à l'intérieur, si jamais il y a encore un*
*cœur... Vous pensez que je suis fou ? On m'a poussé, tiré,*
*enfermé dans une cage avec une étiquette dessus. Je suis*
*complètement GIVRÉ et c'est cet endroit qui a fait de*
*moi ce que je suis devenu. Avant de venir ici, j'étais nor-*
*mal, puis ils m'ont arraché ma réalité, ils l'ont passée*
*au mixer, ils ont liquéfié mes facultés mentales. Ils en*
*transforment d'autres comme moi tous les jours, ils nous*
*pompent comme si c'était une usine. Et je crois que oui,*
*d'une certaine manière, c'est une usine.*

### « Besoin »

*J'en ai besoin. Il me la faut. Je veux sentir en paix mon*
*âme et le reste. Je ne veux plus que cette colère purulente*
*me ronge nuit et jour, ma rage creusant ma propre tombe...*

On est si seul quand on ne se connaît même pas soi-même. Je suis vide. Je suis faible. Je veux juste me remplir de bonheur et de bons sentiments. Plus de haine, plus ce mépris qui me dévore les entrailles depuis des années. Comment puis-je me guérir ? Comment trouver le moyen d'expulser hors de mon corps ce cancer ? Je veux la douce pluie qui me lave de la haine et du dégoût. Je veux me libérer de la rage et de la rancune. Comment trouver la paix ? Il me la faut. J'en ai besoin. Besoin. Besoin...

### « Putain de salaud »

Pourquoi dit-il ces choses ? Pourquoi ces blasphèmes franchissent-ils les lèvres d'un homme instruit ? J'ai un cœur, j'ai une âme, je peux aimer, j'aime. Je suis aimé. Il me donne l'impression que je suis un grand zéro, que je ne vaux rien, qu'on ne veut pas de moi, comme d'un débile dépourvu d'âme et de sentiments, mais ce n'est pas vrai ! Cinq minutes après m'avoir serré la main, il a estimé que je ne suis rien, que je n'arriverai à rien, que je ne suis que l'enveloppe fragile d'un être humain. Est-ce qu'il croit ces mots ? Est-ce qu'il pense vraiment que je suis comme ça ? Eh bien, moi, je ne le crois pas. Qu'il aille se faire foutre ! Il ne me connaît ni d'Eve ni d'Adam. Qui est-il pour se permettre d'émettre de tels jugements, d'infliger des remarques aussi cinglantes à quelqu'un qu'il ne connaît pas ? Il est au-dessus de moi et je ne peux pas lui dire qu'il se trompe, ou que je l'emmerde ! Je reste assis, opinant du chef d'un air idiot, confirmant ses suppositions cruelles. Quel empaffé ! Il ne me connaît pas et il n'en a rien à secouer. Je peux aimer. J'aime beaucoup de gens. Des gens qui se sentent aimés par moi. Je vaux quelque chose, je suis bon depuis des lustres. Personne ne m'a jamais fait croire que je suis aussi nul. C'est cruel, injuste et faux, aucune de ses accusations, de ses fausses vérités, rien n'est vrai. J'ai une âme, un cœur, et je sais les utiliser. A cause de lui, je me sens vil, inutile et pitoyable. Est-ce la raison pour laquelle je suis ici ? Pour me faire casser, m'entendre dire que je ne suis rien, que je ne serai jamais rien ? Oui, mais bien sûr ! Vas-y, fais-toi morigéner par un vrai « pro », qu'est-ce que tu veux faire ? Mais rien, on te l'a dit, puisque sa parole est peut-être la parole de Dieu. Qui va me croire ? S'il dit que je suis fichu pour la vie, eh merde ! je suis fichu pour la vie. C'est un PROFESSIONNEL. Un putain de salaud. Il ne le sait pas. Il s'assied à son bureau, il lit des rapports, puis il explique aux gens qu'ils ne valent pas un pet de lapin, il nous explique qu'on est de la merde. Peut-être que cela LUI fait du bien. Peut-être que c'est lui qui n'a pas de cœur, pas d'âme, et qui se fiche éperdument de vous faire mal. Mais moi, j'ai des sentiments, et ici, ça craint. Je risque d'en prendre plein la gueule.

### « Indécision »

Qu'est-ce qui se passe ? Où est-ce que je vais ? Je suis assis dans le silence de ma cellule. C'est si calme que ça fait mal. Mes tympans palpitent, douloureux ; ils guettent un son, le son doux d'une voix humaine. La colère jaillit à gros bouillons et reflue tout aussi vite. Le chaos seul me tient compagnie, la confusion et l'agitation me pourrissent le cerveau. Peu à peu, elles me rendent fou. Où se termine ce chemin ? Où me conduira-t-il ? Qu'est-ce qui se passe ? je n'en sais rien. Peut-être ne veux-je pas savoir, peut-être que la réponse est tout aussi diabolique que l'indécision, le gouffre noir d'ignorance où je flotte en ce moment même. Ce matin, j'ai regardé le lever de soleil. J'ai regardé le soleil darder ses rayons cicatrisants sur les oiseaux qui gazouillaient et sur les ramures qui frissonnaient dans la brise matinale. Un cerf m'apparut dans l'ombre du sous-bois, broutant l'herbe mouillée de rosée devant moi. Cette image, cette vision, m'a bouleversé d'une manière indescriptible. Une paix indicible m'a envahi, une paix qui pourrait guérir les plaies de mon âme. Mais elle n'en fit rien. J'ai encore mal.

## « Fatigue »

*Je suis fatigué d'être maintenu en bas, d'être tiré en arrière. Je suis comme un hamster qui fait des tours et des tours dans sa petite roue et qui n'arrive nulle part. J'en ai assez, je suis malade de lutter, de me battre, de donner des ruades en criant à chaque dernier tour. Ils ne s'arrêteront pas de me provoquer. Ils n'arrêteront pas d'atténuer mes souffrances avec de la liberté et de l'amour, rien que parce qu'ils veulent que je me batte encore. Ils aiment bien voir exploser ma colère ; ils savent que je ne gagnerai pas, que je ne serai jamais capable de les mettre en échec parce qu'ils sont les plus forts. Ils m'humilient, ils me cassent un peu plus à chaque tour, ils me blessent et me rendent furieux. Mais ils n'en ont que faire et je commence à devenir comme eux. Rien ne peut plus m'arrêter maintenant, parce que moi non plus je n'en ai que faire. Dans cet endroit je deviens cinglé, je suis à bout. Je ne peux plus le supporter. Ils me déshumanisent parce qu'ils adorent me mettre au supplice et qu'ils veulent me voir pleurer. Les salauds. Je les tuerais tous, si je pouvais. Qu'ils aillent se faire foutre. Je ne céderai jamais. Jamais.*

## « Enfin »

*La vérité a explosé en moi : reconnaître ce qui ne va pas, puis y aller, être le meilleur que je peux. Plus de mensonges, plus de sornettes. Plus d'échecs. Je vais sortir de ma prison ! Je me sens si léger, le fardeau de mes secrets ne m'opprime plus, dans ma tête, ma vérité répond à mes désirs. Sincèrement, je ferai de mon mieux. Je sais que je le peux. Et j'ai peur jusqu'aux os, mais la joie l'emporte sur tout le reste, sur moi-même, elle tient les rênes et je sais que je peux, oui je peux le faire. Il suffit que ce soit vrai, réel, et que je me conforme à mes promesses. J'ai toujours tout foiré sans me soucier des conséquences. Maintenant, je veux être honnête et bon, malgré les conséquences. Je le sens dans mon cœur. Je reviens. Peu m'importe qu'ils me traitent avec mépris, qu'ils*

190

soient fâchés contre moi, je m'en fiche. Je ferai tout pour moi, pour me sentir mieux, pour reconstruire ma propre image. RIEN NE PEUT M'ARRÊTER. A part mon ego et ma fourberie. Franchement, je n'ai plus que faire de ce que les gens disent ou pensent de moi. Mais je vais y aller. Mes rêves verront enfin le jour, et je sais ce qu'ils sont et qui je suis vraiment. Ce sera dur mais tant pis. Je suis prêt à franchir la ligne peinte avec mes mots, la ligne de la vérité et du bonheur, de la bonté, du respect de soi et de l'amour. Je le veux, je le veux de toutes mes forces, par tous mes pores. Chaque respiration que je prends est différente. J'ai été plus honnête les dernières cinq minutes que les derniers six mois ! Je suis là. J'ai atteint la première marche et je suis prêt à me mordre la lèvre, à fermer les paupières, et à monter l'escalier en courant. Je peux le faire ! ! !


« Arrête tes conneries »

C'est tellement bête. Un vrai désastre. J'ai pourtant essayé. J'ai vraiment essayé de devenir honnête, gentil, et j'ai été attaqué, agressé verbalement de toutes parts. J'essaie de me recomposer, de recouvrer mon courage et on me tire dessus de tous les côtés. On me remet dans la cage, on me crie dessus, on me traite de menteur, on prétend que je ne sais pas distinguer qui a raison et qui a tort. Tout ce que je voulais, c'était être honnête, et voilà où j'en suis. Qu'ils aillent tous se faire mettre ! Je n'obtiens que du chagrin. Etre puni n'est pas précisément l'idée que je me faisais de la récompense d'avoir accompli le premier pas. Je me sens si seul, j'ai le mal du pays. Qu'est-ce que c'est ? Ils m'ont rejeté, éloigné, et tout le monde s'en balance. Ils veulent me garder dans l'obscurité. Je leur crée moins d'ennuis dans le noir. C'est ça la justice, n'est-ce pas ? Cela ne vaut pas le coup, tous mes efforts sont vains. Je suis de nouveau cassé, dément, coupé du monde. Ma famille me manque, ma petite amie

191

*me manque. Ils pensent tous que je suis malade. Ils déblo-*
*quent à plein tube. Arrête tes conneries !*

A l'hôpital, ils m'avaient promis de tenter l'impossible
pour améliorer l'état de Nick, traitement, psychothérapie,
médicaments. Mais je le trouvais un peu plus déprimé
chaque fois que je l'avais au téléphone. Petit à petit, il
se replia sur lui-même jusqu'à arrêter complètement de
parler. Il n'arrivait pas à suivre leur règlement, eux ne
pouvaient rien pour lui ; il souhaitait ardemment rentrer
à la maison. A un moment donné, il cessa définitivement
de coopérer, alors ils le bourrèrent de Thorazine, avant
de le transférer dans la salle de repos où il passait le plus
clair de son temps à dormir.

Je m'en suis doutée car lorsque j'appelais l'hôpital,
invariablement on me répondait qu'il « faisait la sieste ».
Combien de « siestes » peut-on faire dans une journée ?
Parfois, je téléphonais quatre ou cinq fois par jour, et il
dormait toujours. De nouveau, je me suis sentie fautive.
Comme si je l'avais trahi. Nous l'avions forcé à subir un
traitement qui non seulement n'apportait aucun résultat
mais qui achevait de le détruire. (Ils n'avaient toujours
pas essayé les nouveaux médicaments prescrits par le
Dr Seifried.)

Tout le monde me conseillait de le laisser là où il était.
Mais, froidement, après une longue délibération, Julie, le
médecin de Nick et moi-même avons pris la décision de
le faire sortir de l'hôpital. Le Dr Seifried était d'accord.
Il était inutile de prolonger une situation qui, au lieu de
l'aider, ne faisait qu'aggraver son état. Il était grand
temps de le ramener à la maison, sans plus tenir compte
de sa condition. A mon avis, il ne pouvait rester en milieu
hospitalier, assommé de tranquillisants, loin de sa famille.
Il serait mieux à la maison. Nous allions prendre soin de
lui. Je l'ai rappelé l'après-midi même et j'ai insisté jusqu'à
ce qu'on le réveille. Il avait l'air groggy mais n'a eu
aucune peine à comprendre mes paroles.

— Tu reviens chez nous, mon chéri.

Il y avait des larmes dans ma voix.

— Vraiment ? (J'ai cru le voir sourire.) Quand ?

— Demain.

Nick laissa échapper un cri de joie. Il paraissait plus normal que toutes ces dernières semaines. Il était entré à l'hôpital trente-neuf jours plus tôt. Des jours gâchés, passés pour la plupart dans la salle de repos, car on ne savait pas quoi faire de lui. Un bel oiseau blessé en cage. Et j'espérais que ses ailes brisées pourraient encore se déployer et qu'il pourrait s'envoler de nouveau. Il avait vécu d'horribles semaines. Pauvre Nicky.

Avant de partir, il écopa d'une punition supplémentaire. Le matin de son départ, il alluma une cigarette. Cette fois-ci il avait réussi à ne pas mettre le feu au tapis ni au mur. Il ne causa aucun dégât, mais il avait transgressé les règles. Ils appelèrent Julie à l'hôtel, pour l'informer qu'il ne sortirait pas avant le lendemain. Il allait devoir passer un jour de plus dans la salle de repos. C'était peut-être le règlement, mais nous, nous avions hâte de le ramener à la maison.

Julie m'appela, hors d'elle. Je téléphonai à l'hôpital et exigeai que mon fils soit prêt à partir une heure plus tard. Au début, ils tergiversèrent, mais ils m'avaient parfaitement comprise. Rien, et eux encore moins, n'allait nous arrêter. Ils n'avaient rien fait pour lui, à part l'enfermer comme une voiture dans un garage. Nous en avions assez. Et maintenant, mon fils allait rentrer, coûte que coûte.

Ils le conduisirent tout de même à la salle de repos en attendant Julie. Ils se firent un point d'honneur d'être obéis jusqu'à la dernière minute, mais Nick s'en fichait désormais. Il savait que les secours allaient arriver. Le cauchemar était terminé.

### « Je me suis encore planté »

*Eh bien, des erreurs de dernière heure. Du moins, je rentre chez moi. J'en tremble d'excitation. Je brûle de me trouver à bord de cet avion. C'est dommage d'être ici, dans la chambre de repos, jusqu'à mon départ. Je déteste cet endroit, j'ai hâte de partir. Sans regrets. Je veux sortir. Ils sont tous si occupés à me répéter que je vais échouer, que je ne suis bon à rien, que ma rechute a déjà commencé. Qu'ils aillent se faire voir. Je me connais mieux qu'eux et je sais que j'y arriverai. Si seulement ils me témoignaient un peu plus de confiance… J'ai fumé dans les toilettes parce que j'avais envie d'une cigarette, pas parce que, inconsciemment, je désirais rester ici ou parce que je suis un enfoiré de pyromane. J'ai besoin de rentrer à la maison. J'ai besoin de normalité. J'ai besoin d'équilibre. J'ai besoin de récupérer ma vie.*

C'était exactement ce que nous voulions également. Notre plus grand espoir.

# 13

## Une nouvelle maison pour Nicky

Dès sa sortie de l'hôpital, le 29 juillet, Nick vint avec nous à Napa Valley où, pour une fois, il parut parfaitement heureux. Après cinq semaines et demie d'hôpital, même Napa prenait des allures de paradis. Il paraissait toujours irritable et anxieux, moins en forme que lorsqu'il était parti, mais beaucoup mieux que durant la pénible expérience dont il venait de sortir. Il était encore secoué, me semblait-il, et passablement tourmenté.

Il joua quatre ou cinq fois avec son groupe, après quoi il commença à s'ennuyer. Nous l'envoyâmes chez Julie pour quelques jours. Mais peu après son arrivée là-bas, mon amie m'appela, en proie à la panique. Il avait trompé sa vigilance et s'était volatilisé dans la nature. C'était sa première vraie fugue, exception faite de la fois où, ne voulant pas troquer ses tennis contre des chaussures correctes, il était allé s'asseoir dans le square d'en face en dégustant des beignets et en se moquant de nous. Mais cette fois-ci, il était plus âgé et beaucoup plus malade. Son déséquilibre évident rendait sa disparition plus préoccupante. De plus, il n'avait pas emporté ses médicaments et nous savions que les troubles ne tarderaient pas à se manifester.

En m'efforçant de combattre ma propre inquiétude, j'appelai un lieutenant de police que je connaissais, tandis que Julie téléphonait à tous les amis de Nick, essayant de deviner où il avait bien pu aller. Même quand il était parti du camp, il m'avait tenue au courant de son départ. Cette fois-ci, son silence rendait plus effrayante encore son absence.

Il avait quitté le service hospitalier depuis exactement

deux semaines et demie. Visiblement, son état confusionnel ne s'était pas arrangé ; il se comportait toujours bizarrement. En quelques heures, Julie devina où il se trouvait : chez la jeune fille qu'il fréquentait avant son hospitalisation. Nous envoyâmes deux policiers. Les parents feignirent de ne pas avoir vu Nick. Je dus les appeler pour leur expliquer la situation. Il n'y avait pas d'autre moyen d'agir qu'en dévoilant qu'il était malade. Deux minutes après, ils laissèrent entrer les policiers. Nick était là.

Nouveau coup de fil au psychiatre de Nick. Longue discussion une fois de plus. Que faire ? A l'évidence, mon fils était à la dérive. Le psychiatre suggéra de le placer dans un petit hôpital d'East Bay où il envoyait de temps à autre ses propres patients. Ce n'était pas un palace mais un établissement confortable, qui garantissait la sécurité des malades. Son médecin irait le voir tous les jours. Mon cœur saignait à l'idée de l'interner à nouveau mais sa fugue m'avait fait réfléchir. Le problème allait en s'aggravant. S'il prenait l'habitude de disparaître sans ses médicaments, il se mettrait inutilement en danger. Il fallait le protéger contre lui-même.

Nous allâmes le chercher à San Francisco avec John, puis le conduisîmes tranquillement à East Bay. Il ne demanda pas où nous l'emmenions. Il avait trop peur. Il appelait ses amis sur le téléphone de la voiture, s'efforçant d'avoir l'air détendu. Julie ainsi que le psychiatre de Nick nous retrouvèrent à l'hôpital. C'était un petit bâtiment propre, bien tenu, qui ressemblait à un hôtel. Nick ne disait rien, ne posait aucune question, ne cherchait pas à argumenter. Il ne nous a même pas demandé combien de temps il allait rester. J'ai pleuré en remplissant les formulaires. Je suis montée dans sa chambre pour lui dire au revoir. Il ne m'a pas regardée. Il a détourné la tête, d'un air résigné. J'ai ravalé mes larmes. Comment en étions-nous arrivés là ? Tout ce que nous avions entrepris s'était soldé par des échecs, les médicaments n'étaient pas assez efficaces et à part l'interner dans un service psychiatrique, nous n'avions pas beaucoup de choix. Surtout s'il commençait à faire des fugues.

Cet hôpital avait néanmoins un aspect rassurant. Les couloirs, les chambres brillaient de propreté, le personnel s'adressait aux malades avec respect. Il avait une chambre assez spacieuse, confortable, et il pourrait aller nager dans la piscine. Je me disais qu'il serait en sécurité. Que les infirmières et les médecins, tous d'une grande gentillesse, prendraient bien soin de lui.

Sur le chemin de Napa, j'avais le cœur lourd. Je n'arrivais plus à croire qu'un jour il irait à nouveau bien. Et, en effet, alors que l'été touchait à sa fin, l'état de Nick empira. Je lui rendais visite deux à trois fois par semaine. Je mettais deux heures et demie en voiture pour aller de Napa Valley à East Bay, et autant pour le retour. Je lui apportais une pizza ou des côtelettes et nous nous asseyions ensemble dans une pièce verrouillée. Il m'accueillait toujours avec une fureur inouïe. Il me criait dessus, jetait des chaises contre le mur — jamais contre moi dans le but de me blesser —, mais chaque fois qu'il me voyait, il devenait enragé. Il ne maîtrisait plus son esprit, perdait contact avec la réalité, tout espoir l'avait déserté. J'avais peine à imaginer son avenir.

Pendant deux heures, je subissais ses insultes, m'entendais dire combien il me détestait, puis je reprenais le chemin de Napa. L'aller-retour plus la visite duraient une journée entière. Comme d'habitude, Nick m'éloignait de mes autres enfants et, cet été-là, le fardeau pesa lourdement sur toute la famille. A force de m'inquiéter pour lui, je me traînais lamentablement, épuisée, découragée. Je ne vois pas comment j'aurais pu me montrer tant soit peu optimiste. Rétrospectivement, en me remémorant toutes ces années, je crois que la fin de cet été-là, quand il avait seize ans, fut le pire moment de tous. Ses dérèglements psychiques atteignirent leur paroxysme. Je le voyais rager, me maudire, je subissais ses menaces et ses accusations, et je pensais que plus jamais il ne mènerait une vie normale. C'était inconcevable. Je craignais que l'hôpital soit la seule et unique solution. Une sorte d'hospitalisation à vie... Pendant longtemps, il n'y eut plus la moindre lueur d'espoir.

Les allers-retours à East Bay me semblaient interminables : John et moi souffrions de la situation. Le découragement, le manque d'espoir, le sentiment d'impuissance avaient eu raison de notre entente. Comme la plupart des couples qui ont à affronter de tels problèmes, nous nous blâmions nous-mêmes ou l'un l'autre. J'étais constamment impliquée dans la maladie de Nick en étant au téléphone avec l'hôpital, avec Julie ou les médecins, ou en allant le voir, ce qui ne me laissait pratiquement pas le temps de m'occuper de mes autres enfants, et ne lui apportait pas pour autant de résultats positifs. Peut-être John m'en voulut-il d'être si souvent absente et si prise par Nick. En tout cas je le suppose, car il n'en parlait pas. Mais nous n'étions pas heureux. Nous avions vécu les dernières années dans une constante inquiétude : à propos des journaux à scandale, des biographies non autorisées, de la maladie de Nick, sans oublier le stress ordinaire, inhérent à tous les couples. Pour couronner le tout, l'animateur d'une radio locale consacra son émission à me démolir. Bien sûr, ce n'était qu'une goutte d'eau à ajouter au lot quotidien de mes chagrins.

Début septembre, les enfants retournèrent à l'école et je continuai à aller voir Nick. A la fin du mois, enfin, son état s'améliora, tandis que son agressivité diminuait.

Il faisait ses devoirs d'école à l'hôpital pour rattraper son retard. Pourtant, malgré le Prozac et sa mine un peu plus réjouie, sa fragilité ne faisait aucun doute. Après six semaines d'hôpital, le 1er octobre, il rentra à la maison. A l'exception des deux semaines en août, entre ses deux hospitalisations, il avait été interné pendant trois mois et demi, ce qui est long. Il n'était plus le même. Durant ces derniers mois, son état s'était dégradé. S'occuper de lui équivalait à un travail à plein temps. Toujours irritable, coléreux, anxieux, distrait, il se fâchait pour un rien, surtout contre moi. De nouveau, notre vie se transforma en enfer. Non seulement pour John et moi. Les enfants en pâtirent également et Nicky lui-même en souffrit. Ses troubles s'étaient accentués et je réalisai que si cela continuait ainsi, je sacrifierais à Nick mes autres enfants. Il n'y avait plus moyen de passer une nuit calme, une heure sans conflits, un dîner détendu, ou même cinq minutes tranquilles, avec Nick à proximité. Ses troubles de l'humeur se manifestaient de manière de plus en plus bruyante.

J'en parlai avec son docteur, naturellement. Julie, qui ne nous quittait plus, finit au bout d'un mois par me faire une proposition, qui me sembla un crime et qui allait transformer nos vies, la nôtre, la sienne, celle de sa famille et, bien sûr, celle de Nick. Au début, je refusai. Je ne voulais même pas y songer. Elle proposait d'emmener Nick vivre chez elle, dans sa famille, ce qui, je le savais, constituerait pour elle un immense sacrifice et pour moi une perte effroyable.

Julie avait deux enfants. Serena, qui avait huit ans à l'époque, et un petit garçon, Chris, qui en avait quatre. Elle en avait discuté avec Bill, son mari, qui avait accepté d'essayer. Je ne sais pas s'ils se rendaient compte, s'ils comprenaient ce que cela impliquait. Mais si Nick s'installait chez eux, ils n'auraient plus une minute de paix, plus une minute d'intimité ou de tranquillité. Leur maison était plus petite que la mienne, ce qui signifiait qu'ils l'auraient sans cesse sur le dos. Déjà, chez moi, Nick semblait occuper et remplir chaque parcelle d'espace. Il allait leur rendre la vie impossible, je le savais. En se mettant à table, mes propres enfants s'asseyaient avec une expression d'angoisse sur le visage, sachant que le dîner allait être l'occasion pour leur frère de provoquer un drame.

Par ailleurs, quelles que fussent les bonnes intentions de Julie et de son mari, j'avais scrupule à me séparer de mon enfant. Sa maison était ici, nous étions sa famille, j'étais sa mère, il était donc de mon devoir de m'occuper de lui, de le protéger, jusqu'à la fin de mes jours. Le déplacer une fois de plus revêtirait à mes yeux l'aspect d'une cuisante défaite. Une de plus. Pourtant, je m'obligeais à reconsidérer la question, ne serait-ce que pour le bien de mes autres enfants. Si l'état de Nick empirait — et même s'il restait tel qu'il était —, je n'aurais plus jamais une minute à leur consacrer. J'étais trop accaparée par Nick, à m'en occuper, à l'empêcher de n'en faire qu'à sa tête, à essayer de le raisonner, à me mettre en quatre pour sa sécurité. Il était invivable. Comme il ne dormait jamais, il débarquait dans notre chambre en pleine nuit, se mettait à arpenter inlassablement la pièce à la recherche de sujets de dispute. Concerts, projets, ses cheveux, ses amis, son chien, sa nourriture, sa chambre... il discutait des heures durant de tout ce qui lui passait par la tête. Quand il ne m'agressait pas verbalement dans un accès maniaque, ayant sombré dans une mélancolie suicidaire, il s'enfermait dans sa chambre. J'étais terrifiée à la pensée qu'il attente à ses jours. La situation était inextricable. Je ne pouvais pas l'aider et je me rendais compte que je devais éviter à mes autres enfants ce nouveau calvaire. Je ne pouvais pas les lui sacrifier. Jusqu'alors, j'avais été persuadée que j'aurais la force de le maîtriser, de le stabiliser, faute de le guérir. Mais, malgré lui, il devenait de plus en plus irrationnel et destructeur. Et j'avais beau essayer, je n'y pouvais rien. Je savais qu'en la présence de Nick les autres enfants perdraient toujours, et que cela durerait tant qu'il serait là. Mon cœur se déchire encore quand je repense au choix devant lequel je me suis alors trouvée : c'était eux ou lui. Je n'avais nulle intention de l'abandonner ou de renoncer à lui, mais vivre sous le même toit que Nick était devenu un cauchemar dont aucun de nous ne pouvait sortir. Les enfants payaient un lourd tribut, mon mariage battait de l'aile. Concernant Nick, John avait baissé les bras, ce que je comprenais parfaitement.

Je pris donc la décision, dans les affres d'une angoisse sans nom. Persuadée que je l'abandonnais une fois de plus, je pleurais tous les soirs dans mon lit, quand enfin il sortait de ma chambre à des heures impossibles. Au fond, je ne voulais pas qu'il s'en aille. Je voulais être à tout instant près de lui. Je me l'étais promis dès que mon regard s'était posé sur lui, le jour de sa naissance. Le confier maintenant à quelqu'un d'autre, particulièrement dans ces conditions si tristes, ressemblait à une ultime trahison.

J'en parlai à ma thérapeute, à son psychiatre. Tout le monde s'accorda à trouver la solution idéale, pour lui sinon pour moi. Notre maison était trop grande, pleine d'enfants, et même avec deux aides le suivant partout, les turbulences d'une famille nombreuse semblaient l'angoisser au lieu de l'apaiser. Après tout, rien ne nous empêchait d'essayer et d'aviser ensuite. A mes yeux, le jour où il emménagea chez Julie fut un jour de trahison. Il avait l'air d'avoir deux ans, pas seize, et d'une certaine façon c'était vrai. Il était toujours mon bébé.

Avoir envoyé Nick vivre ailleurs est l'un de mes regrets. Bien que l'expérience ait marché et qu'il ait été heureux là-bas, la culpabilité m'a torturée des années durant. Je lui en ai reparlé cinq mois avant sa mort. Les larmes aux yeux, je lui ai demandé pardon, mais il m'a prise dans ses bras et m'a répondu que j'avais eu une excellente idée, qu'il avait été très heureux chez Julie et Bill Campbell et qu'il m'aimait beaucoup. Je crois qu'il était sincère. Cela m'a apaisée de lui en avoir parlé. Sachant qu'il ne m'en voulait pas, j'ai été libérée d'un grand poids. Il avait surnommé cette méthode « le partage des soins maternels » et témoignait une affection sans bornes aux Campbell. C'est grâce à eux qu'il eut une vie aussi adaptée que possible et qu'il échappa aux institutions. Et c'est encore grâce à eux que mes autres enfants ont pu s'épanouir, délivrés de la tension que leur imposait, jour après jour, la maladie de leur frère.

L'immense capacité de Julie à donner de l'amour, sa générosité, sa largeur d'esprit contribuèrent à rendre cette solution viable. D'une rectitude morale absolue, elle m'a toujours respectée. Elle n'a jamais essayé d'usurper ma place, de jouer mon rôle auprès de lui. Je fus la mère de Nick du début à la fin et nous avons développé une profonde amitié, une estime réciproque, qui nous permettent aujourd'hui encore de nous soutenir mutuellement. Il s'agissait vraiment du « partage des soins maternels », selon l'expression de Nick. Il disait que nous devrions écrire un livre et peut-être celui-ci répond-il à son souhait. Parfois, nous éclations de rire en voyant qu'il lui fallait deux femmes pour le materner. Lorsqu'il était avec moi, je téléphonais à Julie et, épuisée, je lui racontais tout ce qu'il me faisait endurer. Bien sûr, elle me calmait. Et quand il était avec elle, elle m'appelait cinq fois par jour, complètement hystérique, en affirmant qu'il allait la rendre folle. Mais, d'une certaine manière, nous avions trouvé le parfait équilibre, aussi bien pour lui que pour nous. C'était un tour de passe-passe qui exigeait une extraordinaire endurance. A deux, on s'en sortait mieux. Les décisions étaient prises ensemble. Nous pouvions le diriger et quand, par hasard, Julie et moi étions en désaccord, chose rarissime, nous trouvions toujours un compromis. Nous apprîmes ainsi un tas de choses sur l'art d'être mère. Elle me montra de nouvelles façons de voir et je lui en transmis de plus traditionnelles. Cela la rendit parfois conservatrice, alors qu'à son contact mon esprit s'ouvrit et que je réussis à accorder à Nick plus d'indépendance, plus de liberté.

Au début, nous nous le partageâmes. Il passait quelques nuits à la maison, et le reste du temps chez Julie. A la fin, il élut domicile chez elle. En vérité, notre maison, trop bruyante, trop pleine d'enfants et d'animation, de chiens, de va-et-vient, l'énervait et le déstabilisait. Il se sentait plus heureux, plus calme avec les Campbell. Mais il venait fréquemment, dans la journée, le soir pour dîner, et pour se promener dans le jardin avec ses frères et sœurs. Il passait également les jours fériés et les fêtes de Noël avec nous.

Si j'avais su, j'aurais moins pleuré le jour de son départ. Dans son malheur, il eut la chance d'avoir deux femmes dévouées, qui le dorlotèrent et l'aimèrent profondément.

« Le partage des soins maternels », inventé pour lui, fonctionna parfaitement pendant trois ans. Ce fut une solution idéale. Surtout pour Nick. Je crois qu'il fut vraiment heureux pendant cette période.

Julie résume exactement ce que, moi aussi, je ressens à son égard :

« *J'ai envie de partager certains de mes sentiments et de mes pensées pour Nick et Danielle. Tout d'abord, je voudrais que ce soit clair : je n'aurais jamais réussi à m'entendre avec Nick sans le constant et complet soutien de Danielle. Danielle est quelqu'un d'étonnant. Elle m'a beaucoup appris sur la façon d'être une bonne mère en agissant toujours pour le mieux. Sans céder à la facilité. Avant que Nick ne vienne vivre chez moi, un tas de gens lui avaient conseillé de l'envoyer dans une institution spécialisée. Il a été renvoyé de toutes les écoles que nous lui avons trouvées. Tous les contrats que nous avons essayé d'établir à la maison se sont révélés inopérants, tandis que son état empirait. Danielle a tenté l'impossible pour l'aider, sans résultat. Il aurait été plus facile pour elle de le placer dans une institution pour malades mentaux. Au lieu de cela, elle lui a permis d'emménager chez moi. Danielle n'a jamais baissé les bras. Et même pendant que Nick vivait dans ma maison, elle s'impliquait complètement dans toutes les décisions le concernant. Je ne me rappelle pas une seule fois où je n'ai pu compter sur elle. Quand Nick voulait quelque chose, et que je le lui refusais, il me suivait d'une pièce à l'autre en argumentant pendant des heures. Environ toutes les deux heures, je craquais et j'appelais Danielle. Je pestais contre Nick en déclarant qu'il finirait par me rendre folle. Elle prenait alors le relais et discutait avec lui pendant les heures suivantes. Entre-temps, je reprenais mon calme et la relayais. Quand je pense à tout ce que nous avons enduré avec Nick, je m'étonne que nous ayons pu faire face. Probablement parce que nous nous soutenions l'une l'autre. Si l'une avait une idée le concernant, l'autre*

203

étayait ses arguments, en dépit de ses véritables sentiments. Nous présentions ensuite la chose à Nick comme le résultat d'un projet commun. Ainsi, il ne pouvait pas diviser pour régner. Nick possédait une incroyable force de persuasion. La plupart des gens lui cédaient. Il était capable de vous convaincre de n'importe quoi. Il inventait des histoires incroyables pour justifier ses actes et le plus surprenant, c'était que les gens marchaient à fond dans ses combines. Chaque fois que je voyais venir quelqu'un, je me demandais ce qu'il avait bien pu lui raconter à mon sujet. Un jour, lors d'une de ses hospitalisations, il réussit à faire croire au personnel que nous l'avions mis là parce que je m'étais fracturé la mâchoire et que j'étais grognon. Qu'il vienne d'être renvoyé de son école n'avait absolument rien à voir. Une autre fois, il convainquit son groupe de thérapie et le thérapeute que sa maman avait eu une migraine et l'avait obligé à se faire couper les cheveux, qu'il portait longs. Le fait qu'il avait été ramené à l'hôtel par le vigile, en pleine nuit, parce qu'il avait volé, conduit et endommagé une voiture de golf était passé sous silence. Inutile de préciser que vivre avec Nick, à cette époque, était un défi de tous les instants.

J'ignore ce qui a amené Danielle et Nick dans mon bureau ce jour-là. Je crois au destin. Et je pense que nous étions destinés à nous rencontrer afin que nous puissions nous apporter quelque chose les uns aux autres, je crois également que l'on est récompensé de tout ce qu'on donne aux autres. J'ai éprouvé une immense tendresse pour Nicholas, et j'ai beaucoup admiré sa façon de se battre, jour après jour, pour être heureux. Nous procédions comme dans un jeu de construction avec des cubes. Nous mettions en place un cube à la fois ; de temps à autre il en laissait tomber trois, après quoi, ayant été surpris par sa propre fragilité, il en remettait six d'un seul coup. Nous avons appris à considérer Nick comme quelqu'un de normal et pas comme quelqu'un souffrant de troubles *du comportement. Je crois qu'à partir de ce moment, il a eu une meilleure image de lui-même.*

*Un jour, il fit une bêtise et fut interdit de sortie. Or, il désirait ardemment assister à un concert. Il reproduisait le même schéma depuis un an. Chaque fois qu'il avait vraiment envie de quelque chose, il se débrouillait pour qu'on le lui interdise. Cela alimentait son sentiment de persécution et il pouvait en toute quiétude continuer de détester la terre entière et s'apitoyer sur son sort. Mais ce jour-là, nous décidâmes de sacrifier à son souhait d'aller au concert plutôt qu'à sa paranoïa. Je lui déclarai qu'il pouvait sortir. Il voulut savoir pourquoi. Je lui répondis que c'était parce que nous savions combien il y tenait et que cela comptait davantage qu'une punition. Dès lors, les choses commencèrent tout doucement à changer. Nick disait qu'il avait du mal à contrôler son impulsivité, au lieu de mettre un terme à la discussion avec son habituel « je m'en balance ». J'ai alors commencé à le soumettre à de petits exercices. Par exemple, chaque fois qu'il avait des ennuis, il appelait sa mère. Il commençait par s'excuser, par la supplier de lui pardonner, par se mortifier, puis il passait immanquablement aux injures et aux malédictions... Je lui proposai d'appeler sa mère en mettant le haut-parleur, de manière que je puisse écouter la conversation et écrire ce qu'il devait dire. Le plus surprenant, c'est qu'il répéta exactement ce que j'avais noté. Je me suis alors aperçue que Nick souhaitait profondément dire et faire ce qu'il fallait, mais ne savait pas comment. Il se sentait incapable d'affronter le monde extérieur. Son impulsivité, très puissante, l'entraînait malgré lui à des paroles et des attitudes mesquines. Ensuite, bien sûr, il était mal. Et comme il était incapable de ressentir et d'expliquer sa propre peine, il préférait rejeter la faute sur les autres sans jamais se remettre en question. Et il était très doué pour trouver de bonnes excuses, et se justifier. Par chance, Dieu m'avait dotée d'un cerveau aussi rusé, aussi rapide que le sien. Nous débattions la plus simple des questions pendant des heures. Je ne sais plus exacte-*

ment quand, mais à un moment donné, il s'est mis à écouter et à apprendre. J'écoutais et j'apprenais. Et Danielle écoutait et apprenait. Nous avons commencé à nous retrouver, puis à nous aider les uns les autres. Nick m'a appris l'orthographe et la grammaire. Danielle a enseigné à Nick comment aimer, comment faire la différence entre un ami et un ennemi. J'ai aidé Nick à réfléchir plus avec son cœur qu'avec sa tête. Nick a expliqué à sa mère que, parfois, il n'y avait pas de réponses à certaines questions. Si c'était à refaire, je recommencerais sans hésiter et probablement de la même manière. Danielle et Nick m'ont donné plus qu'ils n'ont pris. Le jour où Nick est mort et pendant les mois qui suivirent, je ne sus pas comment j'allais continuer à vivre. J'étais totalement paralysée de l'avoir perdu. Je ne voulais pas y croire. Lentement, j'ai réalisé qu'aimer et faire confiance d'une manière aussi absolue, être aimé et jouir d'une confiance tout aussi entière était un cadeau que peu d'entre nous reçoivent durant leur vie. Le chagrin est passager, l'amour est éternel. Je t'aime, Danielle. Merci d'avoir partagé avec moi ton fils, ton amour inconditionnel, et de m'avoir surtout appris le véritable sens de l'intégrité. »

# 14

## Miracle

Pendant que je faisais le tour des psychiatres à la recherche de nouvelles solutions pour Nick, que je parcourais des centaines de kilomètres pour lui rendre visite à l'hôpital, que Julie apprenait à vivre avec lui, à choisir ses aides-soignants, à s'occuper de lui, John nous procura de son côté d'importantes informations. En tant que mère, je vis dans le concret. J'achète des chaussures aux enfants, je les emmène chez le dentiste ou le pédiatre, les conduis à leur cours de danse, leur prépare des sandwiches au beurre de cacahuète et leur offre de nouveaux jouets quand les anciens sont cassés. Je suis toujours à leur disposition pour faire face aux côtés pratiques de leur existence.

La force de John est tout autre. Il poursuit une idée jusqu'à ce qu'elle devienne réalité, épluche des articles, découvre de nouveaux médicaments, des traitements susceptibles d'atténuer les souffrances les plus atroces. Il est à l'affût de toutes les nouveautés en matière médicale, étudie, cherche, et revient, la tête pleine d'idées d'avant-garde. Comme tous les gens qui vivent ensemble, j'ai longtemps ignoré son talent. Il est difficile de s'intéresser à un nouveau traitement de lutte contre la malaria quand personne de votre entourage n'en souffre et que vous n'arrivez pas à mettre la main sur la deuxième chaussure de Zara.

Or, John est un maître dans son domaine. Quelques mois avant la mort de Nick, il alla voir un pharmacologue réputé à Stanford. C'est ainsi qu'il découvrit que Nick était à la merci de graves effets secondaires avec les deux médicaments qu'il prenait, si une troisième molécule y était associée, et que de nouveaux médicaments venaient d'être mis sur le marché. Malheureusement, nous n'eûmes pas le temps de les essayer.

Peu après l'emménagement de Nick chez Julie, nous entendîmes parler d'un docteur au centre médical d'UCLA, grand spécialiste de la psychose maniaco-dépressive et des troubles de l'attention. Le Dr Seifried nous encouragea vivement à le contacter. Je crois que le médecin en question souffrait lui-même de troubles de l'attention, mais c'était une sommité dans son domaine. Si Nick n'était pas allé à UCLA, je pense que sa vie se serait terminée tout aussi tragiquement, mais beaucoup plus tôt.

Ils nous renvoyèrent un questionnaire d'une centaine de pages. C'est moi qui le remplis car j'étais celle qui possédait le plus d'informations. Il y avait un tas de questions concernant ma grossesse, l'accouchement, les premières années de Nick. Pour le reste, je me référai à son dossier médical, aussi épais que l'annuaire téléphonique de New York. Le questionnaire dûment rempli, accompagnée de John et Julie, je me rendis à Los Angeles avec Nick. Le clinicien ne perdit pas de temps. Après avoir parcouru le questionnaire, discuté avec nous et parlé à Nick, il lui prescrivit du lithium. Selon lui, Nick était maniaco-dépressif. C'était le premier diagnostic absolument clair de sa maladie. Il ajouta que si le lithium était inapproprié, il n'y aurait plus rien à faire. Mais que si le médicament agissait, un véritable miracle se produirait en trois ou quatre semaines. Il fallait régulièrement procéder à des prises de sang afin de déterminer les taux de lithium et estimer les dosages. Des effets secondaires, entre autres des lésions rénales, étaient à craindre, et il fallait espérer que Nick tolérerait le traitement. Encore une fois, nous n'avions pas le choix. C'était ses reins ou sa vie.

Nous choisîmes le lithium. Si le traitement marchait, sa qualité de vie s'en trouverait transformée. Je préférais risquer ses reins... Ceux-ci ne lui serviraient pas à grand-chose s'il se suicidait ou s'il finissait dans un asile, deux éventualités que je souhaitais éviter à tout prix.

Il commença à prendre le lithium en novembre, un an après sa première médication, en association avec le Prozac, combinaison idéale d'après le clinicien de Los Angeles. Le Dr Seifried était d'accord sur tout : le lithium et, bien sûr, le diagnostic. A cette époque, les troubles dont souffrait Nick avaient cessé d'être atypiques pour s'orienter résolument vers la psychose maniaco-dépressive.

Le lithium permit à Nick de se sentir et de se croire normal. Mais la perspective de suivre un traitement à vie et, donc, de se reconnaître comme malade fut certainement pour lui quelque chose de traumatisant. Le soir de notre retour d'UCLA, l'ordonnance à la main, il monta tranquillement dans sa chambre, puis annonça qu'il allait sauter du haut du toit. Heureusement, nous réussîmes à le calmer assez vite. Après une journée qui s'était plutôt bien déroulée mais qui avait été riche en émotions à Los Angeles, voilà quelle fut sa première réaction. Un indice supplémentaire de sa maladie et de la nécessité de la soigner. Mais, à partir de ce jour, il ne parla plus de suicide et ne l'évoqua plus dans son journal.

Nick avait peur de prendre du lithium mais se soumit, néanmoins, aux prises de sang régulières. Une ou deux fois, il déclara que c'était nul et qu'il pouvait parfaitement s'en passer. Il niait sa maladie et par là même nous comprîmes que le lithium était sa dernière chance. Si cela marchait, cela apporterait la preuve du déséquilibre chimique que nous avions soupçonné depuis longtemps. Nous allions commencer la dernière étape de la chasse aux sorcières. Il était difficile de ne pas voir en Nick une sorte de cobaye, et il dut se sentir constamment sous observation, ce qui était la stricte vérité. Il retourna à l'école, nous rendant fréquemment visite à la maison, et jouant avec Link 80, la formation qu'il avait rejointe quelques mois plus tôt.

Trois semaines plus tard, les résultats sautaient déjà

aux yeux. Un changement spectaculaire, grandiose. Nick était transformé. Heureux, de bonne humeur, sain, équilibré, calme. Obtenant des A à l'école. Le miracle s'était produit. Etant violemment allergique à la pénicilline, je n'ai jamais considéré aucun médicament comme réellement miraculeux. Sauf le lithium. Sur Nick, il agissait remarquablement. Nul doute, c'était le médicament miracle que nous avions si longtemps attendu. Nous avions joué notre dernière carte et nous avions gagné. Ça marchait ! Grâce au remède magique, le mal était enrayé. Une nouvelle vie allait commencer pour lui comme pour nous. Je ne vanterai jamais assez les mérites de ce traitement. Au début, il souffrit de nausées, qui s'atténuèrent peu à peu. Nous devions surveiller les réactions indésirables, réajuster les dosages, mais après tout peu de traitements médicaux sont exempts d'effets secondaires. Et celui-ci offrait à Nick la normalité, une chance de mener sa vie, une vie productive, dont il pourrait dorénavant tirer les meilleurs avantages. Par chance, ses reins ne furent pas affectés par le médicament.

Afin que le traitement agisse au maximum, il fallait que le taux désiré de lithium dans le sang soit fixé le plus exactement possible. Une sorte d'exercice de virtuosité dont nous avions tous conscience. Surtout ne pas se tromper ! Un faux pas, un seul, provoquerait la rechute, accès maniaque ou crise dépressive grave pouvant aller jusqu'au suicide. Et, pendant trois ans, le traitement aida Nick à réaliser ses rêves, et à exaucer les vœux que nous formions pour lui. Il lui insufflait la vie aussi sûrement que l'oxygène nous permet de respirer.

L'année suivante, il retourna trois fois à l'hôpital, cinq jours à chaque fois, afin de réévaluer ses dosages. Compte tenu de ses hospitalisations répétées un an plus tôt, cela tenait du miracle. Il avait préféré retourner au petit hôpital d'East Bay, et je n'y avais vu aucun inconvénient.

Durant cette période, Nick passa un après-midi avec son père biologique. Bill vint l'attendre à la sortie du lycée — j'ignore si ce fut le fruit du hasard ou une rencontre préméditée. Ils passèrent une heure ou deux ensemble et je crois que Nick fut stupéfait par l'air ravagé de Bill, qui n'avait pas renoncé à la drogue. Après ce fameux après-midi, ils ne se revirent plus jamais. Ayant satisfait sa curiosité, Nick n'eut plus qu'à continuer son chemin.

Etre sous lithium, c'était vivre normalement. Aller à l'école, suivre les cours, se concentrer sur la musique. Toute l'année, Nick se consacra à son groupe musical. Il avait un talent flamboyant, chose que j'ignorais. De-ci de-là, j'entendais cependant des rumeurs sur leurs succès, leurs dons extraordinaires.

Mais à force de se sentir bien, on risque de se laisser prendre au piège de la normalité. Tous les maniaco-dépressifs passent par cette phase. C'est la faiblesse du lithium. Une fois que les troubles ont disparu, le malade n'a plus le désir ni la motivation pour continuer à prendre ses médicaments. Il pense qu'il n'en a plus besoin. Il se croit guéri. Il arrête le traitement. Après quoi, le désastre frappe aussi sûrement que le soleil se lève chaque matin.

Nick prit son traitement pendant presque deux ans avant de défier le destin. Deux ans pendant lesquels il eut le temps de profiter de la vie et de la musique. J'étais aux anges. Nous l'étions tous.

# 15

## Musique, MUSIQUE, MUSIQUE !

Quand j'ai vu Nick jouer avec Link 80 pour la première fois, je l'ai trouvé littéralement étourdissant. Il avait un talent, une présence sur scène, une énergie et un charisme à vous couper le souffle. Et comme je le disais à un ami, pendant le spectacle je me prenais pour la mère de Mick Jagger. C'était merveilleux, incroyable, fantastique !

Il parlait beaucoup de son groupe, mais demeurait étonnamment modeste sur son propre talent. Je ne suis pas sûre qu'il ait jamais été conscient de ses dons. L'écriture des paroles de ses chansons, les répétitions, les représentations l'absorbaient. C'était lui qui organisait les concerts, lui qui vendait le groupe. Il s'occupait de tout : contrats, éclairages, réservations, objets publicitaires vendus après le spectacle. Jusqu'à ce qu'ils aient un agent artistique, c'est Nick qui mit au point les tournées et leur promotion. Il avait un talent extraordinaire, une énorme capacité de travail. Et il ne tarda pas à gagner l'estime des gens du spectacle.

*« Mon amitié avec Nick a commencé au Club Cocodrie, à San Francisco, où il donnait un spectacle avec Link 80. Nous avions entendu parler l'un de l'autre, nous nous étions croisés, mais nous ne nous étions jamais rencontrés jusqu'à ce jour-là. Après avoir regardé jouer Link 80, je lui ai proposé de participer à une représentation avec ma propre formation, The White Trash Debutantes, et nous avons échangé nos numéros de téléphone. Nous ne nous sommes plus reparlé pendant trois semaines. Je me souviens très bien qu'il était une heure du matin et que je me préparais à éteindre la lumière*

212

quand le téléphone a sonné. C'était Nick, qui demandait des nouvelles de notre futur spectacle. Ma première réaction fut de lui demander s'il savait l'heure qu'il était et de le prier de me rappeler le lendemain matin. Or je ne m'étais pas rendu compte que nous nous étions déjà engagés dans une conversation animée qui dura près d'une heure. Nick était un séducteur doublé d'un battant. Il avait des projets mirifiques pour son groupe et semblait parfaitement capable de les réaliser. Plus de 75 % des gens du spectacle sont des « flemmards » et c'était merveilleux de rencontrer un jeune homme doté d'une telle énergie, d'une telle fougue. Notre représentation commune ne vit jamais le jour en raison d'une bagarre qui avait éclaté la semaine précédente au club. Notre concert fut annulé. Néanmoins, notre amitié dura. Il avait une sorte d'innocence enfantine qui le rendait irrésistible. D'un autre côté, bien qu'il n'eût que dix-sept ans, il faisait preuve d'une maturité extraordinaire. Il essayait de comprendre les gens, quel que soit leur parcours, et plaidait souvent la cause des « défavorisés » même si ce n'était pas toujours considéré comme « cool ». Peut-être parce qu'il avait lui-même souffert, il était mieux à même d'exprimer la peine des autres. Nick extériorisait ses propres combats dans sa musique. C'était sûrement une forme de thérapie. Quand il entrait en scène, il apportait toutes ses frustrations, tous ses chagrins. Ses spectacles n'en devenaient que plus enthousiasmants, plus sauvages. Et je trouvais remarquable sa façon humble de remercier son auditoire. Il cherchait à restructurer sa vie, à rendre sa mère fière de lui et à réussir dans ce qui était son grand, son véritable amour, la MUSIQUE.

Nicky va me manquer et pas seulement pour son apport à la musique. Pour toutes les fois où nous avons discuté des hauts et des bas de nos vies. Il me prêtait toujours une oreille attentive et, de mon côté, je l'écoutais volontiers. Nick avait un tas de projets pour sa nouvelle formation, Knowledge. Nick Traina était quelqu'un *d'exceptionnel, qui touchait au plus profond tous ceux qui le rencontraient. Oui, il me manquera beaucoup.*

*Ginger Coyote*
*The White Trash Debutantes. »*

Voilà ce que l'agent artistique de Nick a écrit :

« *Nick était beaucoup plus qu'un punk irrévérencieux. Il concevait la beauté, l'art, la poésie et la générosité avec autant d'acuité que la colère, la peine, la malveillance. L'intensité de son esprit stimulait et j'espérais que nous deviendrions des amis et associés pour toujours, dans ses recherches musicales et dans sa découverte de lui-même et de la vie. Il me manque et je pense souvent à lui. Je lui en veux de s'être planté, de m'avoir laissé tomber, moi et ceux qui l'aimaient. J'ai rêvé que je le revoyais, comme il m'arrive souvent de rêver des gens que j'aime et qui ont quitté ce monde avant moi. Il était bon, oui, d'une grande bonté, comme si ses démons avaient pris des vacances. Je prie pour la paix de son âme.*

*Steve Ozark*
*agent artistique*
*Ozark Talent* »

Myk Malin de Burnt Ramen Studio, ingénieur du son lors d'un enregistrement de Nick, fin 1995, quand celui-ci avait dix-sept ans, me raconte dans une lettre combien Nick était difficile à cette époque. Selon Myk, bien qu'il « improvisât le chant », Nick se sentait contraint de le faire.

Et il continue : « J'ai revu Nick en mai 1997. Il avait entendu que notre studio possédait du bon matériel, et il était revenu pour enregistrer deux autres chansons. Cette fois-ci, il m'a laissé une impression totalement différente. Très courtois et en même temps plein d'assurance. »

Ils enregistrèrent deux morceaux et Nick lui offrit son dernier CD avec Link 80, intitulé *Seventeen Reasons*, ainsi qu'un sweatshirt portant le logo du groupe. Myk lui demanda l'autorisation d'utiliser deux de ses chansons dans une compilation appelée *Ramen Core*, et Nick accepta, puis lui promit de revenir bientôt pour un autre enregistrement. Myk parle de l'impact de la personnalité de Nick. Il ajoute qu'il regrette de n'avoir pu l'aider.

« Dans l'immense ordonnancement de la nature, il est difficile de dire ce qui fait de quelqu'un un être unique. Mais c'est la sauvage poésie de sa vie trop courte qui m'a le plus impressionné. »

J'ai été profondément touchée par cette lettre.

Un autre souvenir que je chérirai jusqu'à la fin de mes jours, c'est un spectacle de Nick, dans un petit club enfumé, éclairé par des projecteurs, grouillant d'ados punks complètement allumés. Une mer de chevelures couleur arc-en-ciel ondoyait dans l'espace confiné, tandis qu'on attendait la vedette, et je me suis sentie centenaire. Il régnait une indiscutable tension. Enfin, j'allais le voir jouer. L'excitation gagnait l'assistance et je me suis dit que j'allais m'amuser. Aucun a priori ne m'habitait, mais rien ne m'avait préparée à la frénésie qui s'empara des fans quand le groupe apparut sur scène.

Le temps d'accorder leurs instruments, de vérifier leurs micros et soudain la vie explosa sous mes yeux. Quoique impartiale dans mes jugements, surtout lorsqu'il s'agit de mes enfants, je dois avouer que Nick dégageait une aura hors du commun. Je n'étais guère préparée à son professionnalisme, à la force de sa musique, à sa voix, à sa présence magique, à la qualité de sa prestation. Il bondissait et sautait en l'air, tournoyait et se balançait, rapide comme un boomerang. J'ai adoré !

Pendant l'entracte, il annonça au public que j'étais là et que si je n'avais pas été présente, il n'aurait pas été sur scène. J'en ai eu les larmes aux yeux, tandis que ses fans applaudissaient à tout rompre. J'avais plaisir à sentir l'adoration dont il était l'objet. Les spectateurs tendaient les mains vers lui, hurlaient, chantaient avec lui, lui demandaient de continuer. Après le spectacle, il fut assailli par des groupies. Et moi je les regardais, surprise de son pouvoir de séduction, de son magnétisme. J'ai compris alors, tout à coup, quelque chose qui ne m'avait encore jamais traversé l'esprit. Nick allait devenir une star de la chanson.

Il vint me voir après la représentation. Je le félicitai. Notre amie Jo Schuman, qui m'accompagnait, grande professionnelle des groupes musicaux et de la musique moderne en général, s'avoua aussi impressionnée que moi. Je débordais de fierté. En nage, il me passa un bras autour des épaules, tandis que les jeunes filles jouaient des coudes pour l'approcher. Ce fut un moment extraordinaire, unique dans ma vie. Un de ces instants que l'on n'oublie jamais. J'ai su par ses amis qu'il me dédiait toujours la dernière chanson de ses concerts, que je sois ou non dans la salle.

Je le revis, après cela, dans un très grand night-club, avec un auditoire plus difficile, plus âgé, qui arborait un air blasé quand Nick entra en scène. Il dissimulait son trac de son mieux, mais pas pour l'œil attentif de sa mère. Il se mit à chanter presque avec prudence et peu après, le phénomène se reproduisit. Il avait pris une foule anonyme et l'avait transformée en un océan de fous de musique, hurlant, dansant, chantant, se balançant en même temps que leur idole. Sur scène, Nick était magique.

J'aimais aller à ses concerts. J'adorais ses prestations. Je suis retournée dans son petit club, l'épiant de loin, feignant de ne pas le connaître. J'ai vu un jeune homme beau comme un dieu et, à ma surprise, très sexy. Musclé, bien bâti. Je comprenais maintenant pourquoi les filles poussaient des cris stridents dès qu'il apparaissait. Il avait un charme fou, un sourire éblouissant. Ses bras semblaient se tendre vers le public pour le ramener vers lui. Oui, il émanait de lui un charisme incroyable. De plus, il avait un talent fou. Une voix superbe. Les paroles de ses chansons, quand on arrivait à les entendre dans le vacarme, étaient très bien écrites. Oui, j'étais fière de lui et je m'amusais énormément à ses concerts. Le plus formidable, c'est que nous étions fiers l'un de l'autre.

Mon fils et moi avons eu de la chance. Très jeunes, nous avons tous les deux réalisé nos passions. J'avais à peu près son âge — dix-neuf ans — quand j'ai écrit mon premier livre. Et maintenant, il gravissait lui aussi les marches de la renommée, heureux de réussir. Il aimait par-dessus tout sa musique et son groupe.

L'un des plus proches amis de Nick, peut-être son meilleur ami, était un autre jeune musicien du nom de Sam Ewing. Nick et les autres l'appelaient Sammy le Mick. Ils s'amusaient à faire les guignols avant, pendant, et après les concerts. Sam évoque l'irrépressible passion de Nick pour sa musique. Ils ressemblaient à deux gosses tout contents de jouer et de se taquiner, mais rien au monde ne pouvait arrêter Nick quand il chantait.

> « J'ai toujours essayé de saboter Nick sur scène. Je lui faisais des crocs-en-jambe, je lui jetais n'importe quoi dessus, je le poussais hors de la scène. Une fois, il est tombé. Je crois qu'il s'est fait mal. J'ai bondi pour le remettre sur ses pieds. Il aurait voulu crier mais il a continué à chanter. J'ai fait mine de tourner sur moi-même et lui ai décoché en douce un coup de pied. Il est tombé à genoux, chantant toujours. Je me suis penché pour le pousser et il m'a arraché ma chemise. Alors j'ai sauté sur lui et nous nous sommes battus au corps-à-corps. Et pendant ce temps, Nick chantait à tue-tête. Je lui ai renversé une bouteille d'eau sur la tête. Il a continué. La foule en délire était arrosée... Et au milieu de tout ce branle-bas, Nick n'a pas cessé un instant de chanter. »

Tous les concerts et toutes leurs prestations ne dégénéraient pas ainsi. En tout cas, ils s'entendaient comme larrons en foire. Sammy a participé à quelques tournées du groupe. Il soutenait Nick, quand celui-ci était triste ou fatigué après ses concerts. Sammy le Mick était toujours là pour lui remonter le moral. Tous les deux portaient des tatouages identiques, avec le mot *frères*. Nick adorait les tatouages. Encore une passion maniaque.

Après une représentation au Club Cocodrie, Nick avait commandé un gâteau d'anniversaire pour Sammy. Il le lui avait fait porter sur scène. Inévitablement, la fête dérapa en bataille de tartes à la crème. Il y a des centaines d'histoires à raconter à propos de Nick et de Sammy. Ils flirtaient avec les mêmes filles et, d'une manière générale, l'un poussait l'autre à faire le pitre, comme deux gosses heureux et pleins d'allant. Cette année-là Sammy passa les fêtes de Pâques avec nous à Hawaï. A Thanksgiving, Sammy et Nick, très élégants dans leurs costumes gris, avaient l'air d'enfants de chœur. C'étaient les meilleurs amis du monde. J'avais toujours chaud au cœur quand je les voyais ensemble.

Nick ne chantait pas seulement. A dix-huit ans, il était également le manager de son groupe. Il envisageait plusieurs tournées en Californie. C'est lui qui supervisait la publicité et s'occupait de la mise en scène de leurs clips vidéo. Il semblait toujours jongler avec une douzaine de personnes impliquées dans sa carrière, entre les spectacles et les répétitions. Nous avons toujours eu énormément de respect l'un pour l'autre mais, à présent, l'admiration s'était ajoutée à nos sentiments. Nous avions encore un point commun. Nous étions tous les deux des créateurs.

J'adorais discuter de son métier avec lui. Il prenait son art très au sérieux et je savais qu'il irait loin, parce qu'il y mettait tout son cœur. Il n'aurait pas pu agir autrement. La musique était sa passion. Il ne vivait que pour elle. Il s'était révélé lors des fameuses compétitions musicales de l'école. Et maintenant il était sur le point de devenir une rock star.

L'un de nos plus beaux moments, mon meilleur souvenir, date de son dernier printemps parmi nous. C'était avant de partir pour une tournée. Son petit frère, Maxx, devait participer au concours musical de son école — l'ancienne école de Nick. Il avait choisi d'imiter

Link 80. Samantha l'habilla comme Nick, lui colora les cheveux en noir de jais, comme ceux de Nick, les passa au gel, puis Victoria dessina au pinceau sur sa peau des tatouages identiques à ceux de Nick. Je fus gagnée par l'exaltation générale, en voyant mon fils cadet sur scène en train d'imiter, non sans talent, mon fils aîné. Nick, venu à la fête, regardait son petit frère, fasciné, un large sourire aux lèvres. Il l'applaudit avec enthousiasme. Il avait amené son groupe avec lui, et Maxx fut enchanté de les voir tous dans la salle. Ce fut un après-midi parfait que jamais je n'oublierai. Non, jamais je n'oublierai le sourire de Nick, alors qu'il regardait Maxx, ni les yeux de Maxx, empreints d'adoration quand ils se posaient sur son grand frère. Nick était son héros.

Les rapports entre Nick et ses frères et sœurs n'avaient cessé de s'améliorer. Quelles qu'aient été les persécutions dont il avait accablé ses cadets quand il était plus jeune, sa nouvelle maturité, une fois sous lithium, l'avait changé en un frère aimant, protecteur et consciencieux. Il se sentait particulièrement proche de Maxx, peut-être parce qu'ils étaient des garçons. Pour son onzième anniversaire, il lui donna un poster de lui dédicacé disant : « Au plus "cool" des Traina depuis moi, très tendrement, ton grand frère, Nick. » Quant à Maxx, il l'idolâtrait. Tout en Nick lui plaisait, son côté « cool », sa musique, son sens de l'humour. Nick ne perdit jamais sa naïveté et sa gaieté enfantines, mais au fil du temps s'ajoutèrent l'intuition, la sensibilité, la compassion, une certaine sagesse, autant de qualités chèrement acquises pendant ses horribles années de souffrance et de combats acharnés. Il avait beaucoup à donner, beaucoup à nous apprendre, et il n'hésitait pas à le faire. Mais une formidable envie de s'amuser supplantait ses autres traits de caractère. Il taquinait impitoyablement ses sœurs, jouait avec elles, les admirait. La dernière année, il les regardait bouche bée, puis, me prenant à part, se sentant à la fois vieux et dépassé :

— Comment ont-elles grandi si vite ? Comment sont-elles devenues aussi belles ? murmurait-il, dès qu'elles avaient quitté la pièce.

Il était fou d'elles, adorait la petite Zara, notre benjamine, et adoptait une attitude farouchement protectrice, surtout vis-à-vis de Sammie.

Nick et Samantha ont toujours partagé une relation magique. Un lien de dit et de non-dit se tissait entre eux dès qu'ils se trouvaient ensemble, excluant tous les autres. Elle aurait tout fait pour lui, il aurait donné sa vie pour elle. Je savais combien ce lien était profond. Ils étaient des siamois de l'âme. Depuis toujours, Sammie savait que quelque chose n'allait pas chez son frère. Et elle aussi voulait le protéger, l'empêcher de se faire mal. Nick se confiait plus facilement à elle, et c'était réciproque. Quand le désastre a frappé, le deuil fut plus cruel pour elle. Dieu sait combien toute la famille a souffert, quand nous l'avons perdu, et parfois je me dis que ce fut pire pour Sammie. Mais peut-on mesurer le chagrin ? Qui suis-je pour dire que la douleur de l'un est plus profonde que celle de l'autre ? Tous ont ressenti sa disparition comme une perte irréparable. Oui, tous autant que moi... Beatie n'a-t-elle pas éprouvé le même déchirement ? Depuis sa plus tendre enfance, Nick était son petit frère, son bébé, le petit être né pour elle. Comme Sammie, elle le protégeait passionnément. Plus d'une fois, Beatie s'est servie de son expérience professionnelle en psychiatrie pour l'aider.

Durant les deux dernières années, quand je prenais d'occasionnelles vacances avec des amis, Beatrix me remplaçait, prenant les décisions à ma place et essayant de communiquer avec lui de son mieux. Elle l'a fait hospitaliser une fois, quand il ne voulait plus rien entendre et qu'il avait arrêté le lithium. Elle avait une façon très douce, très persuasive de le traiter. Il la respectait et l'aimait profondément. Il a été très fier d'assister à son mariage. Les rapports de Nick avec sa famille ont toujours été puissants et très affectueux dans l'ensemble.

Après sa mort, pour lutter contre sa propre angoisse, Beatie a mis par écrit ce qu'elle éprouvait :

### Larmes

*Je me noie dans mes propres larmes.*
*J'avance d'un pas incertain dans le brouillard des jours, et la crainte des nuits.*
*Je suis captive de mes cauchemars et de l'obscurité.*
*Le crépuscule me rappelle chaque jour que le cauchemar est toujours là.*
*Je n'ai pas d'issue.*
*Mon cœur hurle sa détresse.*
*Il n'y a pas de répit, aucune assistance.*
*Pas de baume pour mes plaies, elles sont si profondes.*
*J'écris et ma quête de sécurité est inutile.*
*Où que je me tourne, les autres portent ton deuil.*
*Ils vacillent sous les coups.*
*Tu étais mon rayon de lumière, mon insouciance*
*Ton sourire était mon espoir.*
*Comment vivre sans toi ?*
*J'ai trente ans mais je porte le fardeau d'un être centenaire.*
*Mon âme est vieille.*
*Je vais, je cours frénétiquement et c'est tentant*
*J'ai peur de rester dans la douceur de mon lit, mon cocon.*
*Dans mon rêve, je te supplie de rester.*
*Tes yeux dansent, ton sourire m'éblouit.*
*J'ai prié de te revoir parmi nous.*
*Tes mots « tu sais », je les entends chaque fois que je prie.*
*« Tu sais » voulait dire « je ne peux pas rester ».*
*Je me suis battue pour garder ta main dans la mienne, pour garder ton odeur, ton contact.*
*Me réveiller sans toi à Noël est une désolation.*
*Il n'y a pas de Père Noël.*
*Chaque jour je me lève tôt pour échapper aux démons.*
*Au lieu de la paix, j'ai pleuré pendant des kilomètres dans des villes différentes.*

*Je suis épuisée, cette journée n'en finit pas.*
*J'essaie mais cela ne sert à rien.*
*Le combat ne m'est pas familier.*
*Tu as laissé un abîme et je suis suspendue à un fil.*
*Je suis curieuse, alors je scrute le fond par-dessus bord.*
*Rien ne nous est donné.*
*Même respirer est un défi. L'asthme est un tyran ordinaire.*
*Souvent, j'entends mon souffle déchiqueté avant de le sentir.*
*Le son rêche transperce la musique de mon Walkman.*
*Mon angoisse jaillit.*
*J'ai une pierre dans la gorge.*
*Un sifflement dans les poumons. Rester calme n'offre aucun réconfort.*
*Je me sens maladroite, mal dans ma peau.*
*Je suis un escargot sans coquille.*
*Je cherche la sécurité dans une cachette.*

Nick était aussi très lié avec Trevor et Todd, ses frères aînés, les deux fils de John. Notre projet d'élever tous nos enfants comme une seule famille avait réussi dès le début. Nick les considérait comme ses frères, et ils le lui rendaient bien. Trevor est probablement celui de nos enfants qui est le plus « respectable ». C'est un jeune businessman conservateur et sérieux, quoique tout à fait capable d'apprécier une bonne blague et d'en rire aux éclats. Nick disait toujours « Trevor est parfait » ou alors « il est hypercool », le suprême compliment dans sa bouche, ou encore « le top de la gentillesse ». Il aimait Trevor, le respectait, appréciait sa compagnie. Ils allaient souvent au cinéma ou au théâtre ensemble. Les voir côte à côte m'a toujours fait sourire. Il n'y avait pas sur terre deux êtres plus dissemblables. Le jour et la nuit. L'un très avant-garde, funk ou punk, avec des boucles d'oreilles, un anneau dans le nez, et l'autre ayant l'air d'une publicité pour Ralph Lauren. Tous deux beaux garçons, avec dix ans d'écart, passionnés par des choses différentes, évoluant dans des univers parallèles. Trevor a conçu un site sur le Web pour Nick et son groupe, qui, malheureusement, n'était pas terminé quand Nick nous a quittés.

Il aimait ses deux aînés avec la même intensité, mais avait plus de points communs avec Todd qui, selon Nick, était « trop cool ». Jeune producteur de cinéma établi à Los Angeles, Todd connaissait parfaitement le monde du show-business. Pendant des années, lui et Nick ont eu des goûts analogues en musique, ont ri aux mêmes histoires drôles. Quoique de neuf ans son aîné, Todd a souvent fait les quatre cents coups avec Nick. Ils avaient un faible pour le même genre de filles et, chaque fois que Nick pouvait piquer une conquête à Todd, il sautait sur l'occasion. Ils ne s'en considéraient pas moins comme des âmes sœurs. Comme nous tous, lorsque Todd a perdu Nick, il a eu l'impression qu'on l'avait amputé d'une partie de lui-même.

Todd et Nick s'admiraient, se comprenaient. Les années les avaient rapprochés. C'était un grand bonheur pour Nick de rendre visite à Todd à Los Angeles. Todd a même hébergé tout le groupe lors d'une de leurs tournées. Il était fier de Nick, comme nous tous. Son oraison funèbre en témoigne : « Je suis fier de constater que Nick était devenu celui dont il avait toujours rêvé. A sa manière, il nous a souvent dit combien il nous aimait. Nick était quelqu'un de fort. Quelqu'un d'aimant, d'attentif, plein de talent et de sincérité. Il a vécu une vie en accord avec ses idées. Il a accompli ses rêves. Et ce fut une réussite. J'avoue aujourd'hui que Nick Traina est l'une des réussites les plus exceptionnelles que je connaisse. »

Et sur sa tombe, il a posé un livre en pierre, qui m'a été droit au cœur — et sûrement à celui de Nick — portant ce texte :

« Cher Nick. Tu étais mon ombre. Mon ami. Tu es devenu mon inspiration. Je suis heureux des moments que nous avons partagés. Tu seras toujours mon frère.

Tu me manqueras toujours. Avec toute mon affection,
Todd. »

Quand Todd avait dix-neuf ans, il s'était fait tatouer
un minuscule renard pourpre sur la hanche. Personne
n'en savait rien et, à l'endroit où il se trouvait, on ne
risquait pas de l'apercevoir. Mais cela n'avait pas échappé
à l'œil aiguisé de Nick... qui avait trouvé que c'était la
chose la plus « cool » qu'il ait jamais vue et s'était promis
d'avoir le même un jour. Mais, avec son exagération
habituelle, la passion des tatouages prit, chez lui, des proportions extravagantes. Nick ne faisait pas les choses à
moitié. Pour lui, il n'y avait pas de demi-mesure, pas de
mesure tout court. Quand il faisait quelque chose, il n'y
avait pas moyen de ne pas le remarquer. C'était peint en
couleurs fluo et plus grand que nature. Avec ses
tatouages, il ne donna pas dans la discrétion. Pas de
minuscule renard à peine visible, ça jamais ! (Le fameux
tatouage de Todd fait toujours partie de la légende familiale. J'en ai beaucoup entendu parler mais je ne l'ai
jamais vu et je doute de le voir un jour.)

Pour en revenir à Nick, il eut son premier tatouage à
dix-sept ans. Epouvantable. De quoi vous traumatiser à
vie. Je l'ai détesté. Lui aussi d'ailleurs... après. Il le fit
retirer, bien que ce soit une opération assez douloureuse.
Il en eut un deuxième qu'il fit également effacer, histoire
de me tester. Au troisième, je cédai. Après quoi, ses bras
en furent couverts. Le dernier été, son nom, « Traina »,
étirait ses lettres gothiques entre ses omoplates. A la toute
fin, il ajouta un ultime tatouage sur sa poitrine, sorte de
phrase prophétique : « Dieu seul peut me juger. » D'une
manière générale, j'ai les tatouages en horreur. Bizarrement, ceux de Nick lui allaient bien. Ils seyaient à sa
beauté de star et à son personnage. Lors de ses derniers
spectacles, il chantait torse nu et ses tatouages dansaient,
ses muscles ondulaient, son corps scintillait. Chaque
représentation aurait dû l'éreinter mais son énergie semblait inépuisable. Il n'était jamais fatigué. On aurait dit
qu'il pouvait continuer jusqu'à la fin des temps.

Au cours du dîner «de répétition» du mariage de Beatie, le 23 mai 1997.

*Nick porta de longues années la bague que l'on voit sur cette photo. On me l'a confiée à sa mort et elle ne m'a pas quittée depuis. J'en ai fait réaliser des copies pour toute la famille et désormais tous ses frères et sœurs la portent, ainsi que John, Bill, le père biologique de Nick, Sammy le Mick, Thea et les Campbell. Elle représente une étoile brillante, lumineuse. Ce qu'il était.*

AU MARIAGE DE BEATIE,
LE 24 MAI 1997

*Photos © Eliot Holtzman*

Nick et Beatie.

*Il portait des lunettes
sans verres, pour faire
l'idiot. Je les ai retrouvées
dans son van,
il y a quelque temps,
et elles sont maintenant
sur ma coiffeuse.*

Zara, Trevor, Victoria, Nick, Beatie, Sam, Todd, Vanessa, Maxx.

Nick,
DS.

Victoria,
Nick,
DS.

Maxx, Trevor, Sam, Todd, Danielle
Steel, Mike, Beatie, Nick, Vanessa,
Victoria, Zara.

*Ph. Mara Passetti*

Nick à dix-huit ans.

*Ph. Mara Passetti*

*Ph. Tiare Orth*

*Ph. Mara Passetti*

*Ph. Olivia Sargeant*

Nick à dix-neuf ans.

*Ph. Vikki Anderson*

*Ph. Samantha Traina*

*Ph. Olivia Sargeant*

*Ph. Olivia Sargeant*

*Ph. Samantha Traina*

Nick et
Chris Campbell.
*Ph. Olivia
Sargeant*

Cathédrale de Grace, le 24 septembre 1997, lors des funérailles de Nick.

*Tom et moi sommes en haut des marches que gravissent, à gauche, de haut en bas, Maxx, Todd, Sam Ewing, Bill Campbell et Stony (ami de Nick et roadie de Link 80). A droite, toujours de haut en bas : Trevor, Paul, Cody, Max Leavitt.*

Ph. Tim Kao / San Francisco Chronicle

*Ph. Harry Langdon*

A dix-sept ans, Nick sortit deux disques simples. Il en avait dix-huit quand son premier CD fut lancé. Ma fierté n'avait plus de limites. Il effectua plusieurs enregistrements, ensuite. De nombreux musiciens lui demandèrent de chanter leurs propres compositions. Ses interprétations lui valurent les éloges des critiques et de ses collaborateurs. Les paroles de ses chansons contenaient toujours un message que son public appréciait. Il chantait pour la fraternité, l'unité, contre la violence et le racisme. Il chantait la volonté des jeunes de surpasser leurs aînés. Il composa même des chansons sur son père et sur moi. Des paroles que je n'ai pas toujours réussi à déchiffrer et que son public connaissait par cœur.

*Le temps*

*Je passe mon temps à espérer*
*Que tu trouveras la manière*
*De ne pas me chasser*
*Car j'en ai des choses à dire.*
*Si tu vis pour le bonheur*
*Jette un regard ici-bas.*
*J'aurais voulu avoir du temps*
*Car la vie est trop courte*
*pour être prise à la légère.*
*Dépérir pour une séparation,*
*tu crois que c'est vain.*
*Applique-toi donc*
*et tu entendras les mensonges.*
*Chacun te dira une phrase*
*Et qui sait laquelle aura un sens.*
*Mais reconnais*
*Que tu n'en sais rien.*
*Il faut une grande force.*
*Recentre ta vie*
*Et fais toujours ce qui est juste...*
*Et chéris chaque instant que Dieu t'accorde.*
*Ne pars pas sans te battre.*

## Habitude

Il n'y a pas de raison de me combattre
J'ai déjà perdu.
Cette vie est une bataille
Que j'ai déjà livrée.
Je baisse la tête
Je me rends à moi-même.
J'étais habitué à être fort
A ne pas crier au secours.
J'étais un garçon
Je suis devenu un homme.
Mais je ne vis plus.
Je ne sais pas ce que je suis.
Une vie qu'on passe à mourir
N'est pas une vie.
Je traverse l'existence
Enfer vivant
Ça ne peut plus durer
J'ai perdu tout ce que j'avais.
Ça pourrait être pire
Mais c'est déjà trop tard.


## Extrait de Spacey

... Je voudrais rester un secret,
Me promener dans le noir
Où personne ne me connaît,
Personne ne s'intéresse assez à moi
Pour me briser le cœur.
Et je bondis sur mes pieds
Mais combien de temps j'ai perdu assis
A moitié endormi
Ce monde n'a pas d'attrait
Je suis mort quand je suis né

*J'avais un but*
*Mais pour quoi ? pour qui ?*

*Extrait de Ha ! ha ! ha !*

*... ce monde est dans un tel désarroi*
*C'en est triste et pathétique.*
*Et alors que je devrais être bon,*
*Enfin heureux maintenant,*
*Je n'arrive pas à comprendre*
*ce qu'est le bonheur.*
*Et tout se termine*
*De la manière dont ça commence*
*Je mourrai sans rien*
*Jamais je ne gagnerai.*

Julie a dit une fois qu'il fallait chercher dans ses chansons sa lettre d'adieu. La plupart s'inspiraient de ses regrets. D'autres exprimaient sa rébellion, sa colère. Il en a écrit beaucoup et plus tard les paroles se sont adoucies, quand il a commencé à travailler avec Knowledge, sa nouvelle formation.

Il partait en tournée comme on part à l'aventure. Il adorait rencontrer des gens, jouer dans de nouvelles salles, de nouveaux night-clubs. La musique était sa vocation. Je comprenais ce plaisir sans mélange, cette jubilation qu'il éprouvait sur scène. Je ressentais la même chose quand, le soir, je tapais pendant des heures mes textes sur ma machine à écrire. Il n'y a pas de jour ou de nuit assez longs, tant qu'on peut écrire. C'était pareil pour Nick. Il jouait, se balançait, dansait, hurlait, chantait pendant des heures... aussi longtemps qu'il en avait la force.

Chose étonnante, son métier n'avait pas interféré avec ses études. Il obtenait toujours d'excellentes notes au lycée. Il n'en fut pas moins soulagé quand son école lui proposa des cours par correspondance, l'année de la ter-

227

minale. Ainsi, il allait pouvoir mener à bien ses répétitions, ses spectacles et ses tournées, tout en étudiant et en faisant ses devoirs de manière indépendante.

Le conseil d'administration avait pris cette décision, que Nick salua comme une bénédiction, pour un certain nombre de raisons. Comme il se couchait de plus en plus tard, il arrivait en classe le matin éreinté. La plupart du temps il s'effondrait sur un vieux canapé, dans le hall, et se mettait à ronfler comme un sonneur. Il ne témoignait pas d'un grand enthousiasme envers ses professeurs. Il lui arrivait même de somnoler pendant les cours. Le proviseur m'appelait de temps à autre pour m'en parler. Nick avait son franc-parler, c'était un bon élève, il avait gagné la sympathie de ses professeurs, mais c'était toujours Nick. Le même Nick qui ne pouvait pas se plier au règlement. Il faisait ce qu'il voulait, quand il voulait et, dans la mesure du possible, ils le toléraient.

L'incident, au demeurant assez délicat, qui incita le conseil à le libérer de ses obligations scolaires apporta la preuve, je crois, qu'il était trop indépendant, trop excentrique pour faire partie d'une classe. N'étant pas du même avis qu'un de ses camarades, dans un esprit de dérision, il baissa son pantalon devant tout le monde. Immédiatement, je reçus un coup de fil de la direction. Plus tard, je demandai des explications à Nick. J'arborais un air grave, tandis qu'il paraissait follement amusé.

— Allez, maman, relaxe !

Non, cette fois-ci, je tiendrais bon. Je lui rétorquai que les mots me manquaient pour qualifier son attitude.

— Tout le monde fait ça à l'école, maman, insista-t-il, avec son sourire idiot — très différent de son sourire de séducteur et de son sourire éblouissant de chanteur à la mode.

Je restai de marbre. Non, « tout le monde ne faisait pas ça », répondis-je, et c'était pourquoi le proviseur m'avait appelée.

Selon ses professeurs, il outrepassait son statut d'élève. Ils ne demandaient pas mieux qu'il fasse partie de leurs étudiants, à condition qu'il poursuive ses études à la maison et qu'il leur fasse parvenir ses devoirs écrits. L'arrangement enchanta Nick. Il ne baissa plus jamais son pantalon nulle part, sauf une fois, à un bal de seconde du lycée de Samantha, quand il avait dix-huit ans. La pauvre Sammie ne devait plus savoir où se mettre et quand je l'appris, je passai un fameux savon à Nick. Mais, dissimulant sa honte, sa sœur essaya de me faire croire que tout le monde avait trouvé la scène d'une irrésistible drôlerie. Encore un épisode du combat que Nick menait contre son impulsivité. De temps à autre, il perdait. Il me promit de ne plus se laisser aller à de telles extrémités, pas même sur scène, même si ses groupies auraient trouvé ce geste génial.

La brillante carrière de Nick me remplissait de fierté. Link 80 comptait parmi les meilleurs groupes d'Amérique, malgré le jeune âge et le manque d'expérience de ses musiciens.

De passage en Europe, tandis que Nick faisait une de ses grandes tournées, je suis entrée dans un grand magasin de musique à Londres où j'ai vu le CD de Nick... J'aurais voulu crier aux clients : « Hé, regardez, il est devenu une star ! C'est mon bébé. »

Oui, une star. Une étoile filante. Une brève mais éblouissante lumière dans le firmament de la musique. Une comète. Puisse-t-il rester là-haut, dans le ciel, et chanter à tue-tête pour toujours.

# 16

## Deux coups de semonce
## ont retenti dans le silence

La famille fut profondément choquée quand John et moi nous séparâmes, l'été 1995. Nick avait dix-sept ans. En fait, la séparation fut consommée à partir d'août mais nous ne dîmes rien aux enfants avant septembre. Nous avons longtemps réfléchi à la façon de leur apprendre la nouvelle. Mais il n'y a pas de bonne ou de mauvaise manière d'annoncer ce genre de nouvelle.

Les enfants furent bouleversés. Ils n'avaient rien subodoré, car nous étions d'une discrétion absolue sur nos désaccords. Nos rapports s'étaient singulièrement refroidis depuis trois ans, mais les enfants s'étaient tellement habitués à notre éloignement qu'ils croyaient qu'il en serait toujours ainsi. Parfois, je le pensais aussi.

Le jour où nous leur avons enfin tout dit fut le pire de ma vie. Du moins je le pensais sur le moment. Hélas, nous eûmes depuis des jours bien plus malheureux.

Nous annonçâmes aux enfants que nous allions nous séparer le week-end du Labor Day. Nous étions tous brisés. Pour moi, c'était la fin d'un rêve, John tournait une page de sa vie, les enfants allaient devoir renoncer aux merveilleux moments inhérents à toute famille unie. Nous avons mis longtemps à en arriver là. John et moi n'avons pas pris cette décision à la légère.

Quand Nick l'apprit, il en parut à peine affecté. Il eut l'air de garder la tête froide, apparemment indifférent, contrairement aux autres. Mais, deux jours plus tard, il recommença à se comporter bizarrement, tant et si bien que nous dûmes le faire hospitaliser pendant deux semaines en octobre. L'équilibre nécessaire lui manquait pour affronter une situation stressante. D'ailleurs, nous n'en menions pas large non plus. L'hiver, l'année s'annonçaient difficiles. Mais peu à peu, nous avons trouvé un modus vivendi. John et moi nous efforcions de garder le contact et même de nous voir avec les enfants, surtout pendant les fêtes. C'était dur pour tout le monde, mais même Nick finit par s'y habituer. Une fois calmé, il accepta ce qui, au début, lui avait paru inconcevable.

Un autre événement marquant, cette année-là, eut lieu en décembre. J'étais à table avec des amis et je leur appris que Nick était maniaco-dépressif. Les convives n'étaient pas des amis proches. C'était la première fois que je reconnaissais publiquement la maladie de mon fils. J'ajoutai que cela n'empêchait pas que je sois fière de lui. Mes interlocuteurs, après un silence, me posèrent quelques questions sur sa maladie. Je me rappelle que je répondis d'une voix tremblante. C'était le premier pas. Le début de l'acceptation, car jusqu'alors, j'avais toujours caché son état. Ce fut également l'occasion pour moi d'exprimer mon admiration pour ses concerts. Il travaillait énormément sa musique à cette époque et le lithium lui réussissait parfaitement. Je le considérais alors comme le remède miracle qui lui avait sauvé la vie. Et même aujourd'hui, je ne vois pas comment je pourrais la définir autrement.

Il eut dix-huit ans en mai 1996, une date importante à ses yeux. Beaucoup trop peut-être, car elle symbolisait la liberté et l'âge adulte. On aurait dit qu'il attendait un grand changement, que les canons retentissent le 1er mai, et que les autres le voient différemment. Bien sûr, il n'en était rien. Il avait toujours ses aides près de lui, Julie continuait de lui prodiguer ses conseils, il devait toujours voir son psychiatre et prendre ses médicaments. Je crois que, dans le secret de son cœur, il espérait que tous les problèmes inhérents à sa maladie disparaîtraient comme par un coup de baguette magique, le jour de ses dix-huit ans. Mais rien ne se produisit. Il fêta son dix-huitième

231

anniversaire sans que les limites qu'on lui imposait changent en quoi que ce soit. Il en fut déçu.

Il commença à menacer de s'en aller de chez Julie où il vivait depuis environ deux ans. Soudain, il se mit à refuser tout ce qu'on lui demandait.

— J'ai dix-huit ans maintenant, on ne me la fait pas !

Révolté, il avait l'air d'avoir cinq ans. Il recommença à se disputer avec nous pour un rien. Il aurait voulu que tout soit différent, seulement tout semblait exactement pareil qu'avant : un âge affectif et émotionnel bien plus bas que son âge effectif, la même terrible impulsivité tenue en laisse par la médication. A tout instant, le mécanisme pouvait se détraquer. Et du reste, même chez les jeunes du même âge « normaux », dix-huit ans n'est pas forcément synonyme d'absolue autonomie. Mais Nick en avait assez d'être tributaire des règles qu'on lui imposait.

Dans les différents hôpitaux psychiatriques où il avait séjourné, il avait reçu la visite d'assistantes sociales qui expliquaient leurs droits aux malades. Et selon elles, Nick avait parfaitement le droit de faire ses propres choix. Le premier choix de Nick — en septembre — fut d'arrêter le lithium. Personne ne pouvait le forcer à le prendre.

Nous avons tenté de lui accorder son indépendance de différentes manières. Il avait terminé le lycée en juin, reçu son diplôme, et s'était inscrit dans une université locale. Julie et les siens avaient déménagé durant l'automne dans une autre maison qui convenait parfaitement à leurs besoins... et aux nôtres. C'était une maison plus vaste, confortable, avec une chambre pour Nick et une petite annexe où il pourrait se retirer et même vivre dans une totale indépendance. En effet, quand il se sentait en forme il restait dans l'annexe et Julie, qui habitait à deux pas, avait toujours la possibilité de veiller discrètement à sa sécurité.

Malgré cela, peut-être pour souligner son statut d'adulte, peut-être parce qu'il se croyait capable de tenir le coup sans médicaments, il décida de laisser tomber le lithium. Nous savions tous que le désastre allait frapper, que ce n'était plus qu'une question de temps. Nous ignorions la forme que prendrait la rechute. Car ni notre amour, ni nos prières, ni les menaces n'avaient réussi à le faire changer d'avis. Il persistait sous des prétextes fallacieux à refuser le lithium : il se sentait bien, le traitement l'avait guéri, il n'en avait plus besoin. C'est une attitude typique des maniaco-dépressifs. Beaucoup d'entre eux arrêtent brutalement de prendre leurs médicaments. Quand ils sont sous lithium, ils ont l'impression — l'illusion plutôt — d'être si normaux qu'ils sont convaincus de pouvoir s'en passer. Leur problème atténué, voire supprimé, ils se croient définitivement guéris. Nick était comme les autres. Pourtant, le compte à rebours avait commencé. A mesure que les jours se transformaient en semaines, il devenait de plus en plus irritable, de plus en plus survolté. On aurait dit un train express prêt à dérailler. Je tremblais à la pensée de ce qui allait arriver. Cela ne rata pas. Je reçus plusieurs coups de fil affolés de Julie. Il fallait hospitaliser Nick de toute urgence, mais il s'y opposait. Maintenant qu'il avait dix-huit ans, il avait le droit de refuser les soins.

Nous ne pouvions plus rien. Ni l'envoyer chez le médecin, ni l'obliger à prendre ses médicaments, ni réévaluer les dosages sans son accord. Naturellement, il ne voulait rien entendre. Nous étions tous victimes d'un système absurde. Beatrix se rendit chez Julie où elle passa des heures à essayer de convaincre son frère de se faire conduire à l'hôpital le plus proche. Cela fut difficile. Elles m'appelèrent plusieurs fois tard dans la nuit. Mais elles finirent par avoir gain de cause. Nick accepta d'aller à l'hôpital. Deux jours plus tard, il en ressortait. Le soir même, il passa à la maison. Visiblement, il avait besoin d'aide. Il semblait en pleine période maniaque et je savais que, inéluctablement, la dépression dévastatrice le terrasserait bientôt. Le lendemain, je parlai avec son psychiatre. Nous étions dans une impasse. Nous ne pouvions pas prouver qu'il était une menace pour lui ou pour les autres, afin d'obtenir un placement d'office. Il ne se montrait pas agressif, il se comportait simplement d'une façon aberrante. Vivre près de lui faisait grimper Julie aux rideaux. S'occuper de quelqu'un en phase maniaque équivaut à patiner sur une mince feuille de glace. Ce n'est guère facile.

Je m'en aperçus lorsqu'il m'appela quinze jours plus tard de chez Julie, à quatre heures du matin. Exceptionnellement, je travaillais à cette heure aussi tardive, car j'avais un projet à terminer. Nick voulait simplement savoir s'il pouvait inviter quelqu'un à dîner à la maison, la semaine suivante. Je l'assurai que cela ne posait aucun problème. Il m'a alors rappelée toutes les demi-heures, pour en avoir la confirmation. Gentil, adorable au téléphone, mais complètement dans le brouillard. Je l'ai rappelé le lendemain, avec, dans la tête, une idée qui pouvait peut-être marcher. J'étais prête à tout pour le convaincre de recommencer son traitement.

Je lui demandai de façon un peu abrupte s'il avait besoin de quelque chose, si le soudoyer pouvait l'amener à se remettre sous lithium ou sous Prozac. Je n'en étais pas à un pot-de-vin près. Nick réfléchit un long moment. Ensuite il dit que, oui, il y avait bien quelque chose qu'il voudrait.

— Est-ce que tu reprendras ton lithium, si je te l'obtiens ?

— Oui, d'accord, répondit-il sans hésiter.

Je retins mon souffle en me demandant ce qu'il allait exiger. J'avais oublié combien il était puéril, parfois. Surtout quand il ne suivait pas son traitement.

— Qu'est-ce que c'est ?

— Des tee-shirts pour mon groupe.

Ah bon ? C'était tout ? Il voulait bien se remettre sous lithium pour quelques tee-shirts ? Je retins un cri de soulagement. Dès que je raccrochai, je téléphonai à son médecin qui, pour une raison inconnue, décida d'attendre jusqu'au lundi. C'était plus pratique, semblait-il, pour les prises de sang et les résultats des analyses. Cela faisait six semaines qu'il avait arrêté le traitement, on pouvait attendre trois ou quatre jours, il n'avait pas l'air particulièrement en danger. Il était irritable, surexcité, mais sans plus. Si Julie pouvait le supporter trois jours de plus, je le pouvais aussi.

Le week-end suivant, j'allai à Los Angeles avec Tom, l'homme que je voyais depuis un peu plus d'un an, le seul avec qui j'étais sortie depuis ma séparation. Nick l'aimait bien. Il était ainsi. D'emblée il vous adorait ou il vous détestait. Une sorte de sixième sens le guidait vers les autres. Dès leur première rencontre, il avait apprécié Tom. C'est un homme droit, gentil, intelligent. Nick l'avait senti. Il ne tarissait pas d'éloges sur Tom et souvent il m'enjoignait de « faire quelque chose ».

Notre séjour à Los Angeles fut merveilleux, quoique je fusse constamment en contact avec Nick et Julie. Visiblement, Nick luttait pour tenir le coup. Nous avions tous hâte d'être à lundi. Malgré cela, Tom et moi passâmes un moment délicieux avec des amis et, pour la première fois, nous fîmes de sérieux projets d'avenir. Bien sûr, Nick nous préoccupait. Il était toujours au centre de nos conversations. Tom s'inquiétait pour lui. Il s'était intéressé à lui et à sa maladie dès qu'il avait fait sa connaissance. Il demandait toujours de ses nouvelles.

Je rentrai chez moi le dimanche soir, pleinement heureuse de mon week-end. Et le lundi matin, le monde bascula dans le chaos. Julie m'appela en hurlant dans l'écouteur que Nick était mort. Le service des urgences, sur place, essayait de le ranimer. J'étais glacée, le souffle court, horrifiée. Les mains tremblantes, je composai le numéro de John. Ensuite, j'appelai Tom. Il parut aussi effondré que moi. Ensuite je ne sais plus ce que j'ai fait. J'ai dû passer un millier de coups de fil.

Les urgences réussirent à faire redémarrer son cœur. Deux fois dans l'ambulance il fallut le relancer. Il avait pris une dose massive d'on ne savait quelle substance. On ignorait encore comment cela s'était passé. Julie était en

train de passer l'aspirateur quand un étrange pressentiment l'avait assaillie. Elle s'était précipitée chez Nick.
D'après les urgences, le cœur de Nick avait dû s'arrêter
au moment de son arrivée. Nous étions tous paniqués.
John et moi partîmes pour l'hôpital, quelques minutes
plus tard. Tom proposa de m'accompagner mais, par
égard pour John, je déclinai son offre. Je promis de l'appeler. En route pour l'hôpital, je priais pour qu'il soit
vivant quand j'arriverais. J'étais complètement affolée.

Dès que nous arrivâmes, je sortis de voiture et courus
à toutes jambes jusqu'aux urgences où Julie m'attendait.
Je trouvai Nick dans un état alarmant. Peu après, son
psychiatre arriva, suivi de Camilla, notre gouvernante.
J'étais au fond du gouffre, terrifiée à la pensée que je pouvais perdre mon fils.

Le manque de lithium avait vaincu sa résistance. Il
avait fait une tentative de suicide, en prenant un mélange
d'héroïne et d'autres drogues.

Beatrix nous rejoignit peu après. Dans le service des
urgences où on l'avait transporté, Nick, les yeux grands
ouverts, semblait en plein délire. Les médecins m'averti-
rent tout de suite : il était dans un état critique et, s'il
survivait, il souffrirait probablement de lésions cérébrales.
Il ne reconnaissait rien ni personne, ses yeux s'ouvraient
sur le néant, aveugles. Il ne voyait pas, ne parlait pas, il
remuait seulement les bras en poussant d'horribles gro-
gnements de bête blessée. Ce son, sorte de gémissement
continu, monstrueux, jamais je ne l'oublierai. Allait-il
rester comme ça toute sa vie ? me demandai-je. On
raconte beaucoup de choses sur les parents ne voulant
pas que leur enfant survive avec un cerveau en bouillie.
Pour moi, c'était clair. Je ne voulais pas le perdre, même
s'il devenait un légume. C'était hors de question. Il devait
vivre, il le fallait à tout prix.

Il resta ainsi pendant des heures. D'après les médecins,
s'il survivait, même s'il restait très atteint, il devait rapidement sortir de cette hébétude. Quatre ou cinq heures plus

tard, il n'y avait toujours pas le moindre signe d'amélioration ! Je sortis, en pleurant, pour téléphoner à Tom. Il y avait hélas peu de chose à dire, sinon qu'il y avait peu d'espoir.

L'équipe des urgences au grand complet l'entourait, sans résultats. Tandis que Nick continuait à gémir, inconscient, je m'assis près de lui. Il avait été transporté à l'hôpital huit heures plus tôt. Je pris sa main dans la mienne et me mis à lui parler, sans savoir s'il m'entendait. Julie essayait aussi de communiquer avec lui de temps à autre, l'implorant de nous écouter, de nous regarder. Elle était en état de choc, elle aussi. Elle avait tout tenté pour le réanimer avant l'arrivée de l'ambulance. Si elle avait passé l'aspirateur cinq minutes de plus, Nick serait mort. J'avais une conscience aiguë de ce que je devais à cette femme : la vie de mon fils, bien que l'issue restât toujours incertaine.

Sans relâche je parlai à Nick une heure durant, assise à son côté, ma bouche près de son oreille, lui répétant encore et encore combien je l'aimais, que j'étais là, que je l'attendais, sous le regard désolé de John et de Beatie.

— Allez, Nick... je suis là... ouvre les yeux... regarde-moi... c'est maman... Je t'aime, Nicky...

Une ronde de mots sans fin, sans espoir. Mais j'étais persuadée que quelque part, dans le sombre abîme où il était tombé, il pouvait m'entendre. J'étais sur le point de m'avouer vaincue quand il tourna vers moi ses yeux hallucinés, poussa de nouveau un horrible gémissement, puis avança les lèvres, comme s'il essayait d'articuler un son. Je ne sais pas s'il me voyait.

— Mmmmman... dit-il.

Je fondis en larmes. Ç'avait été affreux à entendre, mais il avait dit « maman ». Je me remis à lui parler. Comme si la chaîne de mes mots pouvait l'arracher aux griffes de la mort. Et mot après mot, syllabe après syllabe, je le tirai du gouffre où il avait sombré.

Plus tard, lorsqu'ils le transportèrent aux soins intensifs, il parut un peu plus cohérent. Les médecins n'avaient émis aucun pronostic. Ils avaient une vague idée des drogues, du cocktail empoisonné qu'il avait absorbé. Et un meilleur aperçu des lésions qu'il s'était infligées. Son foie, ses reins, sa rate étaient endommagés. Il était sourd, peut-être temporairement, les jambes paralysées. Les réflexes moteurs de ses bras étaient atteints, sa vision également, peut-être son cœur. Ils ne pouvaient pas encore se prononcer sur le cerveau.

Quand je le laissai, tard dans la nuit, ils pensaient qu'il survivrait. Il n'était pas encore sorti d'affaire, il en aurait pour quelques jours encore. Je rentrai quelques heures à la maison pour expliquer à mes autres enfants ce qui s'était passé. Nous étions tous sens dessus dessous.

Nous nous organisâmes pour nous relayer à son chevet. John resta à l'hôpital jusqu'à mon retour. Avec Julie et Camilla, nous convînmes de faire les trois-huit, tant que ce serait nécessaire. Beatrix passerait dès qu'elle le pourrait, quand elle aurait fini son travail.

Le lendemain, les choses s'étaient légèrement améliorées. Les médecins effectuaient des dizaines de tests. Paul, l'aide de Nick, assis près de lui, était effondré. Nous pleurions tous. La vie de mon beau petit garçon était suspendue à un fil et je n'arrivais pas à imaginer ce qui l'avait conduit aux confins de la mort.

La semaine suivante fut encore cauchemardesque, mais une amélioration se produisait jour après jour. Il passa de l'unité de neurologie à l'unité des maladies coronariennes, puis à celle de néphrologie. Il subit des centaines de tests et autres analyses. Et tandis qu'ils le transportaient en chaise roulante d'un service à un autre, Nick me regarda avec ce sourire que j'aimais tant, en disant :

— Pourquoi ne me laissent-ils pas au parking ? J'aurais bien envie de griller une cigarette.

Très drôle ! J'aurais voulu le secouer, lui faire jurer de ne jamais me quitter. La pensée de ce qui avait failli se passer me terrifiait.

Il admit qu'il avait été submergé par une dépression suicidaire, qu'il avait été dans le brouillard, qu'il avait

238

voulu en finir. Le neurologue l'avait remis sous lithium et Prozac, dès le début de son hospitalisation.

Trois jours après sa tentative de suicide, ce fut Halloween. J'arrivai dans sa chambre les bras chargés de cadeaux, un tee-shirt rigolo, des gâteaux au chocolat et à l'orange. Il adorait Halloween, je ne voulais pas qu'il le rate. J'ignorais que pour lui ce serait le dernier... Pour l'amuser, je m'étais déguisée en sorcière, avec perruque violette et vêtements adéquats.

Il avait eu de la chance. A la fin de la semaine, il ne sentait toujours pas ses jambes, mais il parvenait à marcher, bien que maladroitement. Le cœur fonctionnait bien, il avait recouvré l'ouïe et, malgré un bilan de santé plutôt catastrophique, ses jours n'étaient plus en danger.

Je faisais la navette entre la maison et l'hôpital. Le trajet durait une heure et je me partageais entre Nick et les autres enfants. Nous ne nous étions pas encore remis de nos émotions. Nous étions tous ébranlés et furieux à la fois, surtout les plus jeunes.

Nick resta huit jours aux urgences. A la fin de la semaine, on me demanda de l'emmener ailleurs. Ils n'étaient pas suffisamment équipés en psychiatrie et disposaient de peu de moyens pour le protéger. Ils devaient avoir peur qu'il recommence. Une idée absurde à mes yeux. Il avait été affreusement malade et j'étais sûre qu'il avait compris la leçon. D'ailleurs, il était redevenu merveilleusement affectueux. Il semblait heureux d'être vivant. Peut-être que le lithium ou le Prozac commençaient à agir. Ses amis lui rendaient visite. Il les recevait avec bonne humeur alors que nous, surtout Julie et moi, étions épuisés. De toute ma vie je n'avais connu d'expérience aussi angoissante. A présent les docteurs pensaient qu'il se remettrait complètement. Les fonctions cérébrales n'avaient pas été touchées, ce qui relevait du miracle. Il ne restait plus qu'un problème au foie et l'insensibilité dans les jambes, qui, selon eux, durerait encore six mois ou plus. Il devait commencer une rééducation.

Je suis immensément reconnaissante à cet hôpital, et à

tous ceux qui ont contribué à sauver Nick. Julie, les urgences, le personnel hospitalier, celui des soins intensifs, un excellent neurologue qui s'est remarquablement occupé de Nick, une psychiatre extraordinaire. C'est elle qui me conseilla de l'envoyer dans un autre hôpital, mieux équipé. Huit jours après son hospitalisation, une ambulance transporta Nick dans un hôpital en ville, qui disposait d'une unité psychiatrique. Ils l'installèrent dans une chambre avec une alarme antisuicide sur lui. Les visites étant autorisées en permanence, je n'avais plus à subir les embouteillages aux heures de pointe, deux fois par jour. Cela me laissait le temps de m'occuper de mes autres enfants. Peu à peu, le sachant en de bonnes mains, je commençai à me détendre. Je reprenais espoir. Il n'aurait plus qu'à se remettre sur pied au sens propre comme au sens figuré, à surveiller son foie et à reprendre régulièrement son lithium. Comparé à l'épreuve que nous venions de traverser, c'était relativement facile, et je remerciais ardemment la providence qu'il soit encore parmi nous.

En fait, sa bonne humeur était exagérée. Mais ses amis lui rendaient visite et j'ai fermé les yeux sur certains signes menaçants, bien que ce ne soit pas dans mon caractère. Mais je considérais sa tentative de suicide comme un accès de folie. C'était arrivé tout simplement parce qu'il avait arrêté le lithium. Et maintenant qu'il était de nouveau sous traitement, cela n'arriverait plus. Je sous-estimais, j'ignorais l'aspect récurrent, voire mortel de sa maladie. Pour moi, il s'agissait d'un handicap qui le rendrait peut-être malheureux toute sa vie, mais dont il ne mourrait pas. Je n'avais pas saisi le message.

60 % des malades maniaco-dépressifs attentent à leurs jours. Dans le jargon psychiatrique, 30 % des tentatives méritent l'appellation de suicide « réussi ». Sans se fier totalement aux statistiques, le pourcentage de ces « réussites » est énorme. Mais je n'avais pas compris que Nick avait 30 % de chances de mourir.

Je lui ai écrit un poème dans lequel j'essayais de lui

exprimer mes sentiments après son acte. Tout y est. Nick l'a toujours gardé avec lui après sa sortie de l'hôpital.


## A NICKY
parce que je t'aime

Tu n'es pas arrivé dans
 ma vie
facilement, doucement,
sans décision
 ou confusion,
tu es venu comme une
 surprise,
 un être, un événement
  dont je devais décider
   si j'en avais envie.
Je me suis battue,
 en te voulant,
  sans te connaître,
   pas sûre de toi
ou de moi
ni comment je t'aurais.
Et pourtant,
 je t'ai choisi
sans savoir
 où on habiterait
  avec quoi je t'habil-
lerais.
Je n'avais personne
  pour m'aider
Personne avec qui
 te partager
  Personne qui prendrait
   soin de toi
 Seulement moi et Beatie.
Tu étais à nous
Et même alors,

tu n'es pas venu
 à la maison
 facilement
  ou doucement.
A la place d'une citrouille
cachée sous ma robe,
 j'avais l'air d'en avoir
 sept
tu faisais sourire les gens,
 et rire
tandis que Beatie et moi
  t'attendions
et tu es venu
 pas facilement
  ou doucement
 avec autant de bruit
 que tu étais capable
d'en produire
en tombant dans mon
univers,
 et tandis qu'on se
tenait par la main,
 toi et moi,
 je t'ai promis une
éternité
 de protection et
d'amour.
 Tu mangeais comme
 douze
 et je t'aimais
  comme cent

241

mon magnifique cadeau,
mon enfant le plus
cher,
le plus drôle,
le plus beau,
tu étais si pressé
de vivre
que tu me parlais,
tu bavardais
avant que tu sois censé
prononcer ton pre-
mier mot.
Et tout est arrivé
trop facilement, trop
doucement
et tu portais
mes chapeaux,
mes perles,
tu aimais le disco
les clowns.
Expansif,
tandis que tu explorais
le monde
encore en chaussons.
Tu avais mon lit,
mon cœur,
ma vie,
tu portais des cols
roulés
noirs
à l'école
au lieu de blancs
tu as appris à parler
à épeler
à la perfection
mais au fond,
tu me faisais rire,
et pleurer,

tu jouais à l'avion
avec mon cœur
et nous savions toi et
moi
que tu étais quelqu'un
de spécial
trop exceptionnel,
avec une trop
grande sagesse,
omniscient
et trop aveugle,
tu voyais le monde
trop clairement
et pas du tout
et toi et moi
connaissions l'âme l'un
de l'autre,
son cœur et son esprit,
alors qu'en toi brûlait
un feu
qui a failli te dévorer.
Et dans tes yeux
j'ai vu tes heures les plus
sombres,
tes plus brillantes
lumières,
tes crépuscules
flamboyants.
Nous avons traversé
des orages
et debout, main
dans la main,
sous la pluie,
je t'ai promis
que je serais là
à jamais.
Mais hier,
mon garçon bien-aimé,

tu t'es caché de moi
quelque part
 où
    pendant un instant
    tu t'es dit
que je ne te trouverais pas,
  caché comme lorsque tu
étais petit
  sous mon lit,
    dans ma tête,
derrière les rideaux,
    dans des malles,
  si sûr,
    si absolument sûr
  que cette fois-ci
    personne ne te trou-
verait.
Ils m'ont appelée
    pour me dire
      que tu étais mort,
  arraché à mon cœur,
      à mon esprit,
  parti loin,
      quelque part où
        on ne te trouverait
pas.
Tu t'es caché là-bas
  une heure,
    un jour,
    dans la lumière blanche,
      tu es parti jouer,
    essayant de dénouer
      les liens
        de l'angoisse
  mais moi,
      sachant les endroits
      où tu te caches,
  car tu seras toujours

    mon enfant,
  j'ai su
    que s'ils me laissaient,
  je pourrais te retrouver.
J'ai couru à travers
  les ténèbres
  hachurées de pluie,
guidée par ta peine,
  et je t'ai trouvé,
    caché, là,
    petite boule noire
    de terreur
      et de silence,
il n'y avait rien
    dans tes yeux,
    pas de victoire,
pas de prix,
    et même alors,
    mon amour,
tu ne pouvais t'en aller
  facilement et doucement,
    je ne t'aurais pas laissé
  courir, te cacher,
    je ne t'aurais pas laissé
    t'envoler, ou mourir.
Je suis descendue dans
  le puits noir et profond
où tu es tombé hier
et je t'ai repris.
  Il n'y a plus de vie
    sans toi
plus de rires,
  pas de sourires,
    pas de chagrin plus
grand
que celui-là
mais cette fois-ci,
  c'était ton choix,

pas le mien,
je te tenais par la main,
une fois de plus,
et ne te lâchais pas.
Tu es resté longtemps
très longtemps
en suspens
ne sachant pas
dans quelle direction
te tourner,
je sentais ton angoisse,
ta douleur, infiniment,
les terreurs qui te brûlent.
Et puis lentement,
à peine,
presque pas,
tu t'es tourné
vers moi
et tu m'as vue
et tu as dit Maman...
et tout doucement,
tout doucement,
tu as grimpé
vers le sommet
de la montagne
et maintenant tu es ici,
suspendu sur le
bord,

penché
sur l'abîme
mais toujours ici,
toujours mien,
toujours
souffrant,
la dernière aube
n'est pas venue,
la dernière heure
n'est pas
pour cette fois-ci,
ta main est de nouveau
dans la mienne,
je ne te laisserai jamais
partir
facilement ou doucement,
je te ramènerai,
je sentirai toujours
ta peine
jamais je ne te laisserai
t'envoler à tire-d'ailes
dans la nuit.
Tu ne partiras pas
comme tu es venu,
tu ne dois plus jamais
faire ça.
Tu dois rester maintenant,
ne serait-ce que
parce que je t'aime.

Une fois Nick installé dans son nouvel hôpital, j'essayai de me calmer. J'avais promis aux enfants de les emmener en week-end. Tom et moi allâmes voir Nick le mercredi soir. Tom fit promettre à Nick que plus jamais il n'attenterait à ses jours. Nick en fit le serment. Il avait l'air sincère. Todd arriva peu après. Tous les quatre bavardâmes un moment. Beatrix et Trevor étaient passés plus tôt.

J'envoyai Samantha acheter de quoi manger à Nick, qui trouvait la nourriture de l'hôpital insipide. Mais à part cela, il semblait paisible. Sam était ravie de voir son frère préféré. Il nous avait fait si peur que nous éprouvions tous le besoin de le voir, de le toucher, comme pour nous assurer qu'il était toujours vivant.

Le vendredi, je passai une agréable soirée avec Tom et les enfants. Nous nous détendions, enlacés, quand le téléphone sonna.

C'était l'hôpital. Quelqu'un m'avertit que Nick avait de nouveau tenté de se suicider. Mais ils l'avaient sauvé. Ils étaient intervenus presque immédiatement, avaient dû relancer son cœur trois fois mais, à présent, il était hors de danger. C'était arrivé très vite. Ils pensaient qu'il s'agissait d'une overdose de drogues que des amis venus le voir lui avaient apportées. « Des amis. » Cela ne correspondait guère à ma définition de l'amitié. On n'apporte pas de drogue à un malade mental suicidaire, dans un pavillon psychiatrique. J'étais trop anéantie pour réagir. Tom, lui, était affligé. Il me quitta peu après. Il était fatigué et aspirait à un peu de repos. Nous venions de frôler une fois de plus la catastrophe.

Il pensait que j'irais à l'hôpital, lorsqu'il partit, mais je ne bougeai pas. J'étais trop furieuse contre Nick pour me rendre à son chevet. Je savais qu'il était hors de danger et je n'avais aucune envie de le voir. De toute façon, je ne pouvais rien. Il était vivant et j'avais besoin de temps pour digérer la nouvelle. Je parlai au téléphone avec Julie, puis avec le Dr Seifried. Visiblement, les démons qui incitaient Nick à se détruire étaient plus forts que lui. J'allai me coucher, le cœur brisé, pleine de gratitude qu'il ait de nouveau été sauvé. Mais combien de fois serais-je reconnaissante après chaque défi que Nick lançait à la fatalité ?

Je m'endormis sans même me déshabiller, et je rendis visite à Nick le lendemain matin. Il avait une mine épouvantable. Son organisme avait reçu un choc énorme. Il ne sentait plus du tout ses jambes, et le fait qu'il ait fallu s'y reprendre à trois fois pour le réanimer l'avait considérablement affaibli. Encore groggy, il était presque transparent.

Je rentrai à la maison bouleversée. La tournure que prenait la vie de Nick ne m'inspirait que de l'angoisse. J'avais essayé de lui faire comprendre, l'après-midi, que s'il continuait, il allait tous nous entraîner dans son sillage. S'il coulait, comme les passagers d'un bateau, nous allions couler avec lui. Nos attaches, l'unité familiale étaient irrévocablement liées à sa personne. Nous dépendions les uns des autres. Je lui avais rappelé que s'il mourait, il briserait le cœur de Samantha, sans parler du mien, et de ses autres frères et sœurs. Sans lui, aucun de nous ne serait plus le même.

Tom vint me voir ce soir-là, l'air préoccupé. Il avait réfléchi lui aussi. Il ressentait le besoin d'un éloignement, d'un arrêt momentané de nos relations, dit-il, pour y voir plus clair. Il avait compris quel fardeau il devrait endosser s'il restait avec moi. Ses paroles m'accablèrent mais, malgré ma déception, je ne lui en voulus pas. Nick avait touché le fond deux fois en dix jours. Tom se demandait certainement à quoi ressemblerait sa vie si jamais il m'épousait. Cette perspective avait pour lui quelque chose d'effrayant. Moi-même je me posais des questions, sachant combien Nick était fragile. A tout instant, la tragédie pouvait nous frapper. Je l'avais enfin compris et, pour la première fois de ma vie, j'étais fâchée contre lui. A cause de lui et de sa maladie, je venais de perdre quelqu'un que j'aimais tendrement. Pendant les jours qui suivirent, j'oscillai entre le chagrin et le ressentiment.

Nick sentit ma tristesse, lors de ma visite suivante. Nous étions si proches qu'il lisait en moi comme dans un livre. Il m'interrogea sur ce qui n'allait pas. Et comme je restais dans le vague, il demanda des nouvelles de Tom. Nos yeux se rencontrèrent et il comprit avant que je réponde. Du reste, il n'était nul besoin de le mettre au courant. Il avait parfaitement deviné que Tom avait mal réagi au drame. Je fis semblant de prendre la chose à la légère, disant que tout finirait par s'arranger. Nick me rassura... Tom était quelqu'un d'épatant, dit-il. Il reviendrait. Je n'en étais pas si sûre mais j'en profitai pour lui reparler de ses tentatives de suicide et pour lui dire qu'il nous détruisait. Je n'avais pas compris qu'il n'avait pas vraiment le choix. Je pensais encore qu'il prenait la décision de se tuer en toute conscience, ce qui était faux, bien sûr.

Après une longue discussion, je le serrai dans mes bras, et nous pleurâmes ensemble. Une fois de plus, je lui expliquai le désert que serait ma vie sans lui. J'aurais voulu qu'il comprenne, et qu'il puisse faire quelque chose, mais il ne le pouvait pas.

Nick avait raison pour Tom. Son « éloignement » dura près de trois semaines — trois interminables semaines. Il vint me présenter ses excuses, la veille de Thanksgiving. J'avais plusieurs raisons d'être reconnaissante à la vie cette année-là : le retour de Tom et surtout le fait que Nick avait survécu. Il était sorti de l'hôpital et était retourné chez Julie, qui le surveillait très attentivement.

Le soir de Thanksgiving, je fus entourée de toute ma famille. John était présent, puisque nous passions toutes les fêtes ensemble, avec nos enfants. Nick et son copain Sammy le Mick arrivèrent juste avant le dîner, très élégants dans leur tenue de soirée. Jamais je n'oublierai ce repas plein de gaieté, de grâce et de gratitude à la vie et à tout ce qui méritait d'être vécu.

La dinde découpée et servie, je jetai un long regard à Nick, n'osant croire à mon bonheur, priant que cela n'arrive plus jamais, et qu'il ne nous quitte pas. Je voulais y croire de tout mon cœur.

C'était son dernier Thanksgiving.

# 17

## Troisième avertissement

Avec sa seconde tentative de suicide, Nick nous permit, sans le savoir, de nous armer. Cette expérience, j'aurais mille fois préféré ne pas la vivre, mais le fait de s'être mis par deux fois en danger de mort nous donnait légalement le droit de le faire hospitaliser soit parce que nous le jugerions nécessaire, soit parce qu'il aurait arrêté son traitement. Nous tenions la preuve qu'il était une menace pour lui-même. Lorsqu'il arrêterait de prendre ses médicaments, nous n'aurions plus jamais à attendre avant d'agir. Nous pouvions recourir au placement forcé dès le premier jour d'arrêt. Sans discussions. Sans explications.

Notre « outil » s'appelait 5150, numéro de l'article du Code de la santé nous permettant de suspendre ses droits et de l'envoyer dans un hôpital psychiatrique pendant trois jours, le tout suivi de l'article 5250 qui, lui, nous donnait la possibilité de le garder sur place trois semaines de plus et ainsi de suite. A un moment donné nous envisageâmes une mise sous tutelle, procédure compliquée dont les multiples inconvénients nous découragèrent.

Avec la prise régulière de lithium, Nick revint à la normale. Il travaillait beaucoup avec son groupe, était de nouveau plein d'allant, d'humeur relativement joyeuse. Il semblait ne pas se rappeler les heures affreuses passées aux urgences. Il avait fait peur à tout le monde, sauf à lui-même. Et maintenant, il avait recommencé ses répétitions avec Link 80.

Vers Noël, il reprit ses concerts, jouant à nouveau les rock stars. Mon idylle était repartie de plus belle. Les enfants s'étaient remis de toutes ces émotions. Tout allait pour le mieux dans le meilleur des mondes. Pourtant, je continuais d'éprouver une sourde inquiétude vis-à-vis de Nick. Il nous avait montré de quoi il était capable sans ses médicaments. Heureusement, à présent, la loi nous donnait tout pouvoir pour l'obliger à se soigner, même contre sa volonté. Pour le moment, il ne refusait pas son traitement. Tous les jours, il prenait sagement ses médicaments.

En janvier, le groupe fit une courte tournée à Los Angeles. Je commençais à me détendre. Le dernier cauchemar remontait à plus de deux mois et demi... Puis, soudain, coup de fil de Julie, tôt le matin. Il avait fait une nouvelle tentative. Cette fois, cela s'était passé à la maison, sous son nez, à côté de la chambre de ses enfants. Il s'était tranquillement administré une overdose, tard dans la nuit. Il se trouvait suffisamment près de Julie, ce qui lui garantissait un sauvetage presque certain. C'était une sorte d'appel au secours. Elle l'avait ranimé et il était réveillé quand les urgences étaient arrivées. Il retourna à l'hôpital — celui qui disposait d'une unité psychiatrique — et, cette fois-ci, Julie et moi décidâmes de ne rien dire à personne, à part John. Il était grand temps que nous voyions les choses en face.

D'après les résultats des analyses, son taux de lithium avait baissé, entraînant inéluctablement un état suicidaire. Une baisse légère, mais suffisante pour qu'il tente de se tuer. Nous étions parfaitement conscients de la gravité de la situation. Avec les médecins, nous évoquâmes la mise sous tutelle et même l'internement. Mon cœur saignait, mais il était clair qu'il avait besoin d'une surveillance constante. Je demandai à des avocats et à un ami juge des renseignements sur la mise sous tutelle. Il apparut que la cour pouvait nommer un autre tuteur que moi, à moins qu'elle ne se réserve cette fonction. Dans ce cas, s'ils jugeaient que Nick était une menace pour lui-même, qu'il causait trop d'ennuis ou qu'il était dément, je n'aurais plus aucun droit de décision. Si j'obtenais une mise sous tutelle, je perdais ma propre autonomie de mouvements, et s'ils l'internaient dans une institution d'Etat, je n'aurais plus aucun moyen de l'en sortir.

Je décidai de ne pas en référer à la cour et de m'en occuper personnellement. Avec John et Julie.

Cette fois-là, Nick récupéra d'une manière extraordinairement rapide, et très vite, il eut de nouveau l'air parfaitement normal.

Ses médecins préconisaient une hospitalisation à long terme, mais nous leur indiquâmes que Nick ne ressemblait pas aux autres malades. Il était autonome, il menait une carrière brillante, et ce serait criminel de l'enfermer. Le psychiatre de l'hôpital répondit qu'il était bien moins autonome qu'il n'en avait l'air. C'était dur à croire. Après un interminable débat avec les deux psychiatres et un conseiller légal, nous abandonnâmes l'idée de la mise sous tutelle. Et, deux semaines plus tard, il était de retour chez Julie.

Le psychiatre de l'hôpital avait dit que si nous parvenions à ce qu'il reste vivant jusqu'à trente ans, il aurait de bonnes chances de mener une vie relativement normale. Les suicides, « accidentels » ou pas, se produisaient plus fréquemment chez les jeunes patients. Cela voulait dire douze ans d'attente, une éternité. Or, cette fois-ci, Nick parut mieux cerner le problème. Nous eûmes une grande discussion avec lui, pendant laquelle nous fîmes appel à sa raison autant qu'à sa conscience. D'un air triste, il demanda au médecin combien de temps durerait le traitement. Mais je crois qu'il connaissait la réponse avant même de poser la question.

— Toujours, dit le médecin simplement, et Nick hocha la tête.

Il était enfin confronté au fait qu'il serait maniaco-dépressif à vie. C'était dur à avaler. Nous comparâmes sa maladie au diabète et lui précisâmes que s'il oubliait une seule gélule, ou s'il refusait de la prendre, il retournerait aussitôt très longtemps à l'hôpital. Trois tentatives en trois mois ! J'en étais terrifiée.

Je lui écrivis cette lettre avant sa sortie de l'hôpital. Il m'avait adressé ses excuses, en en profitant pour me faire part de son refus d'être hospitalisé, et comme toujours j'essayai, avec mes mots, d'en appeler à son cœur et son esprit.

*Jeudi soir*
*30 janvier 1997*

*Nick, mon chéri,*

*Ta lettre d'aujourd'hui m'a profondément touchée. Je t'aime plus que je ne pourrai jamais te le dire. C'est merveilleux de ta part de me tendre la main, de partager tes sentiments avec moi, et de me demander pardon pour l'inquiétude que tu m'as causée. Mais je voudrais que tu saches, maintenant et toujours, combien je suis fière de toi, de ce que tu es. Et je serai encore plus fière si tu réussis en tant qu'artiste. Je pense que cela ne sera pas difficile parce que tu as un immense talent — mais ce n'est qu'un petit plus, un extra, car même sans tes succès sur scène, j'aurais débordé de fierté pour toi, uniquement parce que tu es quelqu'un de merveilleux, d'exceptionnel, que tu l'as toujours été et que tu le seras toujours.*

*Tu dis que, parfois, tu vois de l'inquiétude et de la tristesse dans mes yeux. Je me fais du souci pour toi, en effet. Je suis triste quand tu es triste, et je sais que tu traverses une mauvaise période. Oui, je suis triste quand je pense que tu nous as presque glissé entre les doigts. Je suis triste quand tu n'es pas heureux, comme tu l'es quand je ne suis pas heureuse. Et quant à la « déception » que tu as décelée dans mon regard, oui, elle existe. Mais tu n'y es pour rien. Tu n'y as jamais été pour rien. Tu ne me déçois pas. Tu n'as qu'à tendre la main pour toucher mon âme. De tous, durant les années les plus dures, c'est toi qui as su le mieux me réconforter et panser mes blessures. Et tu le sais !*

*La déception, donc, ne te concerne pas (je suis toujours en train de vanter tes mérites ! ! !). Elle concerne plutôt* ma propre vie en ce moment. J'ai passé de nombreuses années à essayer de bâtir quelque chose, énormément de choses, notre famille, ma carrière, ma vie avec papa. Et pour l'instant, j'ai l'impression de glisser du mauvais côté de la pente et de me retrouver quelque part au fond (comme toi parfois), j'espère que cela m'apprendra au moins à me surpasser. La déception que tu vois concerne ma vie, mon mariage, la peine que je ressens quand la presse s'en prend à moi, et mon sentiment d'impuissance à te venir en aide. Mais toi non, tu ne m'as pas déçue.

Ainsi va la vie, nous tombons tous, nous dégringolons la pente, puis nous la gravissons à nouveau. Je me sens mieux dans ma vie qu'il y a quelque temps. J'aperçois un rayon de soleil par-dessus la montagne, et pas seulement pour moi. Pour toi aussi. Main dans la main avec ceux que nous aimons et qui nous aiment, avec nos amis, et avec un peu de chance, nous remonterons, alors que la vie nous jette à terre. Ma main sera toujours là pour toi. Je serai toujours là pour toi, mon chéri, et quand la vie te semblera triste, peu importe que tu sois grand, vieux, maussade, fatigué ou désespéré, tu pourras toujours grimper sur mes genoux et te reposer un peu.

Nous devons faire certaines choses seuls. Ce premier saut au-dessus du vide qui s'apprête à nous engloutir, nous devons l'accomplir tout seuls, et nous devons suffisamment croire en nous pour essayer — comme tu dois croire en toi-même et en une force positive, supérieure, plus forte que toi, même maintenant. Mais au-delà de ce petit, de ce tout petit, de ce minuscule pas (qui peut paraître énorme) hors de l'enfer, il y a des gens prêts à te protéger, à te chérir, à rester près de toi, comme moi et Julie, et tes amis, et ta famille. Nous sommes tous là, nous sommes tous avec toi, mon chéri, surtout moi.

Merci de te soucier de moi, merci pour tout ce que tu es, pour ce que tu fais. Tu ne sens pas, sans doute, combien tu es merveilleux en ce moment, mais tu l'es.

*Je te souhaite plein de choses formidables. J'espère que ta musique t'apportera la joie, l'exaltation et la satisfaction que tu mérites, mais que tu deviennes une étoile ou pas, tu seras toujours mon étoile à moi, une étoile humaine, mon doux Nicky. Et tu brilles beaucoup plus que tu ne peux l'imaginer.*

*Alors reprends-toi, souris, et sache que tu es la joie de ma vie et non la déception. Je veux juste que tu sois en sécurité, que tu ailles bien et que tu te sentes heureux — et si nous t'enfermons dans un « placard » de temps à autre, c'est pour te conserver, comme un bijou dans un coffre-fort. Cela n'aide en rien le bijou, je suis d'accord, et n'améliore pas sa qualité, mais cela l'empêche de disparaître. C'est dur de te faire subir la même chose, je sais, mais pour moi tu es un joyau. Je ne supporterais pas de te perdre, et si tu crois que je suis triste maintenant, imagine ma tristesse si quelque chose de terrible t'arrivait. Je n'ose pas y penser. Alors, prends soin de toi, tâche d'être courageux, essaie de sortir du gouffre, même à tout petits pas. Rassemble ta force et ta foi, je suis là, les bras ouverts, mon cœur toujours à toi... avec plus de tendresse que je ne puis exprimer.*

*Même dans les pires circonstances, il existe toujours un brin de bonheur. Accroche-toi et garde-le. Tu as souvent été ce brin de bonheur pour moi... puisse mon amour pour toi éclairer les coins sombres de ta vie. Nous nous avons l'un l'autre et c'est très bien ainsi.*

*Souris, mon amour... sois fier de ce que tu es, comme je le suis !*

*(La Guerre des étoiles ressort demain sur les écrans. Nous pourrions aller le voir ensemble, en souvenir du bon vieux temps. Et que « la Force soit avec toi », mon bébé, et elle le sera toujours, tu sais !)*

*Fais attention, mon chéri, fais très très attention. Je t'aime de tout mon cœur.*

*Maman.*

A partir du moment où il sortit de l'hôpital, mon cœur cessa de battre chaque fois que le téléphone sonnait. Je savais, je crois, ce qui allait arriver.

Pourtant, après sa dernière tentative, Nick eut l'air de se sentir mieux que jamais. Pour la première fois de sa vie, il parut accepter sa maladie en même temps que les responsabilités qui en découlaient. Nous testions ses taux de lithium toutes les semaines, afin de nous assurer que tout était sous contrôle. Avec son groupe, tout marchait bien. Ils enregistraient des CD et effectuaient des tournées. Il passait à la maison dès qu'il avait un moment, montrant un moral d'acier. Il passa des vacances avec nous à Hawaï, chose qui ne lui était pas arrivée depuis des années. Cela me faisait chaud au cœur de le voir jouer avec les enfants. Sammy le Mick et Julie nous rejoignirent, histoire de s'assurer que tout allait bien.

Nous nous amusâmes tous comme des fous. Nick allait sur la plage, nageait avec Sammy, nous suivait partout, sa caméra vidéo au poing. Il était très enjoué et les enfants et moi adorions l'avoir avec nous. Ces vacances furent les meilleures que nous ayons passées depuis longtemps. Jusqu'à cette année-là, Nick avait été incapable de voyager.

Par des prises de sang régulières nous continuions à vérifier ses taux de lithium et de Prozac. Tandis que d'autres malades bipolaires se font contrôler tous les quatre mois, nous faisions faire à Nick des analyses toutes les semaines. Son organisme n'assimilait pas toujours les médicaments avec la même régularité, et la moindre baisse de niveau devait être détectée pour rectifier le dosage. J'avais insisté sur ce point en janvier. Il y allait de la paix de mon esprit. D'ailleurs, Nick était d'accord. Mais la médication ne remplaçait pas la psychothérapie. Nick voyait deux psychiatres, le Dr Seifried, très apprécié de toute la famille, et le psychiatre de l'hôpital. Il avait suivi également un traitement de deux mois en consultation externe mais il n'en avait plus le temps. Les tournées, les concerts, les répétitions l'accaparaient. Link 80 montait vers le zénith, et Nick s'en réjouissait. Le merveilleux parfum de la réussite l'enveloppait. Il faisait partie des futures stars de la chanson.

Ils avaient mis au point une tournée de dix semaines à travers les Etats-Unis, cet été-là, et il était question d'une tournée en Europe à l'automne et d'une autre au Japon, après Noël. Ce serait une lourde charge mais il semblait à la hauteur. Il se passionnait pour son métier et, tant qu'il ne manifestait aucun signe inquiétant, il aurait été injuste de s'interposer. Julie et moi veillions sur lui, tout comme ses deux aides. Parfois, il suivait des cures de sevrage, afin de décrocher complètement de la drogue qu'il avait tendance à utiliser comme un palliatif, quand par hasard son taux de lithium baissait. Nous faisions tous de notre mieux. Il semblait vouloir s'en sortir et ses efforts portaient leurs fruits. Il resplendissait.

A cette époque, nous étions tous focalisés sur le mariage de Beatie. La cérémonie aurait lieu le mois suivant, en présence de tous ses frères et sœurs. Les filles seraient ses demoiselles d'honneur, Maxx porterait les alliances, Zara le bouquet de la mariée. Le rôle de placeurs reviendrait à Nick, Todd et Trevor. Dans un premier temps, nous nous étions demandé si Nick serait capable de s'acquitter de cette tâche, mais au vu de ses progrès tant dans sa vie privée que dans sa vie professionnelle, il était ridicule de s'inquiéter. Même si, en plaisantant à moitié, nous nous demandâmes ce qui se passerait s'il s'ennuyait à rester debout près de l'autel et si sa fameuse impulsivité reprenait le dessus. Mais, compte tenu de son nouveau comportement, cela semblait improbable.

Il était enfin devenu un jeune homme affectueux, attentif, responsable. A présent il affrontait sa maladie avec le plus grand sérieux. Il prenait régulièrement ses médicaments, dépistait lui-même les signes avant-coureurs de rechute et lorsqu'il ne se sentait pas bien, il en parlait à Julie, ce qui permettait de rééquilibrer les doses. Trois mois s'étaient écoulés depuis sa dernière tentative, et il avait réussi à chasser ses idées morbides. Il était plus beau que jamais, plus mûr. Il avait réussi. Il était très heureux. Jamais nous n'avons été plus proches.

En fait, nous nous étions tellement bien entendus à Hawaï que nous décidâmes de déjeuner ensemble une fois par semaine ; nous passions des moments délicieux. Plus Nick avançait en âge, plus nous nous ressemblions. Même sensibilité, même tendance à la compassion, même générosité. Tous deux un peu étourdis, un peu naïfs, le cœur tendre, l'esprit rapide, et le même sens de l'humour. La vie ne nous avait pas toujours ménagés et nous avions appris à apprécier les instants de répit. Et surtout, nous savions que nous étions attachés l'un à l'autre par un lien indestructible.

Je découvris que je pouvais parler avec lui de tout ce qui me tenait à cœur. Lui confier mes soucis. Evoquer les problèmes que j'avais eus avec John, mon travail et même ma vie amoureuse. Il avait une extraordinaire qualité d'écoute. Il trouvait Tom de plus en plus sympathique et se félicitait de notre bonheur. De mon côté, je le mettais en garde contre les pièges de la célébrité. Je m'étonnais de voir déjà autant de gens l'envier, tandis que d'autres, tout aussi nombreux, essayaient de s'attirer ses faveurs. Nous avions chacun beaucoup de sagesse à offrir à l'autre. Nous posions un regard identique sur la vie, ce qui nous amusait. Nick possédait une intuition quasiment infaillible sur les gens. Oui, c'était extraordinaire de constater combien nous étions proches. Et combien il se montrait compréhensif et plein de sagesse. Sa sollicitude, sa volonté de me voir heureuse me touchaient. Je ne l'aurais jamais imaginé, des années plus tôt, mais il était devenu un être que j'aimais, que je respectais, sur lequel je pouvais compter, quelqu'un de rare. Nous comptions l'un sur l'autre et nous ne nous sommes jamais déçus. Je pouvais m'appuyer sur Nick, aussi surprenant que cela puisse paraître. Et c'était le présent le plus précieux qu'il m'ait fait, un cadeau que je chérissais profondément.

En dehors de nos déjeuners, entre deux répétitions, il passait à la maison, s'asseyait dans mon bureau et nous bavardions. Nous nous moquions des gens qui nous déplaisaient ou qui se prenaient trop au sérieux. Nous nous racontions des blagues, et comme la naïveté ne se guérit pas, nous faisions toujours confiance aux autres, « pas assez et beaucoup trop », comme disait Nick. Nous avions énormément de points communs, beaucoup d'estime et d'admiration l'un pour l'autre.

Après le mariage, nous allions partir chacun de notre côté pendant un certain temps. J'emmènerais les enfants en Europe pour six semaines. Nick entreprendrait sa tournée de dix semaines, perspective qui l'enthousiasmait. J'étais si heureuse pour lui que j'en oubliais de m'inquiéter. Ses aides l'accompagneraient comme toujours, et Julie irait toutes les semaines le retrouver là où il serait pour s'assurer que tout se passait bien. Elle lui avait déjà pris ses rendez-vous dans tous les hôpitaux pour ses analyses. Nous avions pensé à tout. Lui se concentrait sur sa musique. Il ne fut jamais aussi sain, aussi fort, aussi en forme. Et à la fin du mois de mai, toute notre attention se porta sur le mariage de Beatie.

La veille du grand jour, il y eut une répétition du dîner, une vraie partie de plaisir qui enchanta Nick. Beatie rayonnait de bonheur dans sa robe de satin lavande ; quant à Nick, il était superbe dans son costume sombre et ses chaussures en léopard à semelles de crêpe. Il avait les cheveux teints d'un noir brillant et s'était fait faire une coupe extraordinaire. Bref, il était l'image même de la séduction. Le lendemain, avant la cérémonie, nous posâmes pour les photos ; Nick était là aussi, irrésistible dans son nouveau smoking.

Pendant la cérémonie son attitude fut exemplaire. Pas l'ombre de la moindre impulsivité. Il me conduisit à ma place avec aisance, et alors que nous traversions lentement l'allée, il mit ma main sous son bras et me fit fondre en me disant combien il m'aimait. Il y a une très jolie photo de nous, à cet instant, précisément.

Je répondis que je l'aimais aussi, que chaque enfant est un cadeau pour sa mère, mais que lui avait été un cadeau particulier, car il m'avait été offert plusieurs fois.

— Sois gentil avec toi maintenant, Nick, lui dis-je doucement. Je t'aime, murmurai-je.

Me sentant tendue, il me tapota la main. Il me répéta qu'il m'aimait, m'embrassa, puis me laissa à ma place avant de se diriger vers l'autel pour rejoindre les autres.

Je ne l'ai jamais trouvé aussi bien.

Cette nuit-là, il dansa avec moi plusieurs fois, puis, fidèle à sa réputation de Casanova, il quitta la réception avec l'une des plus jolies femmes de l'assistance. Elle avait une trentaine d'années et était éblouissante au bras de Nick, alors qu'ils partaient avec Cody, qui allait endosser le rôle du chauffeur. Nick n'avait jamais appris à conduire. Il n'en éprouvait pas le besoin. Il préférait laisser cette tâche à ses aides. Son impulsivité aurait pu s'avérer fatale sur une autoroute.

Ce fut un beau mariage, un de nos meilleurs souvenirs. Quel merveilleux sentiment que de voir toute la famille rassemblée ! Ils étaient tous souriants, beaux, heureux pour Beatie.

Deux semaines plus tard, après un de nos déjeuners particulièrement joyeux et heureux, Nick partit en tournée avec son groupe et je m'envolai pour l'Europe. Je lui avais promis de l'appeler de là-bas. J'allais à Paris, dans le sud de la France, à Londres, puis dans la campagne anglaise. Pendant ce temps, Nick sillonnerait les Etats-Unis, pour la plus grande joie de ses admirateurs, auxquels s'ajouteraient de nouveaux fans. Il s'en faisait une joie et j'étais contente pour lui. Ça allait être un été sensationnel...

# 18

## L'été désastreux

Juste avant de partir en tournée, Nick s'était fait mal au dos. Etant donné les performances athlétiques de ses spectacles, sauts, bonds, balancements et contorsions de toutes sortes, il était handicapé par l'inflammation d'un disque intervertébral. Il avait pensé que la tournée avait été organisée de manière à ne pas avoir plus de quatre ou cinq heures de voiture par jour, mais la notion du temps a toujours laissé à désirer chez Nicky, et finalement, c'est douze à treize heures de trajet qu'ils devaient parcourir entre les différentes villes où ils se produisaient. Rester assis dans un minibus avec neuf autres garçons pendant quinze heures d'affilée n'était pas une sinécure. Je lui avais conseillé de s'allonger dès qu'il le pouvait, avec une poche de glace dans le dos. Il n'avait pas voulu ajouter des antalgiques à son traitement, déjà suffisamment lourd et, sur scène, il endurait un véritable supplice.

Mais si la tournée se déroula comme prévu, des tensions internes divisèrent les jeunes musiciens. Enfermés dans le minibus pendant des heures, souffrant de la chaleur, de la fatigue consécutive aux spectacles et du manque de sommeil, ils ne tardèrent pas à se disputer, ce qui n'avait rien de surprenant. Nick, qui se souciait de l'avenir du groupe, s'efforça de maintenir l'ordre. Mécontents, ses compagnons se retournèrent contre lui. Comme il s'était occupé des réservations des salles de concert, ils le rendaient responsable de tout ce qui leur déplaisait et du manque de confort.

J'ai su plus tard par Julie que les incessantes doléances des autres garçons avaient durement éprouvé les nerfs fragiles de Nick. Il avait l'impression qu'ils lui tenaient rigueur des difficultés, qu'ils n'appréciaient pas ses efforts incessants. Il savait que la responsabilité du groupe reposait entièrement sur ses épaules. Et il n'avait pas tort. Il organisait les présentations à la presse, discutait avec les agents artistiques et les directeurs des salles, passait des dizaines de coups de fil, tout en écrivant des chansons, chantant tous les soirs et dirigeant les répétitions.

Maintenant, a posteriori, il est facile de se rendre compte que toutes les conditions étaient réunies pour que la tournée soit un désastre pour Nick. Mais, à l'époque, il nous avait semblé important qu'il la fasse. Cette tournée représentait la consécration de son travail et la réalisation de leur rêve commun de réussite. Nick avait abandonné ses études universitaires sept mois plus tôt pour se consacrer entièrement à la musique. Il lui avait semblé plus important de saisir les occasions qui se présentaient pour le groupe. Il pourrait toujours se réinscrire à l'université plus tard. Deux de ses musiciens, étudiants eux aussi, avaient suivi son exemple, un troisième avait quitté le lycée et prenait des cours par correspondance. Ils avaient tous fait d'énormes sacrifices, et s'étaient entièrement investis dans ce voyage professionnel. Et ce n'était qu'un début. Ils envisageaient de continuer : onze semaines aux Etats-Unis l'été, l'Europe en automne, si la tournée américaine se passait bien, le Japon après Noël. Ils comptaient tous sur un succès flamboyant qui ouvrirait les portes de la renommée à Link 80.

Mon cœur se mettait à battre très fort — et celui de Julie aussi — quand j'imaginais Nick sur les routes. Nous savions ce que cela signifiait pour lui. Nous n'aurions pas pu l'en empêcher. Il serait parti, avec ou sans notre bénédiction. Il semblait avoir recouvré totalement son équilibre, ce qui nous avait paru encourageant. C'était le moment ou jamais pour qu'il se lance. Ainsi, nous le laissâmes partir, pensions-nous, dans les meilleures conditions. Un plan fut mis au point pour que Cody et Paul, ses aides, participent à tour de rôle à la tournée. Julie se rendrait en avion dans l'une des villes où il chantait, et passerait quelques jours avec le groupe, afin de s'assurer que, malgré les pressions physiques et psychologiques, Nick tenait le coup. Lorsque la tournée commença en juin, nous pensions avoir couvert toutes les éventualités. Julie avait même établi la liste des hôpitaux où Nick ferait ses analyses de lithium.

D'habitude, c'était Julie qui se battait pour que Nick ait son indépendance. C'est elle qui l'avait encouragé à s'engager à fond dans la musique, à une époque où il était moins sûr de lui, plus sceptique, plus inquiet. Elle comprenait parfaitement son besoin de s'accomplir, sa soif de liberté. Alors que moi, si cela avait été possible, je l'aurais élevé dans du coton. Je l'aurais enfermé dans un cocon toute sa vie. Car il était « mon bébé ». Evidemment, Julie avait raison. La musique lui donnait une illusion d'indépendance. S'il devait vivre avec sa maladie toute sa vie, autant que cette vie soit le plus normale possible. Nous étions tous d'accord sur ce point. Et la tournée faisait partie de cette normalité. Comme le succès qu'il désirait si ardemment et pour lequel il avait travaillé d'arrache-pied. Mais cette fois-ci, Julie avait peur. Elle se faisait plus de souci que moi. Les rôles s'étaient inversés. Elle était inquiète, alors que j'étais sûre qu'il y arriverait. Comme toujours, nous nous complétions...

Nous avions eu ce genre d'attitude quand il s'était installé dans l'annexe. Je pensais qu'il devait être surveillé de plus près. Chose plus difficile dans une maison indépendante où il restait seul, la nuit. Ses infirmières s'en allaient tard le soir et ne repassaient pas avant le lendemain matin. Julie, elle, prétendait qu'il avait besoin d'intimité. Il était si entouré, si protégé, si gardé et observé que ces mesures en devenaient répressives. Selon elle, il était important qu'il ait l'impression d'être traité en adulte. L'annexe, à deux pas de chez elle, mais totalement indépendante, donnait cette impression de liberté. Bien souvent, sans les conseils avisés de Julie, j'aurais cédé à ce que Nick appelait ma « paranoïa ». Il avait tenté de se suicider dans l'annexe, mais également chez Julie.

Et même lorsqu'il était interné dans le service psychiatrique de l'hôpital. En fait, nous avions raison toutes les deux. Il avait besoin de se sentir indépendant, mais nous ne pouvions nous permettre de relâcher notre surveillance. Il en était ainsi avec Nick. On avançait tel un funambule.

En ce qui concernait sa carrière musicale, Julie l'avait toujours défendu, même du temps où j'étais contre. Au début, j'avais cru qu'il s'agissait d'une passion éphémère, d'un hobby, d'une passade qui, je le craignais, l'entraînerait dans un milieu trop dur pour lui. Or, Julie voyait plus juste. La musique représentait la pulsion de vie dans son combat contre les pulsions de mort, le but à atteindre. Elle lui offrit ses plus belles années. Le point de vue de Julie l'avait emporté, ce dont je lui serai éternellement reconnaissante.

Au début de l'été, alors qu'il préparait sa tournée, Julie et moi étions en proie à des sentiments mitigés. Elle se montrait réticente et, pour une fois, j'étais convaincue qu'il gagnerait son pari. Le jour de son départ, Julie était pourtant moins inquiète. Nick n'avait jamais été mieux.

Cody nous faisait des comptes rendus quotidiens. Selon ses rapports, tout allait bien, excepté que les garçons se plaignaient de tout : de la chaleur, du minibus, de la nourriture, de l'habituel manque de confort des tournées. Enfin, rien qui sorte de l'ordinaire. Mais, dix jours après le début de la tournée, Julie m'appela en Europe. Nous nous parlions tous les jours au téléphone. Il était rare de ne pas échanger un ou plusieurs coups de fil dans une journée, au cours desquels elle me confirmait que tout se passait comme nous l'avions prévu. Si ce n'était pas le cas, nous discutions des mesures à prendre ou de la façon dont elle pourrait intervenir.

Ce jour-là, au téléphone, Julie semblait inquiète. Nick lui avait paru stressé. Les sempiternelles plaintes de ses compagnons l'avaient atteint. A ma surprise, elle déclara que la tournée était au-dessus de ses forces et elle se demandait s'il ne valait pas mieux tout annuler et le ramener à la maison. Je lui demandai si quelque chose de précis était arrivé. Elle me répondit qu'elle n'en savait rien, mais qu'elle avait un mauvais pressentiment. J'ai toujours cru à l'intuition de Julie.

Dès le lendemain, Nick lui confirmait ses craintes. Il se sentait en effet stressé, déprimé, et commençait à se demander s'il arriverait au bout de la tournée. Cette fois-ci, je m'inquiétai aussi, même si je connaissais les fluctuations d'humeur de mon fils. Il était parfaitement capable de vous affirmer qu'il avait envie de tout arrêter et, cinq minutes plus tard, de se battre bec et ongles pour continuer. De plus, je redoutais qu'il ne voie dans ce retour précipité la fin de sa fulgurante carrière, sensation dont les conséquences ne manqueraient pas de le détruire. Pour la première fois, c'est moi qui l'incitais à s'accrocher, d'abord parce que j'étais convaincue qu'il y parviendrait et ensuite parce que je craignais qu'il ne ressente comme un irréparable échec l'interruption de la tournée. Nous nous trouvions devant deux choix, chacun avec des risques difficiles à estimer.

Nick voulait arrêter. Il demanda à Julie de venir quelques jours plus tôt que prévu. Elle prit le premier vol. Auparavant, elle avait obtenu de Nick qu'il ne dévoile rien aux autres membres du groupe avant qu'elle soit sur place. Naturellement, Nick le lui promit. S'il décidait d'arrêter, elle préférait être présente lorsqu'il leur annoncerait la nouvelle pour pouvoir arrondir les angles.

Mais son inévitable impulsivité ne tint pas compte de ses promesses. Il prit les choses en main, avant même que l'avion de Julie ne décolle. Et plutôt que de leur expliquer sa maladie — il ne l'avait jamais fait et n'avait jamais partagé son secret avec personne — il ne trouva pas mieux que de leur déclarer qu'il en avait assez d'eux, qu'il ne pouvait plus les supporter et que, par conséquent, il les plantait là. Evidemment, ils montèrent sur leurs grands chevaux. Julie projetait de discuter avec Nick des arguments qui lui permettraient une sortie honorable. Il avait une excuse idéale : des problèmes de santé. Sa première tentative de suicide avait eu des effets suffisamment dévastateurs pour qu'il soit obligé de se soumettre régulièrement à des examens médicaux. Il avait subi un test cardiaque avant de partir. Un autre était prévu un peu plus tard. Les résultats des tests avaient été satisfaisants, mais il pouvait toujours prétexter une cardiopathie quelconque pour s'en aller avec élégance. Il ne lui laissa pas le temps de choisir cette solution. Il insulta tout le monde, les rendit tous furieux, et lorsque Julie arriva, les garçons, après une scène homérique de huit heures, étaient en train d'accuser Nick d'être une crapule et un lâcheur. Ne pouvant comprendre ses raisons, ils répondaient aux insultes par des insultes.

Le problème avec Nick, c'est qu'il refusait que ses amis connaissent sa maladie, encore moins la forme sévère de sa psychose maniaco-dépressive. Ses copains ignoraient tout de son combat quotidien, des conséquences d'une médication lourde dont dépendait son équilibre mental et physique, et ne savaient pas que Cody et Paul étaient en fait des assistants en psychiatrie. Pour tous, ils étaient des gardes du corps, engagés par une mère célèbre et hyperprotectrice. Je ne sais pas comment il présentait Julie.

Celle-ci arriva donc en pleine bagarre. Nick lui confia qu'il n'avait pas su quoi leur dire, ni comment faire face à son sentiment d'échec. C'était la première fois qu'il admettait qu'il n'allait pas bien et qu'il demandait ouvertement de l'aide. Après ses trois tentatives de suicide, il semblait avoir accompli un grand pas en avant dans l'acceptation de sa maladie. Le voyant si bouleversé, si pressé de rentrer à la maison, Julie se dit qu'il serait plus sage de ne pas le contrarier.

Mais, sans Nick, il n'y avait plus de tournée, plus de groupe, plus d'avenir pour Link 80. C'était lui le pilier du groupe, le chanteur, la star, l'aimant qui attirait les foules de groupies, les critiques, les attachés de presse, les contrats avec les grandes maisons de disques. Sans lui, il était impossible de continuer et, le sachant, ses musiciens n'en étaient que plus furieux.

Leurs insultes avaient profondément affecté Nick. Il en discuta longuement avec Julie. Il se sentait abattu, blessé. En même temps, il avait très mal géré la situation. Dire aux gens qu'ils sont des guignols et qu'on les déteste vous vaut rarement leur admiration ou leur compassion. Nick avait caché ses peurs derrière un comportement de sale gosse gâté.

Julie réussit à les calmer. Le lendemain matin, pendant que Nick dormait, elle passa cinq heures à leur expliquer ce qu'il en était réellement. Il était grand temps de ne plus cacher sa maladie. Elle leur avoua qu'il était maniaco-dépressif. Evidemment, ils n'y comprirent pas grand-chose. Le drame potentiel, tous les risques qu'engendraient ses troubles de l'humeur constituaient des notions qu'ils n'arrivaient pas à appréhender. Et comment les en blâmer ? Si nous, après de longues années de lutte, n'avions pas encore saisi l'aspect mortel de son mal, comment l'auraient-ils pu ? Passant outre au désir de Nick de donner une image de normalité, Julie apprit à ses amis que si la situation échappait à Nick, si la tension lui pesait trop, il pourrait plonger dans la drogue pour alléger sa peine ou, pire encore, tenter à nouveau de se suicider. C'était un effroyable fardeau. Mais je crains qu'ils n'aient accordé que peu de crédit aux révélations de Julie. Ils durent se dire qu'elle était « parano » ou qu'elle exagérait, dans le seul but d'excuser Nick. Ce n'étaient que des adolescents innocents, et elle était en train de leur parler d'une maladie dont la plupart des gens ont une idée trop vague et trop confuse. Avant tout, ils voulaient qu'il reste. A leurs yeux, c'était indispensable. Il le leur devait. Ils promirent à Julie de l'appeler si jamais Nick « débloquait » ou « déprimait ».

Julie leur proposa un compromis. S'arrêter trois semaines, le temps qu'elle ramène Nick à la maison et le remette sur pied, en réajustant les doses de ses médicaments, puis reprendre la tournée, dès que Nick serait rétabli. Sa proposition ne suscita aucun enthousiasme. Les agents artistiques et directeurs de théâtre n'accepteraient pas une interruption de trois semaines. Cela coûterait au groupe de l'argent et sa réputation.

Avant que Nick se lève, Julie avait réussi à les convaincre de lui dire combien ils l'appréciaient. Ce qu'ils firent. Aussitôt, Nick annonça qu'il avait décidé de rester et de continuer la tournée. Julie, réticente, eut beau lui conseiller de tout suspendre s'il sentait qu'il prenait un engagement trop dur, il ne voulut rien savoir. En vingt-quatre heures, Nick avait complètement changé de position. Il répondit à Julie que si elle l'obligeait à la suivre, il ferait une fugue, et cette fois pour de bon. Rien ne pourrait le convaincre de quitter le groupe, dit-il, il allait faire la tournée, coûte que coûte. Et il refusa sèchement de rentrer à la maison.

J'étais constamment pendue au téléphone avec Julie — nous nous appelions toutes les trois ou quatre heures. Elle décida de rester quelques jours de plus, afin de surveiller Nick. Elle n'avait pas aimé la façon dont ses amis avaient exigé qu'il reste, malgré les risques qu'il encourait. Ils n'avaient pas compris. Ils avaient cruellement besoin de lui. Je crois qu'aucun de nous n'avait réalisé, ni moi, ni Julie, ni même le psychiatre, combien ce voyage allait lui coûter psychologiquement. Surtout lorsqu'il prendrait conscience de ses propres limites, ce qui, finalement, allait le conduire à sa perte. Si nous l'avions compris, jamais nous ne l'aurions laissé partir. Nous voulions le protéger à tout prix, alors pourquoi, au nom du ciel, l'avons-nous envoyé au-devant du danger ?

Julie fit avec eux une partie de la tournée. En quelques jours, l'humeur de Nick s'améliora. Le groupe s'entendait mieux. La rigueur du programme, l'excitation des concerts, le succès aplanirent leurs différends. La tournée se déroulait de manière satisfaisante. Il s'agissait d'un examen de passage que toutes les jeunes formations ont intérêt à réussir. En les quittant, Julie se sentait plus tranquille et moi aussi. Il était de nouveau sur des rails, déterminé à honorer ses engagements. Mais, dans nos esprits, sa fragilité ne faisait plus aucun doute. Il avait promis à Julie que si jamais il déprimait il n'hésiterait pas à retourner chez elle, qu'il ne jouerait plus avec sa vie.

A ce moment-là, il ne semblait ni particulièrement excité, ni particulièrement abattu. Ses rapports avec le groupe allaient de mieux en mieux. Mais là encore, après coup, je me rends compte qu'il devenait de plus en plus asocial, de plus en plus secret. Quand ils avaient du temps libre, Nick restait dans sa chambre plutôt que de sortir s'amuser avec ses copains. La fatigue avait peu à peu raison de ses forces. Peu après le départ de Julie, il se démit le genou durant un spectacle. Il sauta dans un avion et se fit soigner par un orthopédiste de Nashville, un homme très gentil, le Dr Greg White, avec lequel il garda le contact. Je l'ai rencontré depuis, et nous sommes devenus bons amis. Il est en effet aussi charmant, gentil et compétent que Nick me l'avait dit. Il lui confectionna un plâtre conçu pour qu'il puisse continuer ses concerts.

Julie avait fait tester son taux de lithium pendant qu'elle était encore sur place. Tout était parfaitement normal.

J'appelais Nick tous les jours sur le téléphone du minibus. Il avait l'air satisfait, content de leurs pérégrinations. De chaque ville où ils s'arrêtaient, il m'envoyait des cartes postales amusantes en me remerciant chaleureusement de mon soutien moral. J'ai conservé la plupart de ces cartes que j'ai fait encadrer. Elles sont très représentatives de l'humour de Nicky.

C'est vrai qu'il avait une façon inimitable de vous faire rire, un sens de l'humour particulier. Malgré les débuts difficiles de la tournée et son genou démis, il avait peu à peu retrouvé le moral avec sa malice habituelle. Il ne pouvait pas rester longtemps calme, même dans un minibus où s'entassaient onze personnes. Les huit membres du groupe, Cody au volant, Nick, et Stony, leur roadie *.

_____

* Accompagnateur de groupes musicaux en tournée. *(N.d.T.)*

267

Lors d'une de leurs haltes, Nick vit un moyen d'amuser ses amis. Il dessina une paire de seins sur un carton, puis écrivit au feutre en majuscules : « MONTREZ-NOUS VOS NICHONS ! », message indéniablement vulgaire et quelque peu choquant que Nick trouvait d'une irrésistible drôlerie.

D'après Cody, il commençait par adresser des sourires aux femmes qu'ils croisaient en voiture, sur la route. Il agitait la main, leur faisait des grimaces, riait, gloussait, sautillait et, en général, cela les amusait. Dès qu'il voyait qu'elles entraient dans son jeu, il faisait tout pour les séduire, puis, tandis que le minibus collait leur voiture, il prenait son carton et le plaquait contre la vitre. Certaines restaient bouche bée, d'autres paraissaient effarées, mais ce qui étonnait le plus Cody — et probablement les autres — c'est que plusieurs s'exécutaient en riant. Cela marchait ! Cody et moi tombâmes d'accord pour penser que si quelqu'un d'autre essayait, ils finiraient en prison ou en tout cas que les femmes à qui s'adressait le message seraient pour le moins outragées. Certaines le furent très certainement, mais la plupart durent trouver Nick tout simplement attendrissant. Suffisamment en tout cas pour répondre à sa requête et en rire tout autant que lui. Il n'y avait aucune malveillance chez Nick, aucune mauvaise intention, rien de pervers. Il émana toujours de lui, du début à la fin, une sorte d'aura enfantine, une innocence, une naïveté qui vous donnaient envie de le serrer dans vos bras et de rire avec lui.

J'ai récupéré le carton et je l'ai fait encadrer. C'est un souvenir de la tournée, typique du caractère de Nick, et tellement drôle. Il est suspendu au mur de l'escalier qui mène à sa chambre, sous son micro, également encadré. Ils me font sourire, m'attendrissent.

Pendant un certain temps, tout se passa pour le mieux. Chaque fois que j'appelais mon fils sur le téléphone du minibus, il répondait d'une voix claire, signe qu'il avait le moral. Parfois, je le réveillais, tandis qu'ils roulaient vers des villes qui se trouvaient Dieu sait où, et dont je n'avais jamais entendu le nom. Mais visiblement il était satisfait. Tous étaient épuisés, à force de parcourir des contrées inconnues, mais il aimait bien les gens qu'ils rencontraient, et évoquait leurs spectacles avec enthousiasme. Son dos allait mieux, m'assurait-il, malgré ses bonds sur scène et les heures passées dans le minibus — une thérapie qu'aucun médecin n'aurait recommandée. Il était jeune et il survivrait à cette satanée tournée, malgré sa maladie. Du moins je le croyais.

Julie se montrait également satisfaite. Elle prenait l'avion une fois par semaine, restait quelques jours avec lui, comme convenu, quoique ce ne fût pas facile pour elle. Elle venait de découvrir qu'elle était enceinte, mais ne l'avait pas dit à Nick. Elle préférait aller le voir, malgré ses nausées, plutôt que de rester à s'inquiéter chez elle. D'habitude elle louait une voiture sur place et Nick s'asseyait à côté d'elle pour qu'ils puissent bavarder. Elle avait ainsi une vision claire de son état.

Les rapports qu'elle me faisait me rassuraient. La seule question qu'elle se posait concernait le taux de lithium. Le médicament risquait de ne pas être complètement assimilé par l'organisme, en raison du manque de sommeil, de la fatigue, des repas irréguliers. Pour l'instant, il n'y avait aucun problème. Les tests d'évaluation restaient parfaitement normaux.

De temps à autre, Nick se plaignait de son plâtre. Je le taquinais :

— Tu es fichu ! disais-je, et il riait.

— Ouaip !

Je croyais voir son sourire. Il me demandait ensuite comment allait ma vie sentimentale, qui se portait, il est vrai, comme un charme. Avec Tom, nous avions commencé à échafauder des projets d'avenir, juste avant de partir pour l'Europe.

J'avais emmené les enfants à Londres, puis à Paris, et nous étions dans le sud de la France, quand tout a disjoncté avec Tom. On eût dit un de ces moments terribles où deux planètes entrent en collision, catapultant votre bonne étoile au fin fond des galaxies. En tout cas, c'est ce qui arriva à la mienne. Ce fut comme si Tom et moi venions de voyager sur des continents différents pendant deux mois et que nous nous étions enfin retrouvés pour constater que quelque chose altérait l'harmonie de nos rapports. On ne sait jamais ce qui fait que la mèche de la dynamite s'allume, mais elle s'allume... L'explosion balaya notre relation. Il quitta le sud de la France brusquement, paniqué par la complexité de mon existence, certain que notre idylle n'avait pas d'avenir. Je n'étais pas d'accord avec son analyse, mais il m'assura que, en ce qui le concernait, c'était terminé.

Je repassai par Paris où je versai toutes les larmes de mon corps en revoyant nos endroits favoris. La fin de la romance coïncidait avec la fin de l'été. Je pris l'avion pour New York, puis rentrai à la maison. Je déposai les enfants chez John où ils devaient passer la fin de leurs vacances et je m'enfermai chez moi pour panser mes blessures. Les projets que Tom et moi avions pour la fin de l'été étaient annulés, mais je me gardai bien de l'annoncer à Nick.

Il était à New York. Ma mère et une de ses amies allèrent voir son spectacle. J'aurais voulu être une petite souris pour assister au choc des deux mondes. Maman, en soie et perles comme d'habitude, parmi les groupies de Nick et un millier de rockers punks déchaînés. Elle adora la prestation de son petit-fils. Maintenant qu'il avait réussi, ses anciennes bizarreries — cheveux décolorés, boucles d'oreilles, anneau dans le nez, tatouages — ressemblaient davantage à des accessoires qu'à des offenses au bon goût. Nick n'a jamais eu l'air d'un « dur à cuire ». Il avait au contraire un style et une élégance naturelle, et les accessoires en question ne faisaient que rehausser cette tendance.

A New York, ils eurent une semaine de libre. Nick attrapa un mauvais rhume. Julie était là, heureusement, et son amie Thea vint le rejoindre. Il en fut enchanté mais continua à se sentir faible. Je lui réservai une chambre dans un hôtel décent, et il m'écrivit et me téléphona longuement pour me remercier. Le confort, qui, jadis, lui semblait dû, le comblait maintenant de gratitude, comme un présent.

Il profita de son passage à New York pour emmener son groupe chez un célèbre avocat d'artistes, qui accepta de les représenter.

C'est après New York que les choses commencèrent à se gâter. Il était fatigué, n'était pas guéri de son rhume, et les pressions de la tournée se faisaient sentir chaque jour davantage. Le moment vint où il se mit à sombrer lentement mais sûrement dans la mélancolie. Ils étaient sur les routes depuis huit semaines, il en restait encore trois avant la fin de la tournée. C'était plus qu'il ne pouvait supporter. Je crois que la véritable raison de son abattement se trouvait au-delà de la fatigue. Il s'était confié à Julie ; s'il n'arrivait pas à tenir le coup pendant les tournées, à se plier à la discipline exigée par son métier de chanteur, il pouvait dire adieu à sa carrière. Il fallait qu'il y parvienne, il le fallait *absolument*. Après huit semaines de tournée, plus aucun doute n'était permis. Comme les autres, il était épuisé. Mais contrairement aux autres, il livrait un combat impitoyable et constant contre ses propres limites. Son équilibre fragile s'en ressentait. Durant les dernières semaines de la tournée, il avoua à Cody et à Julie qu'il n'en pouvait plus. Il avait soudain compris qu'il n'y arriverait pas. Il payait trop cher ce genre de vie, il le sentait. Il avait amorcé une guerre de tous les instants contre la dépression. Il ne ferait plus de tournées, dit-il à Cody. C'était trop tirer sur la corde. Mais reconnaître ses limites équivalait, aux yeux de Nick, à un amer constat d'échec. Et l'échec menait tout droit à la dépression.

Il ne se voyait plus effectuer une tournée européenne ou japonaise. Et s'il abandonnait les tournées, il ne jouerait plus nulle part et donc il ne pourrait plus vivre. La vie sans la musique ne vaudrait pas la peine d'être vécue. Tel un oiseau aux ailes brisées, il n'aurait plus qu'à se laisser tomber à terre. C'était précisément ce que nous

271

avions voulu éviter. Nous souhaitions que la tournée soit une victoire. Il y avait cru, lui aussi, mais l'épuisement dû à plusieurs semaines sur la brèche lui prouvait le contraire. Il décréta cependant qu'il voulait terminer la tournée. Pour ne pas le déprimer davantage, nous acceptâmes sa décision.

Durant ces derniers jours de tournée, Julie rentra chez elle. Sa grossesse la rendait toujours nauséeuse, mais Nick n'en savait rien. Elle avait passé des jours et des semaines avec lui, conduisant quinze heures par jour, restant jusqu'à une heure tardive dans les salles de concert et les night-clubs, ayant des discussions interminables avec Nick. Nous étions toutes les deux d'accord pour que, pour le moment, sa grossesse demeure secrète. Les changements avaient toujours perturbé Nick. Il avait tellement besoin de Julie, de son temps, de son attention, qu'il ressentirait l'arrivée d'un bébé comme une menace. Nous préférions qu'il soit de nouveau à la maison, tranquille, bien installé, pour lui annoncer la nouvelle. Comme d'habitude, elle avait sacrifié son propre confort et sa santé au bien-être de Nick. Elle avait passé l'été en allers-retours et avait enduré presque autant que lui les rigueurs de la tournée. Je m'inquiétais autant pour elle que pour mon fils. La veille du retour de Nick, elle perdit le bébé. Ce fut une grande peine pour elle mais, presque aussitôt, ses pensées se tournèrent de nouveau vers Nick. Elle n'avait pas le temps de penser à elle.

Après New York, Link 80 se dirigea vers le Midwest. Quoique Nick parût en forme, au fond il ne l'était pas. Un soir, il sortit avec le reste de la bande. Il but beaucoup d'alcool et fuma de l'herbe, ce qui, il le savait, était très risqué pour lui. Les garçons du groupe prévinrent immédiatement Paul, l'aide de Nick. Celui-ci vint le chercher et dès qu'ils regagnèrent leur motel, Nick téléphona à Julie. Il semblait paniqué par son écart de conduite, signe irréfutable qu'il sombrait. Elle lui demanda s'il avait envie de rentrer et il répondit qu'il ferait ce qu'elle voudrait. Connaissant Nick, cela signifiait qu'il avait déjà renoncé. Le fait d'avoir bu et fumé de l'herbe était sa façon d'admettre qu'il n'en pouvait plus. Nous le savions et lui aussi.

Julie dit :

— Et si je te proposais de revenir à la maison ?

— Je reviendrais, répondit-il tristement.

Pas de dispute. Pas de discussion. Il savait que pour lui la tournée était finie. Et il se rendait parfaitement compte des implications de cette constatation. Il connaissait mieux que personne ses handicaps et ses limites.

Nick ressentait l'impérieuse nécessité d'un bref retour à la maison. Ne serait-ce que pour se reposer, pour se restructurer. Or, d'après les accords du groupe, quitter la tournée entraînait automatiquement un licenciement en bonne et due forme. Afin de s'épargner l'humiliation d'être mis à la porte, il leur donna sa démission. Personne ne chercha à le retenir. Ils étaient éreintés eux aussi, et en avaient par-dessus la tête des sautes d'humeur de Nick. Ils en avaient assez de lui. Trois ans d'amour avec Link 80 se terminaient lamentablement. Nick en conçut une profonde tristesse. La tournée avait duré neuf semaines et demie. Ils avaient pratiquement traversé tout le pays dans les deux sens. Il ne leur restait plus que deux semaines. Sans Nick, les concerts à venir devaient être annulés. Evidemment, ils lui en voulaient à mort. Il n'en ressentit que plus cruellement encore sa défaite.

Nick les quitta calmement et prit l'avion à Minneapolis. Julie, qui l'attendait à l'aéroport, l'emmena directement chez moi. Nous mourions d'envie de nous revoir, et je me faisais un sang d'encre pour lui. J'avais accueilli avec sérénité sa décision d'arrêter la tournée. La soirée durant laquelle il avait bu et « fumé » en disait long sur son moral. Mais en le voyant, mon inquiétude se mua en angoisse. Il était maigre, pâle, ses traits étaient tirés, son genou plâtré. « Mortellement blessé » fut la première pensée qui me vint à l'esprit. Malgré neuf semaines et demie de succès, il considérait sa démission comme un cuisant échec. Et la réaction de ses camarades l'avait achevé. Ils avaient accepté son départ sans broncher. Pis, cela avait semblé les soulager, après tout ce qu'il avait fait pour eux pendant trois ans. Leur indifférence lui avait brisé le cœur. Les dix derniers jours de la tournée, Nick avait été comme un guerrier à terre, un combattant qui n'avait pas encore reçu le coup de grâce mais qui tombait lentement sous les coups de l'adversité. Il rentrait à la maison défait, abattu. Tout s'était effondré pendant ces deux dernières semaines. Il avait vu venir la catastrophe mais n'avait rien pu faire pour l'empêcher.

Il est facile, rétrospectivement, de dire qu'il n'aurait pas dû effectuer cette tournée. Je regrette, bien sûr, de l'avoir laissé y aller, mais comment aurais-je pu lui interdire cette série de spectacles sans le briser ? Ç'aurait été le traiter en infirme, lui faire comprendre qu'il ne serait jamais capable de poursuivre le rêve dans lequel il s'était investi corps et âme. J'aurais voulu qu'il arrive à terminer la tournée parce que lui-même le désirait de toute son âme. Aujourd'hui encore je considère cette tournée plus comme une victoire que comme une défaite. Comme une expérience formidable pour tous ces jeunes. Sauf que se sentir obligé de quitter le groupe avait réveillé en lui ses peurs obscures. Le groupe représentait pour lui tout ce pour quoi il vivait et travaillait.

Quoique j'eusse souhaité que les choses se passent différemment, et que ses amis aient une attitude moins dure vis-à-vis de lui, je ne leur jette pas la pierre. Ils en avaient vraiment assez de lui. Malgré son immense talent, Nick était perpétuellement source de problèmes. Et il était impossible de comprendre l'ampleur de sa maladie, étant donné qu'il faisait tout pour la cacher. Il ne voulait pas que ses amis sachent combien il était malade, et ils ne le savaient pas. Exiger qu'ils comprennent, à leur âge, le mécanisme extrêmement complexe permettant de gérer sa maladie relevait de l'utopie. Mais ce que Nick espérait — et moi aussi —, c'était qu'ils lui demanderaient de réintégrer le groupe. J'étais convaincue qu'une fois calmés, moins stressés, plus reposés, ils reviendraient à de meilleurs sentiments. Pour l'instant, ils devaient être aussi épuisés que Nick.

Je le lui ai dit et le lui ai expliqué. Prends neuf personnes de n'importe quel âge, mets-les dans un petit car exigu, oblige-les à donner des concerts éreintants pendant neuf semaines et demie en les empêchant de dormir, elles auront toutes les chances de s'entretuer. Mais j'étais certaine qu'une fois rentrés chez eux ils passeraient l'éponge sur leurs querelles.

— Et s'ils ne me reprennent pas, maman ? demanda-t-il, au bord des larmes, en proie à une nouvelle bouffée de panique.

— Ils te reprendront ! répliquai-je, catégorique.

J'étais persuadée d'avoir raison. Ils seraient fous de ne pas rappeler Nick. Sauf que moi, je l'aimais...

Nous parlâmes d'autre chose. Il me posa quelques questions sur mon voyage en Europe. Inévitablement, il demanda des nouvelles de Tom. Je me gardai de lui raconter que cela s'était mal passé, que nous avions rompu. J'espérais que la fissure serait réparable, qu'il était encore trop tôt pour conclure à une séparation définitive — il m'avait seulement quittée depuis quelques semaines. De toute façon, Nick avait suffisamment de problèmes sans y ajouter les miens. Bizarrement, il était devenu mon confident et mon conseiller. Mais maintenant, bien que ma rupture me fît souffrir, je devais penser à lui. Je réussis à dissimuler ma tristesse sous une fausse bonne humeur. Après tout, la vie de Nicky était constamment en danger. Pas la mienne.

Je le serrai dans mes bras et réussis à le faire rire, mais le cœur n'y était pas. Il était très abattu. Je l'incitai à rentrer chez Julie et à se coucher. Il le fit... et resta trois semaines au lit. Dès qu'il se réveillait, la dépression le submergeait. Il n'avait plus la force de se lever. On sentait chaque jour un peu plus la proximité de la mort. De nouveau, mon inquiétude croissait. Nous essayâmes de le conduire à l'hôpital, mais cette fois-ci ce fut l'administration qui s'opposa. Il n'y avait aucune raison de l'hospitaliser. Il était déprimé, sans plus.

Rentré de la tournée, le groupe ne l'appela pas. Ne lui demanda pas de revenir. Ils débarquèrent un beau jour chez Julie, sans s'annoncer, pour réclamer leur matériel, qui était resté dans notre minibus. Nicky, désespéré, ne descendit pas. Il resta au lit, dans sa chambre, en larmes. Julie et moi ne pouvions rien pour le sortir de sa prostration. Ou pour le protéger. Ce genre de blessure ne se soigne pas au lithium. Il les avait laissés tomber et ils lui avaient rendu la monnaie de sa pièce. Il subissait les conséquences de ses actes. De son impulsivité. Et il continuait à s'enfoncer dans la spirale du désespoir. Le rêve terminé, il se réveillait dans une réalité déplaisante. Nous ne pouvions que le pousser à se tourner vers l'avenir. Julie l'incita à créer un autre groupe. Au début, il ne voulut rien entendre. Ensuite, l'idée fit son chemin. A mesure que Julie insistait, l'idée prenait forme. Elle a toujours été celle qui le protégeait, qui lui sauvait la vie, la force motrice qui ne l'a jamais abandonné, même au plus profond de ses détresses.

Le voyant extrêmement déprimé, elle se levait à cinq heures du matin et lui administrait ses médicaments dans l'espoir qu'ils agiraient quand il se lèverait, quelques heures plus tard. Mais ce geste attentionné ne suffisait pas à réveiller en lui le désir de vivre et de créer.

Il n'y avait pas que la perte de son groupe qui le déprimait à ce point. La tournée lui avait révélé des failles que je n'ai pas saisies sur le moment. Confronté à ses propres faiblesses, il s'était effondré. D'après Cody et Julie, il avait très clairement compris que sa vie se limiterait à de petits concerts, que les grandes tournées, indispensables à tous les artistes voulant devenir des superstars, étaient beaucoup trop dures pour lui. Il avait payé cher les exigences, le stress, l'agitation de la tournée et en avait tiré la leçon. Il était arrivé au bout de ses possibilités. Il avait trop tiré sur la corde, et celle-ci avait failli se briser. Sa réussite en tant que musicien dépendait de son aptitude à repartir en tournée, encore et encore. Et il savait qu'il ne tiendrait pas le coup. Cette révélation fut un coup terrible pour lui. A présent, il avait conscience que jamais il ne se libérerait des liens qui l'entravaient. Comme un aigle aux ailes brisées, condamné à rester au sol. Confronté à cette nouvelle réalité, il entrevoyait ce qu'il pourrait devenir et ce qu'il ne deviendrait jamais. C'est peut-être ce qui l'a tué. Puisqu'il ne pouvait pas réaliser ses rêves, il n'avait plus aucune raison de vivre. Julie se demandait, tout comme Nick d'ailleurs, si la fameuse médication sur laquelle nous comptions tant serait de taille à le faire vivre.

Heureusement, au plus fort de sa douleur, il fut soutenu par ses amis Sammy le Mick, Max, un ami d'enfance, un garçon appelé Chuck que Nick avait croisé sur différentes scènes. Chuck jouait avec les « Creeps » et il leur était arrivé de participer aux mêmes concerts. Chuck passa un beau jour et s'installa dans l'annexe. (Nick dormait chez Julie à ce moment-là.) Ils se mirent à écrire de la musique ensemble.

En août, en dépit de nos divergences, Tom organisa une fabuleuse réception pour mon anniversaire. Une surprise grandiose. Tous mes amis, toutes mes relations étaient là, visages du passé et du présent, et même une ancienne camarade d'école venue de Suisse, exprès, pour la soirée. Mes enfants, également présents, avaient gardé le secret. Mystérieusement, les ballons étaient de la même couleur que ma robe, attention particulièrement touchante. La fête fut parfaite. C'était un soir magique, un diamant brillant au milieu de cet été de tous les désastres. Seul Nick manquait à la fête. Tom avait tout tenté pour le persuader de venir mais, malgré l'affection que Nick lui portait, malgré sa tendresse pour moi, il n'avait pas pu. Il ne parvenait même pas à sortir de son lit. (A ce moment-là, il était rentré seulement depuis une semaine.) Se lever, s'habiller, se déplacer équivalaient pour lui à escalader l'Everest. Julie ne vint pas non plus. Elle préféra rester près de lui. Il remontait très lentement la pente, au prix d'efforts surhumains. La blessure de son amour-propre, sa frustration, son chagrin l'avaient rendu de nouveau irritable. Une semaine après la soirée que Tom donna pour mon anniversaire, juste avant un déjeuner préparé pour moi par mes plus jeunes enfants, il m'appela. C'était la vraie date de mon anniversaire. Il commença par m'annoncer qu'il allait partir de chez Julie. Qu'il en avait « marre de ses bobards ». Depuis un certain temps, il était très rare qu'il parle ainsi. Au contraire, il se comportait presque toujours avec courtoisie, mais, à l'évidence, il entrait en phase maniaque. Et il voulait s'en aller.

Je n'ai pas réagi. Je n'ai pas discuté et je n'ai pas cherché à le faire changer d'avis. Je lui ai simplement dit qu'il fallait qu'il reste là où il était. J'ai ajouté que je ne lui avais jamais rien demandé, et que cette fois-ci, je lui *demandais* de rester. Je raccrochai vite, pour ne pas lui donner l'occasion de se lancer dans une interminable diatribe, puis je m'assis en m'efforçant de chasser mes inquiétudes.

Le même soir, nous devions tous aller dîner dans un de nos restaurants favoris, qui proposait un menu « superchouette » au dire des enfants. Nicky était censé nous y rejoindre. Il semblait suffisamment remis pour venir, du moins je le pensais. Il téléphona peu avant le dîner, très déprimé, pour s'excuser. Il ne viendrait pas. Il se sentait trop abattu pour bouger. Je répondis que je comprenais parfaitement. Et j'étais sincère. Je souhaitais simplement qu'il soit bien. Il aurait pourtant été mon plus beau cadeau d'anniversaire. Et ce soir-là, quand nous rentrâmes du restaurant, il me faxa une lettre très émouvante... Sa dernière lettre. Et sans doute la plus belle. Je la chérirai à jamais. Je l'ai lue et relue tant de fois pendant ces jours vides que je la connais par cœur. Elle m'accompagnera toute ma vie ; elle contient des mots parfaitement justes sur ce que je suis, ce que j'étais pour lui et lui pour moi, et elle m'insuffle le courage de continuer. Ces phrases me rappelleront toujours quel garçon formidable fut Nick, quel fils attentionné, quel homme hors du commun. Et son dernier présent, en même temps que son amour, fut de me rappeler quelle femme extraordinaire j'étais à ses yeux. Cela m'a fait du bien de le savoir. Oui, ce fut le dernier cadeau de Nick. Un superbe cadeau.

*14.8.97*
*23 h 41*

*Chère maman,*

*C'est aujourd'hui ton anniversaire et j'espère que ton dîner s'est merveilleusement bien passé. Les mots me manquent pour exprimer mes regrets de ne pas être à ton côté. Je sais que, comme toujours, avec ton élégance habituelle tu allégeras ma conscience chargée, en disant quelque chose comme « le meilleur cadeau que tu puisses me faire, c'est de te ressaisir », etc. Mais que tu le veuilles ou non, les faits sont là. Je me suis planté, et je suis assis comme un idiot en face de la baie, le soir de ton anniversaire. J'aurais dû être près de toi, de bonne humeur, en train de m'amuser. Je ne sais plus combien de fois j'ai dû te demander pardon, et aujourd'hui encore je te demande pardon. Tu dois en avoir assez d'entendre ce mot, comme j'en ai assez de le dire. Je t'aime tant, et je voudrais tant que tu sois fière de moi. Mais tout a foiré, et j'ai perdu la boule pendant si longtemps que tout le monde a cru que j'ai toujours été comme ça. Oui, tout le monde a cru que j'étais cinglé. Même moi, parfois. J'ai vraiment grandi cette année, surtout les sept derniers mois, à tel point que j'ai l'impression d'être devenu quelqu'un d'autre. Comme si ma véritable personnalité, enfouie sous un tas de fumier, émergeait enfin au grand jour. Julie l'a vu. Mes amis l'ont vu. Et je sais que tu l'as vu aussi. Tu as cessé de t'agiter autour de moi et plus que jamais, chacun a laissé l'autre vivre sa vie. Je ne sais pas si c'est inconscient, mais tu as abandonné cette attitude de défense que tu avais adoptée pendant longtemps. Et tu as vu mon vrai visage, mon visage à découvert, sans le masque du tourment que j'ai porté pendant des années. Tu semblais apprécier ma compagnie et j'avais hâte de te revoir. Nous ne nous disputions plus. Nous nous appelions pour prendre de nos nouvelles.*

*Je sais que ce n'est pas vrai, mais j'ai la sensation d'avoir fichu en l'air notre entente. J'ai peur que tu te remettes à penser que je ne suis qu'un pauvre petit enfoiré et que tu t'éloignes de nouveau. Remarque, je ne t'en voudrais pas. Qui voudrait d'un pauvre petit enfoiré, pas vrai ? Et quand je dis « t'éloigner », je ne l'emploie pas dans le sens de l'abandon. Mais je crains que cette entente que nous avons partagée quand j'étais en forme ne se détériore. Je sais que tu m'aimeras quoi qu'il arrive, comme je t'aimerai quoi qu'il arrive, et même si un jour tu me traites comme un chien, même si tu m'insultes, si tu me voles, si tu me mens, et si je finis dans une institution, je t'aimerai encore. Je t'ai fait mal et je me suis fait mal mais tu es restée à 100 % de mon côté. Notre amour est inconditionnel, je le sais. Quoi que tu fasses, jamais je ne te tournerai le dos. Quant à toi, tu me l'as démontré mille fois, car malgré toutes mes bêtises, tu es toujours là. Mais quand même, je t'ai laissée tomber, que tu l'admettes ou non... Et j'en suis désolé.*

*Ces sept dernières années, j'ai été une énorme épine dans ton pied (tiens ! j'ai failli faire un lapsus et écrire : « une épine dans ton énorme pied ») mais maintenant, les choses semblent s'arranger peu à peu. Je ne veux pas que tu renonces à moi. Je ne t'ennuierai pas avec des idioties du genre « je suis malade, je n'y peux rien », flûte ! tu connais ça par cœur. OK, formidable, j'ai une maladie, une impulsivité obsessionnelle, mais je sais que je peux combattre cette chose puisqu'un tas de gens la combattent avec succès tous les jours. Mais ni toi, ni Julie, ni Dieu le père ne pouvez me stabiliser. Il faut que ça vienne de moi. Je suis si affreusement malade et malheureux à cause de toutes ces histoires. Ça craint ! Mais personne n'est à blâmer à part moi. Il y a trois semaines, j'avais*

280

*le monde à mes pieds. J'étais propre, sobre, en forme,*
*superbe. Je chantais dans un groupe reconnu, je sillonnais*
*le pays et blabla, et blabla. Et maintenant, je ne suis plus*
*qu'un pauvre crétin. De ma vie je ne me suis autant*
*méprisé. Je n'ai plus de groupe. Je sais que ce n'est pas*
*le cas, mais je me sens comme un has-been. Bon, d'ac-*
*cord, j'ai un million de possibilités, je peux retrouver le*
*succès, redevenir sobre, mais là, tout de suite, je me sens*
*nul. Et je n'ai à m'en prendre qu'à moi.*

*Je n'essaie pas de m'attirer ta pitié. Je suis bon pour*
*deux à ce jeu-là. J'essaie simplement d'exprimer mes sen-*
*timents. Une sorte de cadeau d'anniversaire, hein ? Cette*
*lettre finira par ressembler aux élucubrations d'un luna-*
*tique, et je m'en excuse. Mon cerveau est une bouillie*
*d'espoirs et de regrets, de milliers d'idées et de sensations*
*que je ne peux même pas formuler. Et je crois qu'à force*
*de boire du café, j'ai les idées qui vont deux fois plus vite*
*qu'à l'accoutumée.*

*Tu sais, peu m'importait de blesser les autres, je m'en*
*fichais comme de l'an mil. Aujourd'hui, j'allais partir et*
*tu m'as appelé et tu m'as dit : « Je ne t'ai jamais rien*
*demandé », puis tu m'as prié de rester. Tu n'as même*
*pas attendu le flot de mes âneries, tu en es restée là et tu*
*as raccroché. Eh bien, je ne suis pas parti. J'ignore si ça*
*veut dire quelque chose, si c'est toi, Dieu, ou si j'ai sim-*
*plement renoncé, mais j'en ai assez de te faire mal. J'en*
*ai assez de me faire mal. Je t'aime tellement que j'aurais*
*voulu être avec toi ce soir, même après avoir voulu partir,*
*mais j'ai décidé de rester. Pourtant, j'ai failli venir. Mais*
*j'ai une mine épouvantable, j'ai honte, je suis malade,*
*triste à mourir, je ne voulais pas te décevoir.*

*Je me suis dit que tu serais plus déçue en compagnie*
*d'une copie triste et moche du Nick que tu aimes qu'en*
*son absence, alors je suis resté à la maison. Et tu sais*
*quoi ? Je savais que tu comprendrais. Que tu finirais par*
*comprendre. Personnellement, je crois que si tu me*
*comprends aussi bien, ce n'est pas seulement parce que tu*
*es ma mère. C'est parce que tu es un peu fofolle, toi aussi.*

Folle sur un plan plus élevé, mais complètement louf, comme moi. Pourquoi crois-tu que Julie pige tout ? Elle est cinglée ! Dans le bon sens, bien sûr. Mais on ne peut être aussi fantastiquement brillant que nous sans avoir pété les plombs. Le cerveau humain ne peut pas penser à tout.

Je crois que Julie et toi devriez écrire un bouquin sur l'art de former une équipe de maternage. Vous pourriez poser pour la photo de couverture en tenue de lutteur. Et merde ! Ce texte est décousu. Je n'arrive jamais à mettre les mots exacts sur ce que je ressens, alors j'ai l'air d'un débile. J'en suis navré. Je t'aime. Nous autres enfants Traina sommes les gens les plus chanceux de la planète d'avoir une mère comme toi. Surtout moi. Personne à part toi n'aurait gardé la foi en un pauvre type comme moi. Mais un jour, je te montrerai. Je te le promets. Je te rendrai plus fière que tu n'as jamais rêvé de l'être. Plus fière encore que je ne le suis de toi. Je suis fier de ta réussite. Fier de la manière dont tu gères les difficultés. Fier de la façon dont tu diriges toute la maisonnée. Fier de la mère merveilleuse que tu es pour tes enfants. Je suis fier d'être ton fils.

Vraiment, je suis le fils de ma mère. Une partie de moi, bonne et mauvaise, je l'ai héritée de toi. Nous avons plus de points communs qu'on ne peut l'imaginer. Nous aimons tous les deux les petits chiens moches. Les œufs brouillés. Nous fumons trop tous les deux. Nous sommes romantiques. Notre esprit est capable de soulever les montagnes. Nous sommes perfectionnistes. Notre cœur est plus vaste que le ciel. Nous rions tous les deux quand nous sommes mal à l'aise. Nous avons un sens fabuleux du bon goût. Nous faisons collection de chaussures. Notre générosité nous assène des coups de pied dans le derrière. Nous faisons trop confiance et pourtant pas assez. Nous voulons tous les deux épouser les gens dont nous tombons amoureux. Nous détestons la nature (punaises, poussière, etc.). Oui, nous avons un bon paquet de points communs.

*J'espère que tu arriveras à déchiffrer cet embrouilla-mini. N'hésite pas à corriger mes fautes d'orthographe, de ponctuation (? !) et plus particulièrement ma grammaire déliquescente. Et les phrases interminables sans alinéas. Maintenant ce n'est plus le jour de ton anniversaire et je suis désolé de l'avoir manqué. Mon cœur était avec toi, même si mon corps n'y était pas. Heureux 34e anniversaire !*

*A toi pour toujours,*
*Nick.*

Je lui ai aussitôt envoyé un fax lui redisant que j'étais fière de lui. Et que je l'aimais. Mais ni Julie ni moi n'avons pu le retrouver plus tard.

Seul l'espoir de créer un nouveau groupe avec Chuck soutenait Nick, durant ces derniers jours lugubres d'août. Il avait saisi l'étincelle que Julie lui avait envoyée et il soufflait vaillamment sur la flamme. Nuit et jour, Chuck et lui écrivaient. Musique et paroles. Ils battirent le rappel de leurs relations, contactèrent des musiciens et, fin août, ils avaient un groupe. On aurait dit un pur-sang blessé qui se relève lentement, un peu chancelant encore mais plein d'orgueil et de grâce. Nick prit son élan et comme d'habitude il se mit en mouvement. Il mit au point un nouveau répertoire, loua un studio d'enregistrement et une petite salle de répétitions.

Comme il l'avait fait avec Link 80, il força les membres de son groupe à répéter sans relâche. Pour gagner le temps perdu. Avec Chuck, ils achetèrent du matériel de grande qualité. J'ai davantage aimé les nouvelles chansons que les anciennes. La musique, les paroles fascinèrent tout le monde. Il baptisa son nouveau groupe « Knowledge ».

Ils donnèrent un concert exceptionnel le 30 août. Il avait un trac fou. Entre-temps, ils avaient commencé l'enregistrement d'un nouveau CD. Ce fut pour lui une nuit sublime, une nuit d'espérances et de rêves et, finalement, une nuit de vengeance. Link 80 était dans la salle.

Après le spectacle, ils allèrent dans les coulisses et demandèrent à Nick de revenir avec eux. Cela aurait dû se produire plus tôt mais le destin en avait décidé autrement. Nick les remercia et refusa. Il ne regardait jamais en arrière, une force irrésistible le poussait en avant.

L'une des chansons qu'il interpréta ce soir-là avec Knowledge s'inspirait de son expérience avec Link 80. De nouveau, plus que jamais, je débordais de fierté. C'était un sacré mec, Nick, et comme jadis, il m'enseigna une fois de plus le courage, l'espoir, la foi en soi, l'amour. Si, après tous les obstacles auxquels il avait dû faire face, après ses difficultés à les surmonter, il pouvait retomber sur ses pieds, alors moi aussi, nous tous le pouvions. Car de quel droit me lamentais-je, alors que Nick se surpassait ? Oh, Seigneur, comme je l'aimais pour cela ! Et comme j'étais fière... Oui, j'ai été fière de lui et le serai à jamais.

*Toujours debout*

*On a dit*
*que je me suis écroulé*
*pour rire,*
*Je ne suis pas le seul*
*Mais je me sens toujours seul,*
*Vous n'avez pas vu mes désirs*
*Et l'idée de m'aider*
*Ne vous a pas effleurés.*
*Vous pensiez que j'allais bien*
*Quand j'étais au sommet.*
*Je refuse de vivre dans un trou*
*Mais il n'y a pas si longtemps,*
*J'enterrais mes pensées*
*dans mon esprit bloqué.*
*Cœur mort,*
*Ame brisée*
*Vous avez remis la tragédie*

*à plus tard, à demain.*
*Désolé, les copains,*
*c'était pour aujourd'hui.*
*J'ai heurté la terre*
*de mes mains tendues*
*Vous n'étiez pas mes amis,*
*Car les vrais sont venus*
*Et ils sont restés.*
*Alors ma foi...*
*eh oui, je crois*
*que je me suis trompé.*
*Vous pouvez tourner les faits*
*à votre façon*
*Peu importe qui a raison*
*Mais je suis toujours debout*
*Je sais où sont mes vrais amis,*
*Et à la fin*
*Oui, à la fin,*
*Me revoilà bien,*
*A la fin,*
*Oui à la fin,*
*Me revoilà bien*
*Me revoilà bien.*

Bien, il l'était indéniablement. Irrésistible, et de nou-veau debout. Le 1er septembre, Nick avait repris son élan et il courait plus vite que le vent.

# 19

## Des œufs brouillés à minuit

Durant les premiers jours de septembre, Nick ne savait plus où donner de la tête. Il était sans cesse sous pression ; il courait des studios d'enregistrement aux salles de répétitions, tout en contactant des gens, en organisant ses futurs concerts et en enrichissant son répertoire de nouvelles chansons. Vers la mi-septembre, il avait fini d'enregistrer son dernier album que nous sommes actuellement en train de négocier avec de grandes marques de disques.

Ainsi, il avait un nouveau groupe, de nouveaux disques, de nouvelles chansons, un agenda plein à craquer. C'était à peine croyable. Mais typique de Nick. Knowledge me semblait bien meilleur que Link 80. Plus mature, plus adulte. On pouvait même comprendre les paroles maintenant. Mais ce qui comptait le plus à mes yeux, c'était le bonheur de Nick. Il était de nouveau sur pied, ressuscité de ses cendres, plein d'entrain.

Comme toujours, il m'associait à tout. Il arrivait souvent vers minuit, après les répétitions, traînant dans son sillage quelques-uns des membres de son groupe, quand il ne les amenait pas tous. Il me demandait de leur faire des œufs brouillés. Il avait un faible pour mes œufs brouillés moelleux à souhait, que je préparais avec du fromage fondu. Il était capable d'en engloutir une bonne douzaine, tout en incitant les autres à l'imiter. Et quand ils n'arrivaient pas au bout, il finissait leurs parts, vantant mes qualités de cordon-bleu. Il était bien le seul ! Il adorait aussi mes croque-monsieur et mes tacos. Mais les œufs brouillés étaient son plat favori. Parfois, quand il restait à la maison, nous descendions dans la cuisine où je le régalais de ma fameuse recette, en lui donnant l'impression que j'avais attendu pratiquement toute la nuit pour le nourrir. D'une certaine manière, c'était vrai. Nous en profitions pour bavarder. Alors, ses défenses tombaient et il parlait à cœur ouvert. Il me faisait partager ses soucis.

Aujourd'hui, je ne peux même pas m'imaginer cassant des œufs dans la poêle sans penser aussitôt à Nick. En fait, depuis qu'il est parti, je n'ai plus préparé ce plat. Je crois que j'éclaterais en sanglots si jamais cela m'arrivait. Je donnerais tout pour le revoir dans ma cuisine, pour partager avec lui ces moments uniques. Il se passera longtemps avant que je puisse refaire des œufs brouillés. Je ne suis même pas sûre d'y parvenir un jour.

Je me souviens notamment d'une nuit, lorsqu'il est arrivé avec une demi-douzaine de copains, après une répétition avec son nouveau groupe. Il les surmenait, mais il avait hâte de briller au firmament de la musique. Comme d'habitude je leur ai fait des œufs brouillés, puis j'ai contemplé cette bande de gosses dégingandés assis à ma table, vêtus d'oripeaux, tatoués de partout, les cheveux ébouriffés, mes petits chiens de race à leurs pieds, discutant des mérites des pit-bulls. La scène, incongrue, me parut follement drôle. Je me mis à rire. J'avais l'impression de regarder la bande-annonce d'un film farfelu. Et je riais. Il était comme ça, Nick. Il aimait me faire participer à sa vie. Je n'oublierai jamais le frisson d'excitation qui me parcourait quand il me présentait au public après un concert... « Ma maman... là-bas... laissez passer... donnez-lui un coup de main... » Oh, ce qu'il a pu me faire rire !

Il était donc très occupé ces jours-là. Et moi aussi. Les enfants avaient repris l'école, je m'efforçais de recoller les morceaux de ma vie. Tom m'avait quittée depuis deux mois, me laissant dans une incommensurable tristesse. Il était grand temps de réagir, et de voir l'aspect positif des choses, comme Nick l'avait fait. L'été avait été long, rude, j'étais heureuse qu'il soit terminé.

Je déjeunai deux fois avec Nick mais il n'avait plus beaucoup de temps à me consacrer. Nous avions rendez-vous le vendredi 19 septembre pour déjeuner. Ce jour là, j'avais un emploi du temps chargé, car je sortais avec des amis le soir et je voulais passer chez le coiffeur, une envie qui faisait partie de mon nouveau personnage, de ma nouvelle existence. Nick m'appela en fin de matinée. Il avait dormi tard et ne se sentait pas le courage de venir déjeuner. Quelque chose dans sa voix attira mon attention. Il semblait morose, ou trop calme, ou trop seul, ou peut-être était-il tout simplement encore à moitié endormi. Je lui demandai de but en blanc si ça allait, s'il était triste, mais en riant il me rétorqua que non, et que je devrais arrêter de m'inquiéter.

Notre dernière séance d'œufs brouillés datait de deux ou trois nuits. Nous avions longuement bavardé, alors. Mais aujourd'hui, il se sentait flemmard. Cela ne lui disait rien de traverser toute la ville. Je lui proposai d'annuler mes rendez-vous de l'après-midi, mais il refusa. Il promit de venir dîner avec moi et les enfants le dimanche suivant. Une tradition qu'il a presque toujours respectée. Il dînait toujours chez nous, le dimanche soir, et plus souvent quand il avait le temps. Mais, ces derniers temps, ses nombreuses occupations l'avaient accaparé. Il avait fini les dernières mises au point de son prochain disque deux jours plus tôt, et cette nuit-là, un vendredi, il devait assurer un spectacle.

Plus tard j'ai découvert que cet après-midi-là, il avait rendez-vous avec une femme. Il l'avait rencontrée lors d'un de ses concerts et il l'avait courtisée. Il a déjeuné avec elle, ce dont je me réjouis. Tous les deux, nous nous étions déjà tout dit. Je suis ravie qu'il se soit bien amusé. Apparemment, il était très amoureux de cette femme. Leur premier rendez-vous fut un succès ; ils se mirent d'accord pour se revoir le lendemain soir. Après le drame, elle m'écrivit une longue lettre.

Récemment, Nick s'était également ouvert à John, qui m'en parla incidemment. Ils étaient en bons termes, quoiqu'ils ne se soient pas vus depuis un bon moment. Chacun suivait son chemin et Nick avait toujours été plus proche de moi que de son père. Mais il parlait de John en termes affectueux et ils allaient déjeuner ensemble la semaine suivante. Cela ne leur arrivait pas souvent. Malgré la profonde affection qui les liait, Nick avait du mal à communiquer avec son père. Nous étions plus habitués l'un à l'autre, plus aptes à lire dans nos pensées les plus secrètes. Nos âmes se comprenaient mieux. Peut-être que nous avions plus de points communs, et nos styles se ressemblaient, une sorte d'ouverture d'esprit nous portait vers les autres. Les gens ont scrupule à s'ouvrir les uns aux autres. Je me battais aux côtés de mon fils heure après heure, jour après jour. Et, parfois, lui parler, l'écouter, me faisait l'effet de me regarder dans un miroir, avec quelques touches de couleur en plus, quelques rides. Une grande similitude d'esprit nous rapprochait.

En tout cas, nous ne nous vîmes pas cet après-midi-là. Nick sortit avec son flirt et j'allai chez le coiffeur.

Ce soir-là, je suis rentrée tôt de mon dîner et je me suis couchée. Le sommeil me fuyait, chose inhabituelle. D'ordinaire, je m'endors dès que ma tête touche l'oreiller. Mais cette nuit-là, impossible de fermer l'œil. Je me tournais et me retournais dans mon lit. Je me levai pour prendre un bain. Je me suis recouchée vers quatre heures et demie du matin. Je n'ai pas dormi avant cinq heures. D'après la reconstitution de la nuit de Nick, nous avons dû nous endormir à la même heure. Je suis convaincue que mon instinct savait qu'il avait des problèmes. C'est à lui que je pensais en fermant les yeux. La sonnerie du téléphone me réveilla à neuf heures du matin. C'était Julie.

Elle n'a pas pleuré. Elle n'a pas crié. Sa voix semblait parfaitement normale. Elle a simplement prononcé mon nom d'un ton monocorde.

— Danielle.

Je crois que j'ai su avant même de l'apprendre.

— Il est mort.

Les mots m'avaient échappé.

— Oui. Il est mort, dit-elle, surprise que je sois au courant — mais je ne l'étais pas.

— Tu plaisantes, fut tout ce que je pus répéter... Tu plaisantes. C'est une plaisanterie... Il n'est pas mort... Tu plaisantes...

J'égrenai cette morne litanie indéfiniment, sans m'arrêter. Dix, cinquante, cent fois, comme un disque rayé, comme un mécanisme qui crache ses boulons avant de disjoncter, de se détraquer, de se casser irrémédiablement : « Tu plaisantes, c'est une plaisanterie, tu plaisantes. »

— Il est *mort* ! me cria-t-elle enfin. Je ne *plaisante pas* !

Un flot de paroles suivit : elle m'expliqua comment cela s'était passé. Il s'était injecté une dose massive de morphine. Ils l'avaient trouvé à genoux sur le parquet, le front appuyé sur le bord de son lit, la seringue près de lui. La mort avait été instantanée, avaient-ils dit. Julie et moi savions pourquoi. Nick avait eu une violente réaction anaphylactique à cette substance lors de ses trois tentatives précédentes. Les médecins l'avaient averti : une nouvelle injection le tuerait. D'après ce que Julie avait pu deviner, il s'était administré une dose cinq fois plus forte. Il voulait être sûr de ne pas se rater. En fait, il était sûr de ce qu'il faisait. Paul l'avait laissé à quatre heures et demie du matin, heure à laquelle je me glissais dans mon lit après mon bain. Pour la première fois, Julie s'était absentée, afin d'assister à une messe de minuit à Santa Cruz. Cette fois, elle ne serait pas là pour l'arrêter, Nick le savait. Bill Campbell, le mari de Julie, ne passerait pas à l'annexe avant le lendemain matin, entre six et sept heures. D'ailleurs, c'est lui qui l'avait trouvé... Nick s'était débrouillé pour rester seul. Il n'y avait personne pour le sauver. Personne pour le ramener à la vie. Et il s'était administré un produit qu'il savait lui être mortel... et dont il avait pris une forte dose. C'était une méthode de suicide appelée « lancer la balle au destin », comme la roulette russe. Cela procédait de la même provocation, et il avait une fois de plus mis le destin au défi de lui laisser la vie sauve ou de le prendre. Et il l'avait pris.

Ce geste n'avait pas de sens. Tout allait bien pour lui. Il paraissait heureux. La veille au soir, le concert avait été un grand succès. Etait-il secrètement déprimé ? En phase maniaque ? Mais si beau, si talentueux qu'il fût, quels que fussent nos efforts pour le protéger de lui-même, quel que fût l'amour dont nous l'avions entouré, il était parti. On ne saura jamais s'il a vraiment voulu mourir ou si, par imprudence, il est allé se promener au bord du précipice, comme d'autres jouent à la roulette russe. A-t-il vraiment désiré en finir ? La maladie a-t-elle finalement eu raison de lui ? Est-ce le fait d'avoir été confronté à ses limites, lors de sa tournée avec Link 80 ? Pourtant, Knowledge lui avait redonné la joie de vivre. N'était-ce qu'apparence ? Que s'est-il passé cette dernière nuit ? A-t-il perdu la tête ? A quoi pensait-il ? Que lui est-il arrivé ? Désespoir ? Folie maniaque ? Nous ne le saurons jamais. Nous nous perdrons toujours en conjectures.

Depuis j'ai appris que les maniaco-dépressifs tentent rarement de se suicider en phase dépressive. Le passage à l'acte survient quand recommence le cycle de la phase maniaque et qu'ils se sentent plus de force pour se tuer.

Il n'a laissé aucune lettre, aucun indice. Il avait appelé une douzaine d'amis entre trois et quatre heures du matin, pendant que je faisais les cent pas chez moi. Il aurait pu m'appeler. Il ne l'a pas fait. Sans doute par crainte que je m'aperçoive de quelque chose, que je devine, que j'essaie de l'arrêter. Or, cette fois, il ne voulait pas qu'on l'arrête. Il avait fait en sorte d'échapper à l'œil vigilant de Paul, de Julie et même de son ami Sammy le Mick.

Je reposai doucement le téléphone. Des sanglots me secouaient. Et sans raison, j'ai dégringolé les marches, sanglotant, et courant, courant, vers rien du tout. Mes propres mots retentissaient dans ma tête... tu plaisantes ? Tu plaisantes ? Cette fois, Dieu nous avait fait une blague. L'éclatant rayon de lumière qui avait éclairé ma vie pendant si longtemps s'était éteint brusquement, silencieusement. Je n'osais concevoir les ténèbres qui commençaient à m'engloutir.

### Cavalier de l'abîme

A cheval
Si près du bord
Tes prouesses
Terrifient
Tous ceux
Qui te regardent.
Tu aimes quand la foule
Retient son souffle,
Le rugissement dans l'air,
La terreur
Que tu répands,
La fureur
Que tu attises
L'hystérie qui monte,
La panique,
La tension,
La peur,
Va-t-il tomber ?
Osera-t-il ?
Se reprendra-t-il ?
Va-t-il mourir ?
Va-t-il vivre ?
Comment sera la fin ?
Heureuse ?
Bruyante ?
Sanglante ?
Tu longes le bord,
Tu défies l'abysse,
Et le destin.
Tu risques
Nos cœurs,

Et ta vie,
Et à quel prix
De gloire ?

Garçon perdu
Pauvre garçon perdu,
Tu erres
Sans fin dans le dédale
De tes actes,
Tremblant
De fureur,
De terreur,
De rage,
Tu t'élances
Montrant du doigt
Les ombres
Dans la brume,
Tu souhaites
Que des fantômes
Reçoivent
Le blâme
Mais seul
L'écho de ton nom
Résonne
Dans la nuit.

Nous t'aimons
Nous sommes ici,
Dans le noir,
Nous t'attendons,
Mains tendues,
Nous essayons
De t'attraper
De te tenir,
De saisir
Un de tes membres
Qui se casse
Pour t'épargner

293

D'infinies
Douleurs de cœur.
Tu reçois des coups,
Tu pousses un cri,
Croyant que tu tombes,
Criant
Ton désespoir,
Mais nous sommes là,
Nick,
Soucieux,
Nous t'attraperons,
Nous serons là,
Nous t'aimons.

# 20

## Une mer de roses jaunes

Je me rappelle qu'après le coup de téléphone de Julie j'ai prévenu trois amies proches et je crois que peu après, dans la matinée, elles sont arrivées : Jo Schuman, Kathy Jewett et Beverly Dreyfous. Mes amies Victoria Leonard et Nancy Montgomery sont venues plus tard. Le reste n'est qu'un brouillard de visages, de sons, de souvenirs déchirants, de peine intense, de larmes. Mon cœur saignait comme s'il avait été tranché en deux avec une machette. Je n'arrivais pas encore à concevoir l'irréparable, ni ce que j'éprouverais plus tard, quand cela pénétrerait ma conscience. Mais cette vague réalité m'horrifiait au point de me sentir touchée par la folie. Il fallait que je rassemble mes idées pour le bien de mes enfants... Je devais penser à eux maintenant.

Juste après le coup de fil de Julie, les mains tremblantes, je composai le numéro de John. Il fut si bouleversé que c'est à peine s'il parvint à articuler deux mots. Je lui demandai s'il voulait l'annoncer aux enfants avec moi. Il répondit qu'il serait préférable que je m'en charge. Il se trouvait à la campagne et n'arriverait pas avant plusieurs heures. Il me promit de venir dès qu'il aurait fermé la maison de Napa Valley ; je sais que Nick aussi aurait préféré que ce soit moi qui apprenne la nouvelle à ses frères et sœurs. Mais cette perspective me faisait horreur. J'avançais à tout petits pas et chaque pas était une souffrance atroce. Je n'arrivais pas à voir plus loin. Tout ce que je savais, tandis que mes trois amies arrivaient, sans que je sache pourquoi ni comment, c'était que je devais le dire aux enfants. Pour le moment, ces trois amies, Julie, son mari et John étaient les seuls à être au courant.

Je savais que si les enfants voyaient autour d'eux les visages en larmes des baby-sitters, des gouvernantes et des autres employés de maison, qui travaillaient pour nous depuis dix ou vingt ans, ils comprendraient immédiatement que la foudre avait frappé. Oscillant entre le calme et l'hystérie, agissant comme un zombi, je ne pensais qu'à eux. Pas même à Nick. Seulement à ses frères et sœurs. Le reste pouvait attendre.

Deux des enfants avaient passé la nuit chez des amis et je dus les faire revenir sans éveiller leurs soupçons. Je leur téléphonai, en leur disant qu'ils devaient rentrer déjeuner à la maison. Naturellement, ils n'en avaient aucune envie. Et ils se plaignirent amèrement. Entretemps, je dus cacher ma peine aux autres.

Il était midi quand ils se trouvèrent enfin tous les cinq devant moi. Zara, la plus jeune, aurait dix ans une semaine plus tard, Maxx avait onze ans, Vanessa douze. Victoria avait fêté son quatorzième anniversaire deux semaines auparavant. Sammie avait quinze ans. Quelle chose cruelle que de subir la perte d'un être aimé à des âges aussi tendres ! Je craignais surtout la réaction de Sammie, l'âme sœur de Nick. Elle l'adorait, il était son héros. Il était notre héros à tous. Il avait accompli tant d'exploits, avait remporté tant de victoires, malgré le coup que la vie lui avait porté. Nick était un gagnant, pas un perdant.

Jouxtant ma chambre, il y a un petit salon, une pièce claire, ensoleillée, avec une vue superbe et des fauteuils jaunes fleuris. Je leur avais demandé de venir dans cette pièce particulièrement agréable, qui est celle des réunions familiales, car elle dégage une sensation de sérénité. Ils entrèrent, l'air furieux. Par mes exigences abusives, j'avais gâché leur week-end, me dirent-ils. Moi, je savais que j'allais réellement le gâcher, et d'une façon irréparable. Je me sentais comme un bourreau, et cherchais en vain le moyen d'adoucir la douleur que j'allais leur infliger. Ils éclatèrent de rire quand je les priai de former un cercle en s'enlaçant étroitement. Nous n'avions jamais fait cela auparavant mais j'étais incapable de trouver mieux. J'avais envie de sentir leur chaleur, et qu'eux ressentent la présence les uns des autres, unis comme les doigts de la main, afin de nous rappeler que ce coup mortel ne parviendrait pas à briser le cercle de notre amour. Et Nick serait à l'intérieur du cercle, comme il l'avait toujours été, comme il le serait toujours. Ils m'ont taquinée, se moquant gentiment de ce « câlin en groupe ». Je ne sais plus lequel a murmuré que c'était « nul », puis ils ont vu mon visage, mes yeux, et soudain ils ont eu l'air effrayé. Je me suis mise à parler vite, disant que je devais leur annoncer une mauvaise nouvelle, une nouvelle terrible et que j'espérais ne plus jamais avoir à le faire. Les yeux de Sam, face aux miens, m'interrogeaient avec intensité et tandis que nos regards se croisaient, je fondis en larmes.

— Qu'est-ce que c'est ? demanda-t-elle d'une voix étranglée.

— C'est Nick, répondis-je.

— Quoi ? Pourquoi ?

Leurs yeux, terrifiés, cherchaient les miens.

— Il est parti, réussis-je à articuler.

— Qu'entends-tu par « parti » ? s'enquit Sam, paniquée.

— Parti... il est parti... je vous aime... je vous aime tous tant, autant qu'il vous aimait... Il est mort ce matin.

Il n'y avait pas d'autre manière de délivrer ce message mortel. Et comme si j'avais planté un couteau dans chacun de leurs cinq cœurs, cinq cris fusèrent à l'unisson, un son qui s'est à jamais gravé dans ma mémoire, longue plainte hideuse de pleurs et de sanglots, tandis que nous tombions dans les bras les uns des autres. Je savais qu'à partir de cet instant mon exemple leur servirait toute leur vie et les aiderait peut-être à sortir indemnes de l'épreuve. Je ressentis ce devoir comme un poids insupportable.

Nous pleurâmes très longtemps, puis je leur dis que chacun devait faire face au drame de la manière qui lui conviendrait le mieux... avec leurs amis s'ils en éprouvaient le besoin, ou seuls, ou avec moi. Quoi qu'ils fassent, je ne les jugerais pas. A mes yeux, leur expliquai-je, il n'y avait pas de bonne ou de mauvaise façon de vivre un deuil. Je leur demandai seulement de s'aimer les uns les autres.

Ils sortirent, allant d'une pièce à l'autre en pleurant, en sanglotant, en parlant aussi, et en se serrant dans les bras les uns des autres. Ils étaient, comme moi, en état de choc, incapables encore de saisir l'horrible réalité.

La nouvelle se répandit très vite dans la maison. Bientôt, il n'y eut plus autour de moi que pleurs, sanglots et effroi. La suite est restée dans mon souvenir comme un brouillard de visages, de larmes, de tragédie. Des gens entraient, sortaient, je devais prendre des décisions. Tout à coup on évoquait ses obsèques, et cela me semblait absurde. Sa cravate... sa chemise... son skateboard... son chien, peut-être... ses médicaments, ses infirmières... n'importe quoi, mais ses *obsèques* ? Quelle drôle d'idée ! Aujourd'hui encore, j'ai peine à le croire.

L'évêque est arrivé un peu plus tard. Je ne savais plus que pleurer. Nous fixâmes le jour des funérailles. John vint ensuite et passa plusieurs coups de fil à ma place. Je me revois penchée sur une liste de noms, muette, surveillant les enfants du coin de l'œil, prenant des décisions. Je sais que j'ai appelé Julie. Son existence, sa maison, son cœur et ses enfants semblaient tout aussi dévastés que les miens. Elle était sa deuxième mère. L'équipe de maternage avait perdu l'ultime bataille. Il nous avait glissé entre les doigts, et ce n'était la faute de personne. Nous l'avions perdu. Je n'arrivais pas à imaginer les implications de sa disparition sur notre avenir.

Je voulais qu'il y ait de la musique à son enterrement. Des chansons qu'il aimerait. Ses chansons. John déployait tous ses efforts pour joindre ses deux fils qu'il finit par trouver. Seuls Beatie et son mari manquaient à l'appel. Ils étaient partis pour le week-end. Pour la première fois de sa vie, Beatie avait oublié de me laisser un numéro de téléphone. Il n'y avait pas moyen de la contacter. A moins qu'elle ne m'appelle.

J'invitai Julie et sa famille à nous rejoindre pour le dîner. Je lui répétai combien je l'aimais, et la remerciai à nouveau pour tout ce qu'elle avait fait pour Nick. Elle craignait que je la rende responsable. Comment l'aurais-je pu ? Elle lui avait sacrifié sa vie, elle lui avait ouvert sa maison et son cœur. Pendant cinq ans, elle s'était consacrée à Nick avec une rare dévotion.

Les gens étaient prévenus, des bouquets de fleurs arrivaient, des visages apparaissaient. J'en garde un souvenir brumeux. J'entrais dans les chambres de mes enfants et en ressortais. Je sanglotais, comme il m'arrive encore de le faire. J'allais m'asseoir dans la chambre de Nick, incrédule. Il allait sûrement arriver d'un instant à l'autre. C'était une farce qu'il me faisait. Ce n'était qu'un jeu, un mensonge. Comment allais-je vivre dorénavant ?

Quelqu'un, je ne sais plus qui, m'a mis le téléphone dans la main. On m'appelait. Une voix familière. Tom. Il venait d'apprendre la catastrophe. Il fut là, peu après. Il me prit dans ses bras — une présence puissante, une force qui me soutiendrait, sur laquelle je pourrais m'appuyer. Pourquoi était-il venu ? Par sympathie ou mû par un sentiment plus profond ? Pour Nick ? Pour moi ? Pour lui-même ? Le savait-il vraiment ? Peut-être avait-il senti qu'il devait être là. Je lui en étais reconnaissante. Il ne me quitta pas de la semaine. Et quoi qu'il ait fait ou dit auparavant, malgré la peine qu'il m'avait infligée, et quelle que soit la raison qui l'avait effrayé au point de prendre la fuite, plus rien ne m'importait. Il était là, et c'était l'essentiel. Il était accouru au moment où j'avais le plus besoin de lui. Nick l'aurait remercié. Il lui aurait dit : « Prends bien soin de maman à ma place. » C'est ce qu'il a fait, Nick, et mieux que tu ne peux l'imaginer. Sa nouvelle attitude a effacé tout le chagrin de l'été passé. Grâce à lui, j'ai survécu. Les autres comptaient sur moi. Il fallait que je sois forte. Pour la première fois, j'ai douté de mon courage.

Nous avions décidé qu'il n'y aurait que des roses jaunes aux obsèques. J'appelai ma nièce Sasha à New

York, lui demandant de venir chanter l'Ave Maria — elle l'avait déjà interprété au mariage de Beatie, Nick serait content d'entendre sa belle voix. Il aimait beaucoup Sasha.

Ensuite nous avons écouté plusieurs cassettes des chansons de Nick afin de choisir celle des obsèques. Nous avons reçu d'autres appels. J'ai appelé la meilleure amie de ma mère, la priant de la prévenir. Et j'ai demandé à John de contacter les parents de Bill. Ils avaient le droit de savoir et lui aussi. Nick était son fils. Et John le leur apprit avec délicatesse. Quant à Beatie, elle restait introuvable.

Ce soir-là, il y avait vingt personnes à table, peut-être plus. Je regardais leurs visages familiers, du fond de mon brouillard. Mon éditrice et son mari, Carole et Richard Baron, Lucy, la première nounou de Nick, qui s'était occupée de lui pendant dix-huit ans, le Dr Seifried, Julie et Bill Campbell, leurs enfants, tous accablés. Mes amies, mon assistante Heather, Tom, sept de mes enfants. Il ne manquait que Beatie. Et Nick... Et, bien que je lui aie demandé de rester, John était reparti quelques heures pour se ressaisir. Je crois que la présence de Tom le dérangeait, même si celui-ci était dans ma vie depuis plus de deux ans.

Beatie appela alors que nous finissions de dîner. Je ne me souviens pas d'avoir avalé la moindre bouchée. J'avais lu à table la lettre que Nick m'avait adressée pour mon anniversaire. Lorsque je décrochai, Beatie déclara qu'elle me téléphonait simplement pour me dire qu'elle m'aimait. C'était horrible de répondre à cet élan d'affection par un coup de couteau, mais il fallait qu'elle sache. Les journalistes n'avaient cessé d'appeler toute la journée, le lendemain le drame serait dans tous les journaux. Je lui annonçai la nouvelle. Ses cris, ses pleurs jaillirent comme tout à l'heure ceux de ses cadets. Peut-être était-ce pire pour Beatie. Nous avions perdu « notre bébé ». Elle dit qu'ils rentraient tout de suite et qu'ils arriveraient dans quelques heures.

Le brouillard ne se dissipait pas, mais maintenant j'apercevais Beatie parmi les autres. Nos larmes ne tarissaient pas. Nous avions plongé dans un cauchemar d'où jamais nous n'allions nous réveiller — comme Nick avait choisi de ne pas se réveiller.

Le lendemain, nous nous rendîmes aux pompes funèbres pour choisir le cercueil. John m'accompagnait ainsi que Kathy et Jo, mes deux fidèles amies, mon assistante Heather, et Beatie. Sans même m'en parler, tous mes employés avaient décidé de venir travailler le week-end. Toute l'équipe du bureau arriva pour m'aider dans les « formalités », un mot que j'ai toujours détesté. Regarder les rangées de cercueils dans le vaste sous-sol de l'entreprise était si macabre que je ne pus le supporter. Il fallut ensuite choisir la pièce où serait exposé le cercueil, et à la maison, un de ses costumes, et l'envoyer au nettoyage. Mais quel costume ? Quelle cravate ? Quelles chaussures ? Autant de gestes absurdes auxquels pourtant on s'accroche. Ses chaussures étaient éparpillées autour de mon dressing-room, je pouvais choisir les plus belles. Il me fallut ensuite des jours pour me décider à y toucher, comme s'il allait revenir pour les porter et les remettre à leur place.

Le lundi, j'allai au cimetière où John et Beatie me rejoignirent. Là, il fallait choisir ce que l'administration appelle une « concession ». Et tandis que des inconnus m'approchaient pour me présenter leurs condoléances, déclarant qu'ils adoraient Nick, je fus prise de nausée et faillis m'évanouir. Je ressemblais à un triste petit oiseau noir, dans mes vêtements de deuil. Je ne mangeais plus. Pour quoi faire ? Nick n'était plus là.

Ce soir-là, nous retournâmes avec les enfants et des amis proches aux pompes funèbres pour la mise en bière. Je devais décider si je voulais le voir. Oui, je voulais. Je voulais le prendre dans mes bras, le serrer, le bercer comme lorsqu'il était petit, le tenir contre mon cœur pour la dernière fois. Mais j'avais peur de voir la vérité en face, peur qu'elle ne me tue. Me sentant affreusement coupable, je refusai. Les trois aînés de mes enfants entrèrent dans la petite pièce funéraire, ainsi que Julie et quelques autres. Leurs sanglots m'anéantirent.

Et le mardi, des centaines de personnes envahirent l'espace, tandis que nous étions assis autour du cercueil fermé et recouvert de roses jaunes. Les enfants, bien sûr, John, Julie et les siens, puis les visages familiers des gens que je connaissais. Certains se détachèrent de la foule, mais dans l'état de choc où je me trouvais, je ne me rappelle plus très bien comment les choses se sont déroulées, et c'est une petite consolation. Je sais que Tom était là, qu'il m'a soutenue, qu'il a accueilli mes amis, qu'il a pleuré à mon côté. Il aimait beaucoup Nick, lui aussi. Nous l'aimions tous. Tom est revenu dans ma vie à ce moment-là, et six mois plus tard nous étions mariés, ce qui aurait fait plaisir à Nicky. Peut-être était-ce son ultime cadeau, de nous réunir de nouveau. Il l'avait toujours voulu.

A un moment donné, levant les yeux, j'ai aperçu Bill debout, l'air hésitant, entre ses parents. Il n'avait pas beaucoup changé. Il portait un costume sombre et l'on voyait tout de suite que sa santé était meilleure. Il avait pris sa vie en main. En le regardant, je ne pouvais que penser que Nick constituait un lien de chair entre moi et cet homme. Près de vingt ans s'étaient écoulés, mais le cadeau qu'il m'avait offert il y avait si longtemps avait été l'un des plus beaux de toute mon existence. Je me dirigeai vers lui, lui dis ma peine, puis ensemble nous revînmes vers le cercueil. Et ce qui avait été amour, puis déception, se fondit dans le chagrin, puis tout doucement se changea en amitié, encore un héritage que Nick nous avait laissé.

Il y avait tant de choses que j'aurais voulu lui raconter sur Nick. Je lui devais tant, et il avait tout manqué. Son style de vie, ses propres démons l'avaient emporté loin de nous et maintenant la marée montante le ramenait, trop tard pour Nick et pour lui-même. J'éprouvais à son égard un mélange de tristesse, de compassion, et de gratitude d'avoir survécu.

Bill m'expliqua qu'il avait suivi un programme de désintoxication un mois plus tôt. Pour la première fois depuis vingt ans, il s'était débarrassé de son vice. Il envisageait de revoir Nicky. C'était une cruelle ironie du sort que Nick nous ait quittés avant qu'il mette son projet à exécution.

Je le revis le lendemain, sur les marches de l'église, tandis que j'attendais que les porteurs du cercueil gravissent les marches. Il se tenait à l'écart avec ses parents et une amie. Je le serrai dans mes bras en silence. Depuis, nous nous voyons de temps à autre. Bill a connu Nick à travers nous, et nous sommes devenus bons amis. J'espère que Nick, comme un ange gardien, veille sur lui. Une tragédie suffit amplement. Bill a fait preuve envers moi d'une gentillesse qui a cicatrisé les vieilles blessures. Mais surtout, il m'a donné Nicky, ce dont je lui serai éternellement reconnaissante.


Les obsèques furent émouvantes, dans l'imposante cathédrale où onze cents personnes s'étaient réunies. Les amis de Nick et les miens, des gens qui l'avaient connu pendant ses concerts, mes éditeurs, notre famille. Trevor et Todd portaient le cercueil avec Bill Campbell, Cody et Paul, et deux amis de Nick, Max Leavitt et Sam Ewing (Sammy le Mick) ainsi que Stony, son grand ami et roadie. Maxx avançait à côté d'eux. Je suivais seule, à pas lents, alors qu'ils emmenaient Nick vers l'autel. Quatre mois plus tôt, au mariage de Beatie, nous descendions ensemble l'allée de la même église et je lui disais combien je l'aimais. Il avait été là pour moi. Et maintenant, j'étais là, à mon tour, pour lui. Je tenais à la main un petit animal en peluche avec lequel il avait dormi toute sa vie, un drôle de petit personnage hirsute appelé Gizmo. Maintenant, il est sur mon bureau, avec son autre peluche préférée, un petit agneau blanc qu'il appelait « Lambie ». (Ceux que j'ai déposés dans son cercueil sont des répliques, j'ai gardé ceux qui ont partagé sa vie.)

Ma nièce Sasha chanta l'Ave Maria, nous écoutâmes une chanson de Nick, *I Am All Alone*, qui nous transperça de chagrin ; enfin Trevor, Todd, Beatrix et Max Leavitt prononcèrent des oraisons funèbres pendant que mes enfants et moi, ainsi que toute l'assemblée, laissions libre cours à notre douleur.

A la fin, Val Diamond chanta *Wind Beneath My Wings*, des « Beaches », qui semblait exprimer mot pour mot mes sentiments : « Est-ce que tu savais que tu étais mon héros ? J'étais celui qui avait la gloire, et toi celui qui avait la force. » Et partout où mes yeux se posaient, je voyais une mer de roses jaunes. Dorénavant, les roses jaunes me rappelleront toujours Nicky.

Lorsque nous sortîmes de l'église et descendîmes les marches derrière Nick, en arrivant sur le parvis, je me retournai et je vis plus d'un millier de visages tristes, silencieux et immobiles, partageant notre deuil, alors que le glas sonnait du haut de la flèche.

Trois cents personnes vinrent ensuite à la maison, puis tout fut fini. Ou presque. L'enterrement aurait lieu le lendemain. Nous allions l'accompagner à sa dernière demeure. Je n'avais pas dormi la veille, il en fut de même cette nuit-là. A six heures du matin, une idée germa dans mon esprit. Je ne supporterais pas de revoir mes enfants dans leurs tristes petits vêtements noirs, et je savais qu'ils ne pouvaient pas souffrir davantage. Les formalités avaient été accomplies, nous ne serions plus que la famille et une poignée d'amis dans la chapelle du cimetière. J'appelai tout le monde au lever du jour pour leur dire que nous allions célébrer la « Fête du mauvais goût » en l'honneur de Nicky. Puisqu'il avait eu le mauvais goût de nous laisser en plan, à notre tour nous allions le mettre dans l'embarras en nous habillant n'importe comment. En vérité, il aurait adoré ça. C'était tout à fait son genre d'humour, et j'avais eu cette idée pour aider les enfants.

Tout le monde arriva fagoté comme l'as de pique. Paillettes, strass, tee-shirts décolorés, bottes à fleurs, lunettes de rock star. John se distinguait dans un costume Versace, et j'avais troqué mes vêtements noirs contre une robe de couleur. Les enfants avaient trouvé mon idée « géniale » et nous écourtâmes la cérémonie. Un ami musicien joua en sourdine des airs de *Rue Sésame*, des gerbes de roses multicolores décoraient la petite chapelle ardente. Deux prêtres dirent une dernière prière. Dehors attendait une escouade de motards envoyée par le maire pour éloigner les journalistes. Les policiers avaient les yeux humides quand je leur serrai la main.

J'étais censée dire au revoir à Nicky, mais je ne voyais pas pourquoi, car je ne l'ai pas laissé seul là-bas. Je l'ai emporté avec moi, dans mon cœur. Il sera toujours près de moi, de mille façons différentes. Il fait partie de moi. Et cela, personne, pas même la mort, ne peut me l'enlever. Il m'appartient, comme je lui appartiens, grâce aux années, aux rires, aux larmes, aux défaites, aux victoires, aux joies que nous avons partagés. Je ne perdrai jamais cela, je ne le perdrai jamais, lui. Non, jamais.

Aimer Nick ne pouvait pas être synonyme de perte. C'était synonyme de victoire. Cela voulait dire espérer, croire, faire des efforts, trouver de nouveaux chemins, s'élancer sur de nouvelles pistes, et continuer à essayer malgré les échecs. Nick m'a enseigné beaucoup de choses. Comment aimer est l'une d'elles. Aimer à t'éclater le cœur, aimer à en mourir. Des leçons trop précieuses pour les oublier ou pour ne plus y penser.

A quoi ressemble ma vie maintenant, sans lui ? Par moments, il n'y a plus que le vide. Il a laissé dans mon cœur un vide aussi grand que le Texas. Non, plus grand encore. Aussi grand que Nicky.

Je n'arrive toujours pas à croire qu'il est parti. Je m'invente des occupations pour remplir mes jours et mes nuits, parfois frénétiquement, parfois tranquillement. Je feuillette des albums et regarde ses photos. Je fais faire de nouveaux tirages pour les membres de la famille. J'ai rangé ses vidéo-cassettes, lu son journal. J'appelle l'avocat à New York pour me tenir au courant du lancement de son dernier disque. J'ai écrit ce livre. J'ai organisé un concert dédié à sa mémoire, avec des groupes qu'il appréciait. J'ai créé une fondation.

Je veux que sa mémoire demeure. Je veux que les gens se souviennent de lui, le connaissent, l'aiment, sachent combien il était important pour moi, combien je l'aimais, combien il m'aimait, et combien nous l'aimions tous. Et je veux que tout le monde sache quel garçon extraordinaire il était, brillant, attentif, plein de talent, drôle. Combien il nous a fait rire, et la joie qu'il nous a apportée. Est-ce que cela comblera le vide ? J'en doute. Je crois que rien ne pourra jamais le combler. J'aurai toujours un trou en plein cœur. Il a emporté avec lui les années que je lui ai consacrées avec tant d'énergie et de passion. Rien ne peut les remplacer.

J'ai huit autres enfants merveilleux à chérir. Ils me tiennent compagnie. Chacun d'eux m'est aussi infiniment précieux que Nick. Ma vie leur appartient maintenant, comme autrefois. Et j'ai un mari adorable, qui comprend ma douleur, et qui me soutient. Je sais — ou tout au moins je l'espère — qu'avec le temps nous rirons de nouveau, nous nous remettrons à vivre. J'espère que des choses formidables nous arriveront, des choses dont je voudrai parler à Nick et alors, il me manquera plus que jamais. Le cercle de la nostalgie n'est pas facile à briser. Nick n'était pas seulement mon fils : il était devenu mon meilleur ami. Sa vie n'était pas seulement un rayon de lumière mais un symbole d'amour et d'espoir.

Sa chambre est restée la même. Nettoyée, propre, en ordre, comme s'il allait revenir à la maison. Je ne supporte pas l'idée de la vider ou de distribuer ses affaires ; peut-être un jour aurai-je la force de le faire. Je préfère penser que sa chambre restera comme elle l'a été, pour toujours. Je ne suis pas retournée à l'annexe chez Julie. C'est encore trop pénible. Je m'y rendrai en temps et en heure. Julie y va de temps à autre, et s'y assoit paisiblement. L'annexe est la maison, la chambre, l'endroit où il est mort. Un souvenir encore trop pénible à supporter. Quelqu'un m'a écrit dans une lettre de condoléances qu'un jour nous penserons à lui comme à quelqu'un qui a vécu, pas seulement à un mort.

J'aime beaucoup cette idée. Il a vécu dans un tourbillon d'affection, de passion et d'exaltation. La vie pour lui était un long concert plein de sauts, de bonds, de bruit, de lumières et de musique. Voilà qui était Nicky et il restera toujours ainsi.

Et nous autres, restés ici-bas, nous nous souvenons de lui, nous pensons à lui, nous en parlons, nous rions même, à mesure que le temps passe. Il y a des histoires à n'en plus finir à propos de Nick. Sans lui, certains jours sont pires que d'autres. On a peine à croire qu'il est parti.

Parfois, l'espace d'un instant, j'oublie qu'il nous a quittés. D'autres rêvent de lui ou croient l'apercevoir. J'ai toujours la sensation qu'il est là, près de moi. N'ayant pas expérience de ce genre de choses, je ne peux pas affirmer qu'il est vraiment présent et qu'il me regarde. Mais j'aimerais penser qu'il peut nous voir, qu'il n'est pas loin, et qu'il est en paix maintenant. Et j'espère par-dessus tout qu'il est heureux. Il mérite le bonheur, comme nous le méritons.

Il est très difficile de voir dans la mort de Nick une bénédiction, une offrande, une victoire, et pourtant c'est la vérité si on se donne la peine de les chercher. Sa vie fut une victoire. Il a accompli beaucoup en très peu de temps. Et il représentait un cadeau pour de très nombreuses personnes... Il savait donner. Et il donnait généreusement.

D'une certaine façon, l'ultime présent de Nick s'apparente pour moi à une sorte de guérison. En le perdant, je me suis trouvée confrontée à mes pires craintes, à mon plus cruel démon. Toute ma vie, j'avais redouté la perte des miens. Nick m'a incitée à puiser au fond de moi le courage auquel il s'est toujours attendu. Il ne m'a pas laissé le choix. Il m'a forcée à vivre avec sa décision et à l'accepter. Parfois, je me bats contre cette acceptation, et je me surprends à maugréer que non, c'est impossible, je n'y arriverai pas. Mais j'y arriverai, il le faut. Je ne puis échapper au chagrin, à la perte, aux souvenirs, à l'absence, au manque. Je dois apprendre à vivre avec, et à faire de nos vies non seulement quelque chose de beau, mais aussi quelque chose de plein.

Avec le temps, la joie reviendra, à travers ceux que nous aimons et à travers les enfants. Nous partagerons d'autres jours heureux. Nous recommençons à rire, les enfants sourient. Les Campbell attendent un bébé, qui naîtra un an après la mort de mon fils. L'espoir nous apparaît à tous de manière différente, comme une bénédiction, un cadeau de Nick. Le printemps refleurira, plusieurs étés passeront. Il y aura des vacances sans lui, alors qu'il est encore si vivant dans nos mémoires. Mais son souvenir demeure, comme le doux parfum de ses présents. Il a laissé quelque chose à chacun de nous, un objet, un songe, un souvenir, un peu plus de courage qu'auparavant, un rêve plus grand, que nous n'aurions pas eu sans lui.

La vie est faite de rêves, d'espoirs, de courage. Le courage de continuer après que ceux que nous avons aimés nous ont quittés. Mais dans nos cœurs, Nick n'est pas parti. Il danse, plus étourdissant que jamais, il sourit, il rit, il chante. C'était une étoile filante. Une étoile que nous chérirons, que nous n'oublierons pas. Il m'a donné suffisamment de joie pour dix vies futures. Et cela non plus, personne ne peut me l'enlever.

Je t'aime, Nick. Merci et que Dieu te bénisse. Je te reverrai un jour.


*Ne renonce pas*

*Lorsque je n'en peux plus*
*à force de déceptions*
*Un ami pose la main sur mon épaule*
*Il dit que si*
*Je ne renonce pas,*
*Tout s'arrangera,*

Parfois, j'ai réussi,
J'ai gravi des sommets,
Et j'ai été une loque aussi,
démoralisé, abandonné,
Ainsi va la vie,
On ne peut pas tout avoir,
La moitié du temps on gagne
L'autre moitié on est par terre.
Ce monde est plein de beauté
Et il est aussi plein de haine,
Ainsi va la vie.
Certaines choses ne changeront pas
Sois positif,
utilise ton esprit,
Ne renonce pas,
tout s'arrangera.
Les uns aiment se droguer
Les autres se bagarrer
La négativité anime
Chaque nuit.
Sers d'exemple
aux simples d'esprit.
Ne cesse pas de transmettre
la connaissance
jusqu'à la fin des temps.
Il y en a qui sont haineux,
à en être détraqués.
Pourtant, le glas sonne pour toi,
alors que tout allait s'arranger.
Un fait est sûr :
ce que tu donnes
te revient,
et tu peux avoir un impact
sur ta vie.

Nick Traina

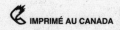